中国近现代针灸文献研究集成

教材卷

王富春　杨克卫／主编

针灸综合分卷

北方篇（下）

北京科学技术出版社

针灸讲义（丙本）

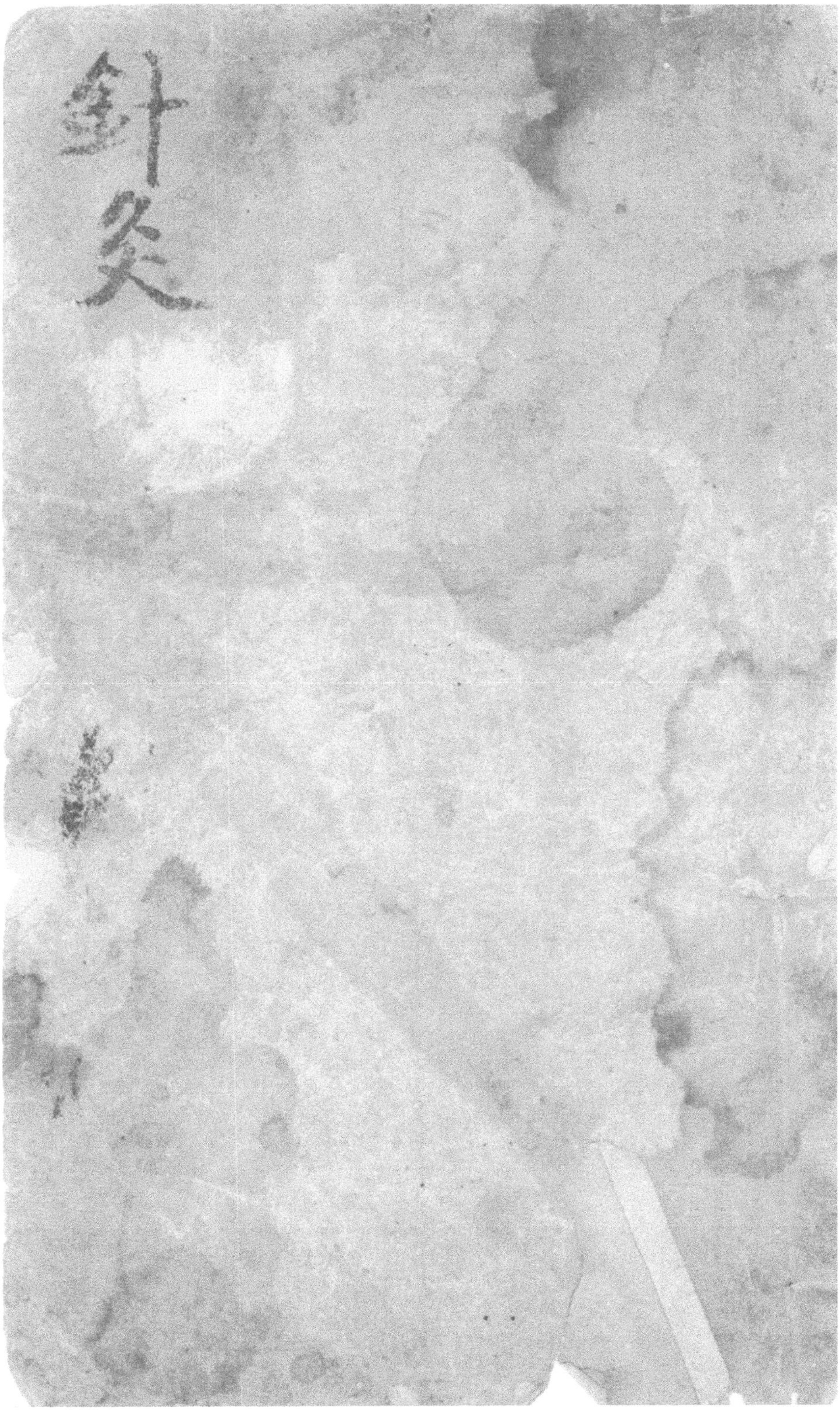
針灸

針灸講義序

療病之法首重針灸針灸之要首重明經語云經絡不明盲子夜行又曰寧失其穴勿失其脈是尋經辨絡為針灸家之特重首務也此編之首列十二經穴奇經八脈與針灸諸書之次序微有不同者誠以靡不有初鮮克有終若不先將絡經之陰陽起止明晰穴位之部分高下辨清則舉手不能合式動逢刺禁可不慎歟夫人非生知須賴多聞博識此編驗刺各節逐録金鑑大成入門諸書之歌賦欲學者熟讀精思得心應手為入門之初步且針灸一道手法為最要諸書疊疊萬言學者莫所適從難免望洋之歎茲錄其精明淺近切於實用之説刪其繁冗古奥支離之處醫校講課醫院實習雖不能進學者於高明遠大之域庶不至學之數年尚為門外漢耳愚學識淺陋濫竽教席自問於心抱赧殊甚因將

兵師及研究之説及経驗二十年行之無弊者抄述之而為講義
以供同好是為序
中華民國十六年夏歷四月初一日王嘉猷奉三自敘醫學校內

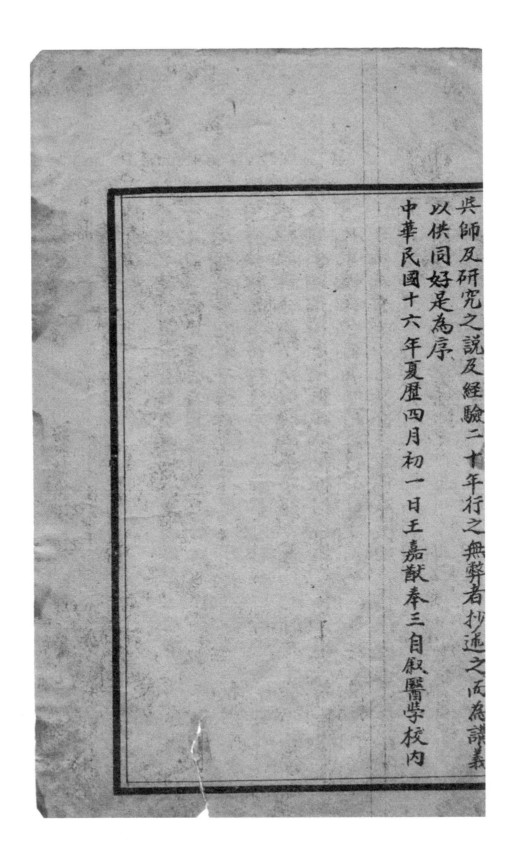

針灸講義

第一章　各臟腑經絡流注及穴之部位

第一節　手太陰肺經起止

手太陰之脉起於中焦（中府穴）還循胃口上膈屬肺從肺系橫出腋下（天府穴）下循臑內行少陰心主之前（尺澤穴）循臂內上骨下廉入寸口（經渠穴 太淵穴）上魚循魚際（魚際穴）出大指之端（少商穴）其支者（列缺穴）從腕後直出次指內廉出其端（交入手陽明每朝寅時從中府起循臂下行至少商止）

手太陰肺中焦生絡腸循胃散流行上膈屬肺從肺系橫出腋下臑肘中循臂寸口上魚際大指內側爪端通支絡還從腕後出接次指屬陽明經

本經左右共二十二穴

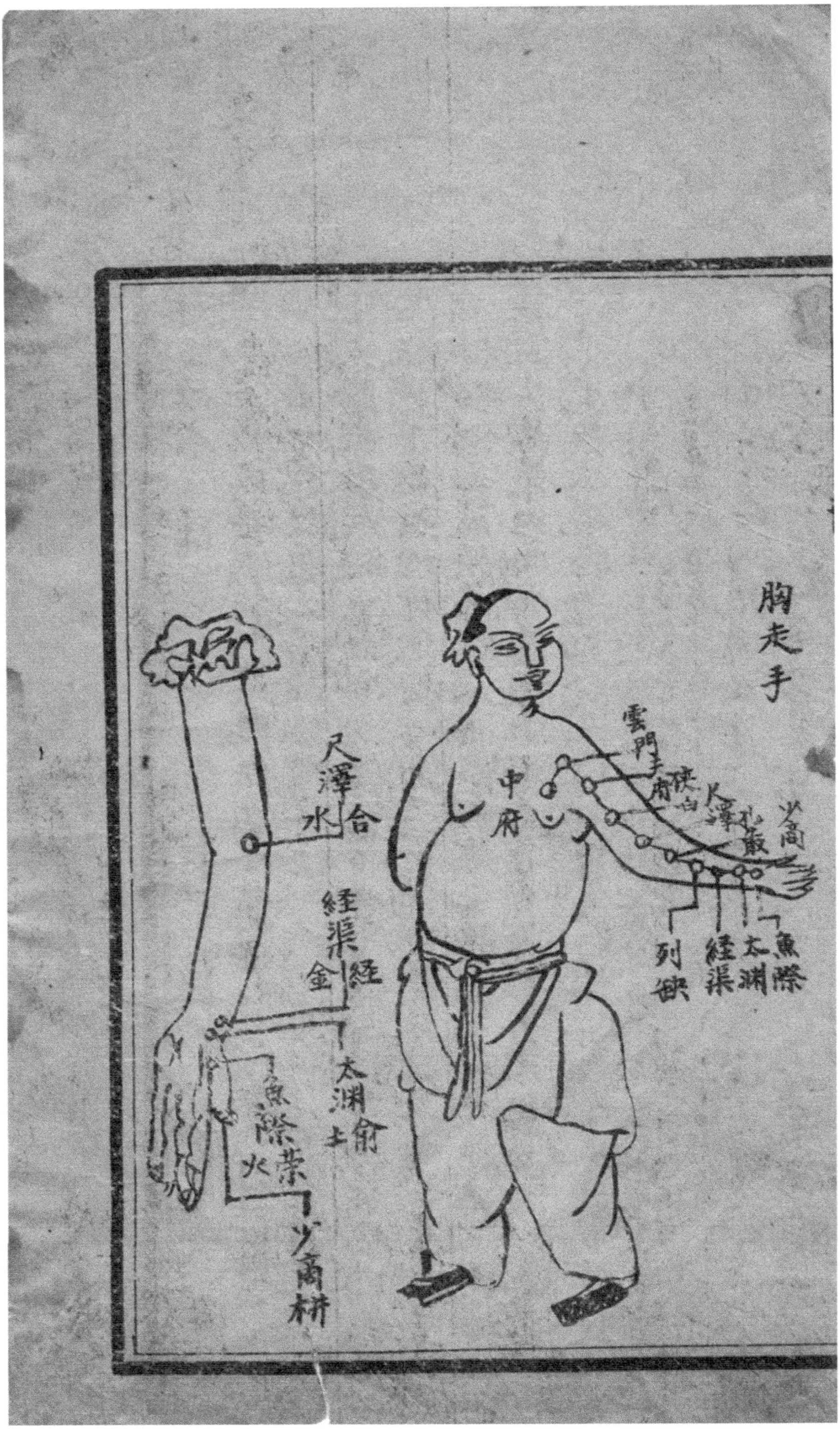
胸走手
雲門
中府
尺澤
列缺
經渠
太淵
魚際
尺澤
合
水
經渠
經
金
太淵
俞
土
魚際
滎
火
少商
井

人之高低各殊以手
指節量者不宜以
兩乳距離八寸為量

手太陰肺十一穴中府雲門天府列次則俠白下尺澤又次孔最與列缺經渠太淵下魚際抵指少商如韮葉

中府二穴雲門下一寸乳上三肋間動脈應手陷中針三分灸三壯

雲門二穴璇璣旁六寸陷中動脈應手舉臂取之針三分灸五壯

天府二穴腋下三寸動脈中以鼻取之又法垂手與乳相平是穴針四分禁灸

俠白二穴天府下去肘五寸動脈中針三分灸五壯

尺澤二穴肘中約紋上動脈中所入為合水針三分灸五壯

孔最二穴去腕上七寸宛宛中針三分灸五壯

列缺二穴去腕側上一寸五分以手交叉食指末兩筋兩骨罅中手太陰絡別走陽明針二分灸七壯

經渠二穴在寸口脈中所行為經金針二分禁灸

太淵二穴掌後內側橫紋頭動脈所入為腧土針二分灸三壯

魚際二穴大指本節後內側白肉際陷中散脈中所流為滎火針二分禁灸

少商二穴（禁灸）大指端内側去爪甲角一韭葉所出為井木屈一分
太陰中府三肋間。上行雲門一寸許。雲在璇璣旁六寸。太大
腸巨骨下二骨。天府腋三動脈求。俠白肘上五寸主。尺澤肘
中約紋是孔最腕上七寸擬。列缺腕上一寸半。經渠寸口陷
中取。太淵掌後横紋頭。魚際節後散脈求。少商大指端内側
鼻衄刺之立時止（左刺右 右刺左）

第二節　手陽明大腸經起止

手陽明之脈起於大指次指之端内側（商陽穴）循指上廉（本節前二間穴本節
後三間穴）出合谷兩骨之間（合谷穴）上入兩筋之中（陽谿穴）循臂上廉（偏歷穴）
入肘外廉（曲池穴）上循臑外廉前上肩出髃骨之前廉（肩髃穴）上出柱
骨之會上（天鼎穴）下入缺盆絡肺下膈屬大腸其支者從缺盆上頸
貫頰入下齒中還出挾口交人中左之右右之左上挾鼻孔（迎香穴交）

入足陽明卯肘自商陽起循臂上行至迎香止

陽明之脉手大腸次指内側起商陽循指上廉出合谷岐骨兩筋循臂方入肘外廉循臑外肩端前廉柱骨旁從肩下入缺盆内絡肺下膈屬大腸支從缺盆直上頸斜貫頰前下齒當環出人中交左右上挾鼻孔注迎香

本經左右共四十穴

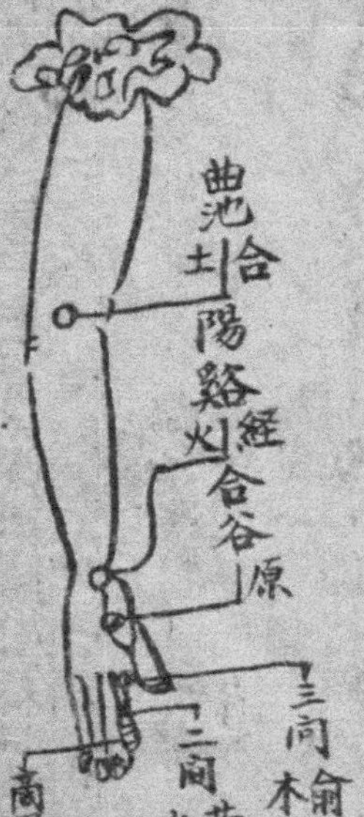

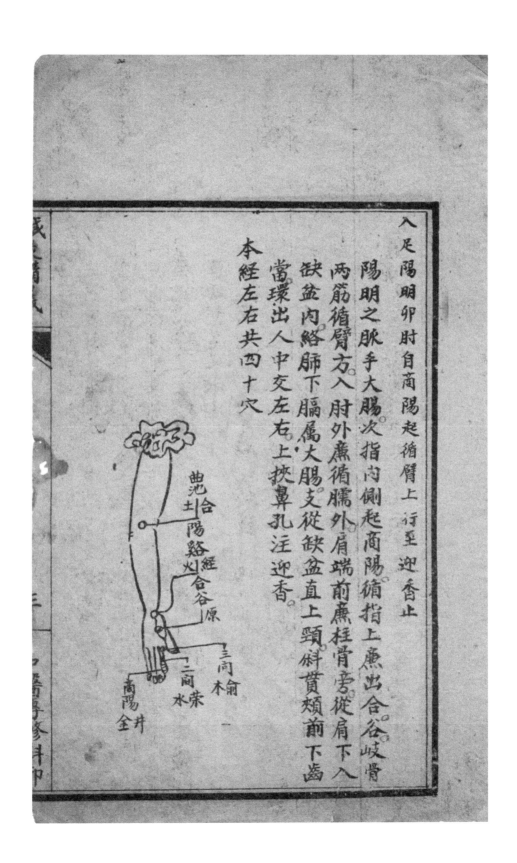

手走頭

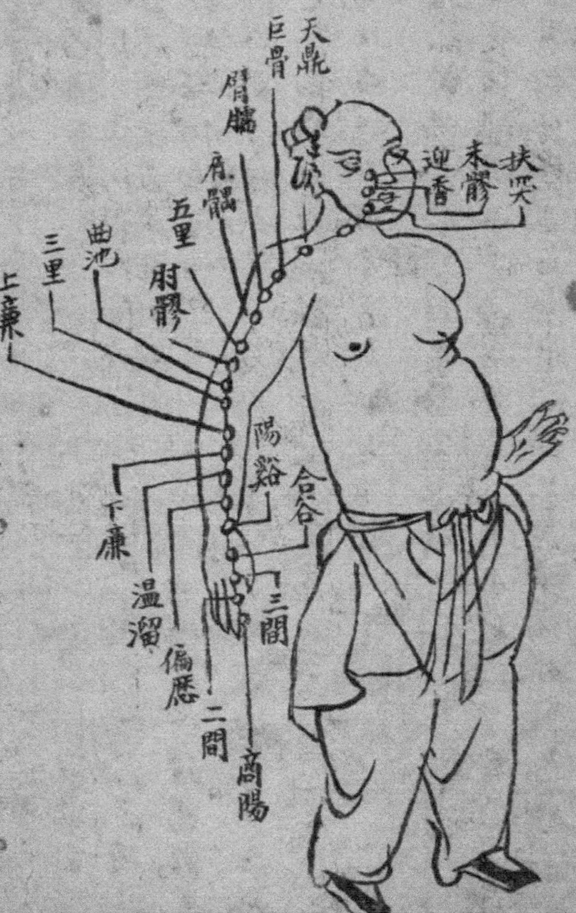

手陽明穴起商陽。二間三間合谷藏。陽谿偏歷経温溜。下廉上廉三里須。曲池肘髎尋五里。臂臑肩髃巨骨起。天鼎扶突

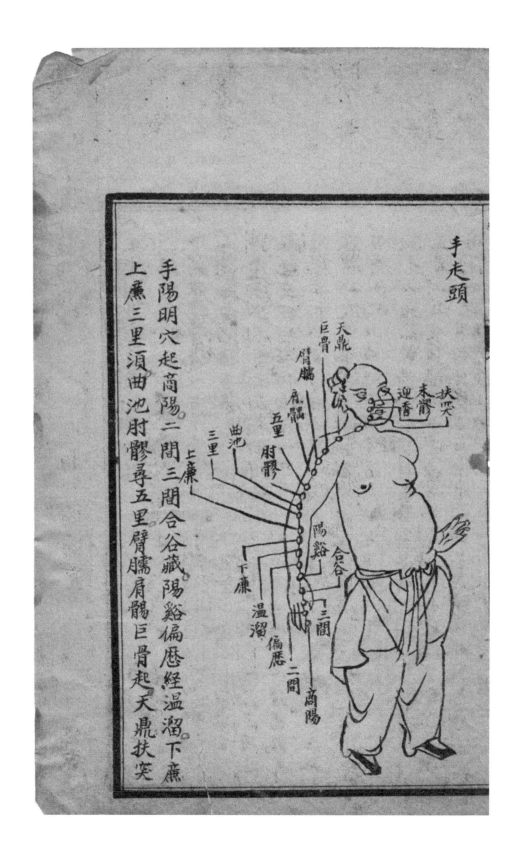

接禾髎終以迎香二十止

商陽二穴一名絕陽在大指次指之内側去爪甲角如韭葉所出為井金尉一分灸三壯

二間二穴在手次指本節前内側陷中所流為榮水尉三分灸三壯

三間二穴一名少谷在手次指本節後内側陷中所注為俞木

合谷二穴一名虎口在大指次指岐骨間陷中動脈應手所过為原尉三分灸三壯

陽谿二穴一名中魁在手腕中上側兩筋間陷中所行為經火尉二分灸三壯

偏歷二穴在腕中後三寸手陽明絡別走太陰尉三分灸三壯

溫溜二穴一名通注在腕後五寸尉三分灸三壯

下廉二穴在曲池下四寸尉五分灸三壯

上廉二穴在曲池下三寸尉五分灸五壯

三里二穴在曲池下二寸按之肉起銳肉之端尉二分灸三壯

曲池二穴在肘外輔骨屈肘横紋頭尽處是穴所入為合上尉五分灸三壯

肘髎二穴 在肘大骨外廉近大筋陷中針三分灸三壯

五里二穴 在曲池橫紋尖盡上三寸行向裏大脈中央是穴禁針灸十壯

臂臑二穴 在肘上七寸䐃肉端平手取之宜灸不宜針

肩髃二穴 一名中肩井在膊骨頭肩端上两骨罅間陷者宛宛中舉臂有空針六分灸七壯一名編肩

巨骨二穴 在肩尖端上行两叉骨罅間陷中針一寸半灸五壯

天鼎二穴 在側頸缺盆直扶突後一寸針三分灸三壯

扶突二穴 一名水穴在人迎後一寸五分針三分灸三壯

禾髎二穴 一名長頻直鼻下孔挾水溝傍五分針二分禁灸

迎香二穴 一名衝陽在禾髎上一寸鼻孔旁五分針三分禁灸

商陽食指內側边二間来尋本節前三間節後陷中取合谷

虎口歧骨間陽谿上側腕中是偏歷腕後三寸安溫溜腕後

五寸行池下四寸下廉看池下三寸是上廉池下二寸三里

逢曲池曲肘紋頭盡肘髎大骨外廉近五里紋尖上三寸臂
臑肘上七寸行肩髃肩端舉背取巨骨肩尖端上行天鼎
喉旁四寸真扶突天突旁三寸禾髎水溝旁五分迎香禾
髎上一寸大腸經穴自分明

第三節　足陽明胃經起止

足陽明之脈起於鼻之交頞中傍約太陽之脈下循鼻外迎香穴入上齒中還出挾口環唇下交承漿却循頤後下廉出大迎循頰車上耳前過客主人循髮際至額顱其支者從大迎前下人迎循喉嚨入缺盆下膈屬胃絡脾其直者從缺盆下乳內廉下挾臍入氣衝中其支者起胃下口循腹裏下至氣衝中而合以下髀關抵伏兔下入膝臏中下循胻外廉下足跗入中指內間陷中其支者下膝三寸而別下入中指外間其支者別跗上入大指間出

其端屬兌穴自此交入足太陰辰時自迎香穴交於承泣穴上行至頭維對人迎循胸腹下至足趾厲兌穴止

胃足陽明交鼻起下循鼻外入上齒還出挾口繞承漿頤後大迎頰車裏耳前髮際至額顱支下人迎缺盆底下膈入胃絡脾宮直者缺盆下乳内一支幽門循腹中下行直合氣街逢遂由髀関抵膝臏䯒跗足趾内間同一支下膝注三里前出中指外側通一支別走足跗指大指之端經盡已

本經左右凡九十穴

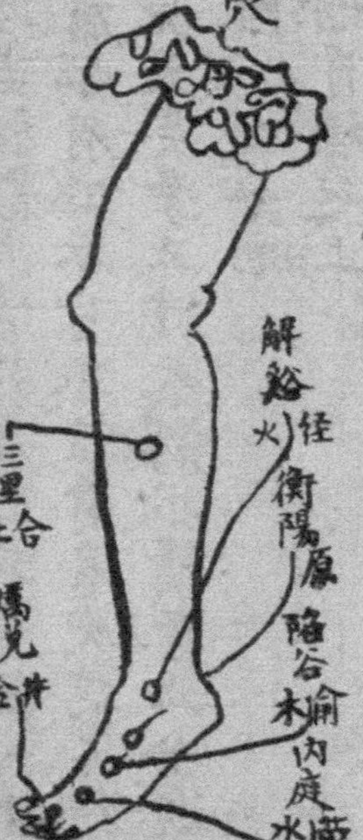

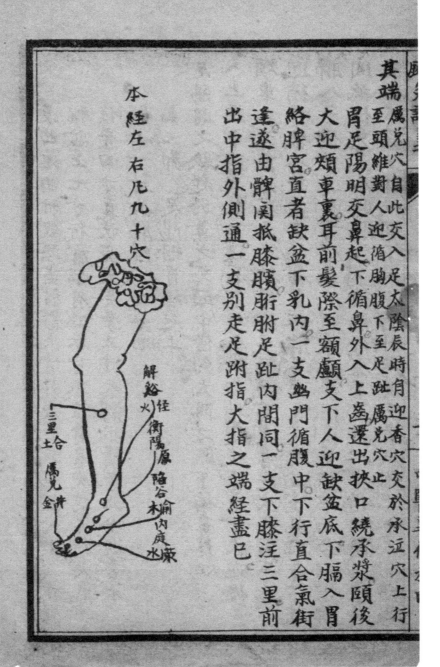

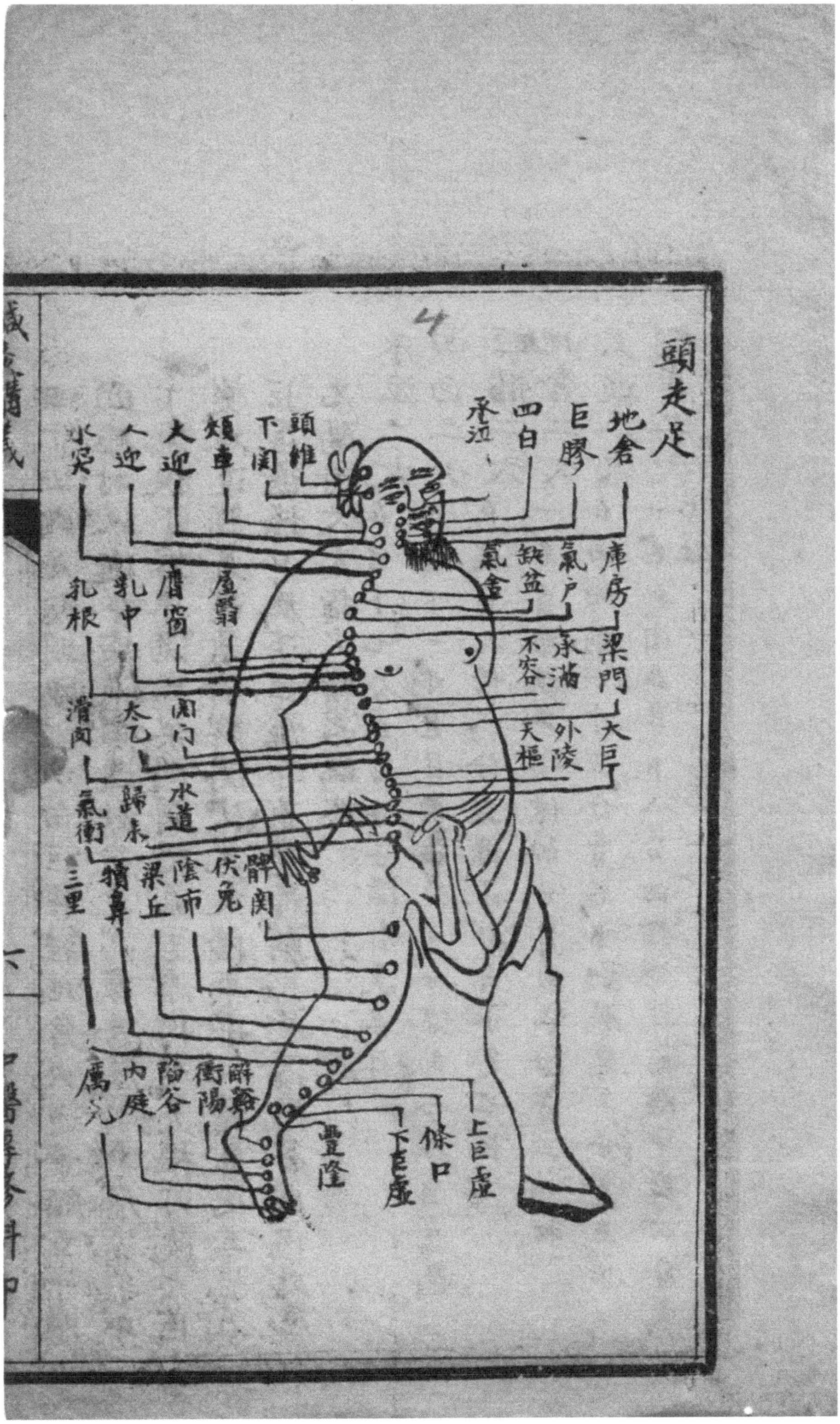
頭走足
地倉
巨髎
四白
承泣
頭維
下関
頰車
大迎
人迎
水突
庫房
氣户
缺盆
氣舍
屋翳
膺窗
乳中
乳根
梁門
承滿
不容
関门
太乙
滑肉
大巨
外陵
天樞
水道
歸來
氣衝
髀関
伏兔
陰市
梁丘
犢鼻
三里
解谿
衝陽
陷谷
內庭
厲兌
上巨虛
條口
下巨虛
豐隆

四十五穴足陽明承泣四白巨髎經地倉大迎登頰車下關
頭維対人迎水突氣舍連缺盆氣户庫房屋翳尋膺窗乳中
下乳根不容承滿出梁門關門太乙滑肉起天樞外陵大巨
裏水道歸來達氣衝髀關伏兔走陰市梁丘犢鼻足三里上
巨虚連條口底下巨虚下有豐隆解谿衝陽陷谷同内庭厲
兑陽明穴大指次指之端終

承泣二穴 在目下七分直目瞳子禁針灸三壯

四白二穴 在目下一寸直目瞳子針三分深則令人目烏色

巨髎二穴 在挾鼻孔傍八分直瞳子針三分灸七壯

地倉二穴 一名胃維挾口吻傍四分外針三分灸二七壯

大迎二穴 在曲頰前一寸三分骨陷中動脈針三分灸三壯

頰車二穴 一名机關在耳下八分曲頰端近前陷中針四分灸七壯

下關二穴在客主人下耳前動脈下廉合口有空張口則閉針四分禁灸

頭維二穴在額角入髮際神庭旁四寸五分針三分禁灸

人迎二穴一名五會在頸大動脈應手挾結喉兩旁各一寸五分仰而取之針四分深則殺人禁灸

水突二穴一名水門在頸大筋前直人迎下氣舍上二穴之中針三分灸三壯

缺盆二穴一名天鼐蓋在肩上橫骨陷中挾天突兩旁各四寸禁針灸三壯

氣戶二穴在巨骨下挾腧府旁二寸陷中去中行四寸針三分灸五壯

氣舍二穴在頸直人迎下挾天突旁陷中針三分灸三壯此穴在水突下缺盆上

庫房二穴在氣戶下一寸陷中仰而取之針三分灸五壯

屋翳二穴在庫房下一寸六分陷中針三分灸五壯

膺窗二穴在屋翳下一寸六分針三分灸五壯

乳中二穴當乳中是即乳頭上針二分宜淺不宜深禁灸

乳根二穴在乳下一寸六分陷中針三分灸五壯

不容二穴 在幽門旁一寸五分針五分灸五壯

承滿二穴 在不容下一寸針八分灸五壯

梁門二穴 在承滿下一寸針八分灸五壯

關門二穴 在梁門下一寸針八分灸五壯

太乙二穴 在關門下一寸針八分灸五壯

滑肉門二穴 在太乙下一寸針八分灸五壯

天樞二穴 一名長谿在臍平旁二寸針八分灸五壯

外陵二穴 在天樞下一寸針八分灸五壯

大巨二穴 在外陵下一寸針五分灸五壯

水道二穴 在大巨下一寸針三分灸五壯

歸來二穴 在水道下一寸針五分灸五壯

氣衝二穴 在歸來下一寸去中行二寸灸七壯禁針

髀關二穴在膝上伏兔後交紋中針六分灸三壯
伏兔二穴一名外邱在膝上六寸起肉是正跪坐而取之針五分禁灸
陰市二穴一名陰鼎在膝上三寸伏兔下陷中針三分禁灸
梁邱二穴在膝上二寸兩筋間針三分灸三壯
犢鼻二穴在膝臏下䯒骨上骨解大筋中針六分禁灸
三里二穴在犢鼻下三寸在䯒骨外廉分肉針一寸灸三壯
上巨虛二穴一名上廉在三里下三寸舉足取之針八分灸二壯
條口二穴上廉下二寸下廉上一寸舉足取之針三分禁灸
下巨虛二穴一名下廉在上廉下三寸蹲坐取之針八分灸二壯
豐隆二穴在外踝上八寸上廉䯒骨外廉陷中針三分灸二壯
解谿二穴在衝陽後一寸半繫鞋帶處所行為經火針五分灸三壯
衝陽二穴一名會原在足跗上五寸骨間動脈去陷谷三寸所過為原針五分灸三壯

陷谷二穴在足大指次指外間本節後陷中去内庭二寸所注為俞木尉一分灸三壯

内庭二穴在足次指與三指岐骨間陷中所流為滎水尉二分灸三壯

厲兑二穴在足次指端外側去爪甲角如韭葉所出為井金尉一分灸一壯

胃之経兮足陽明承泣目下七分尋再下三分名四白巨髎鼻孔旁八分地倉口吻傍四分大迎曲頷前寸三頰車耳下八分陷下関耳前動脉行頭維神庭旁四五人迎喉旁寸五真水突筋前人迎下氣舍喉下一寸乗缺盆舍下横骨陷氣户下行一寸明庫房再下一寸是屋翳庫房下寸行六膺窗屋翳下寸六乳中則在乳頭中乳根乳下一寸六不容幽門旁寸五承滿再下一寸明滿下梁門下一寸梁下一寸是関門関下一寸太乙穴太下一寸滑肉門天樞臍旁二寸尋樞下一寸外陵穴陵下一寸大巨陳巨下一寸水道穴水下一

寸歸來存來下一寸氣衝穴各去中行二寸明髀關膝上尺二許伏兔髀下六寸是陰市伏兔下三寸梁邱市下一寸明犢鼻膝臏陷中取膝眼三寸下三里々下三寸上廉穴廉下二寸條口舉再下二寸下廉穴豐隆踝上八寸尋解谿則從豐隆下內循足腕上陷中衝陽解谿高骨動陷骨衝下二寸名內庭次指外歧骨屬兑大次指端終

第四節　足太陰脾脛起止

足太陰之脈起於大指之端（隱白穴）循指內側白肉際（大都穴）過核骨後（太白穴）上內踝前廉（商邱穴）上腨內（腨謂脛之魚腹也）循輔骨後交出厥陰之前上循膝股內前廉（陰陵泉穴）入腹屬脾絡胃上膈挾咽連舌本散舌下其支者復從胃別上膈注心中（自此交入手少陰已時自衝陽過交與隱白循腿腹上行）至腋下大包穴止

太陰脾起足大指上循內側白肉際核骨之後內踝前上腨
循胻經膝裏股內前廉入腹中屬脾絡胃共膈通挾喉連舌
散舌下支絡從胃注心中
本經左右凡四十二穴

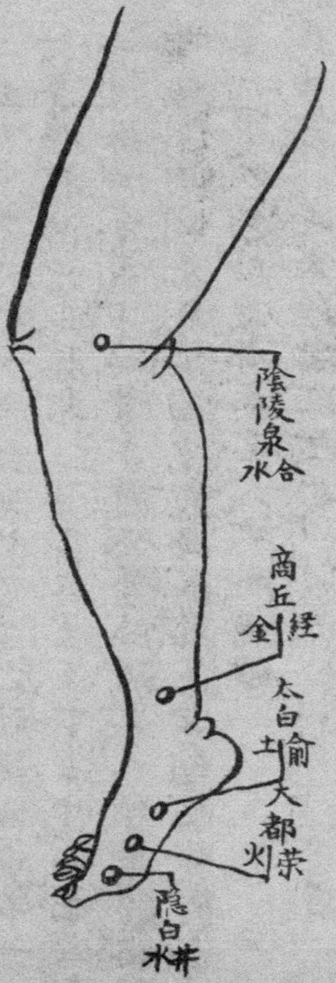

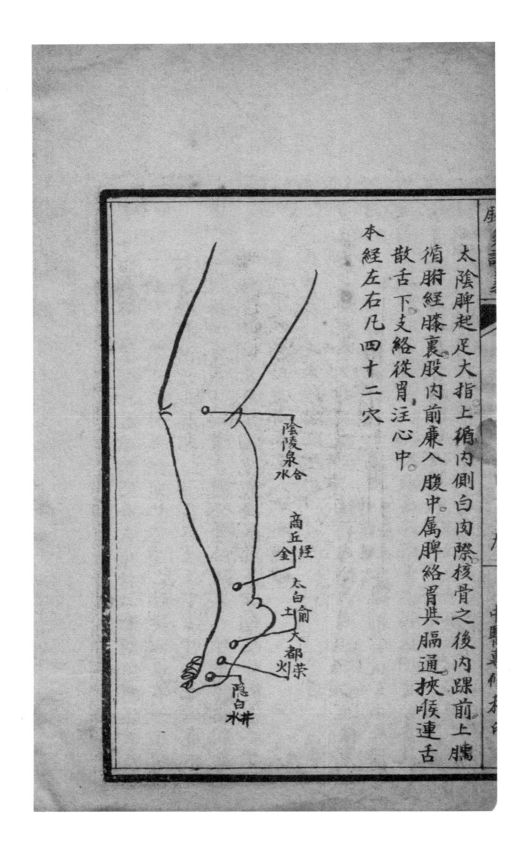

足走腹

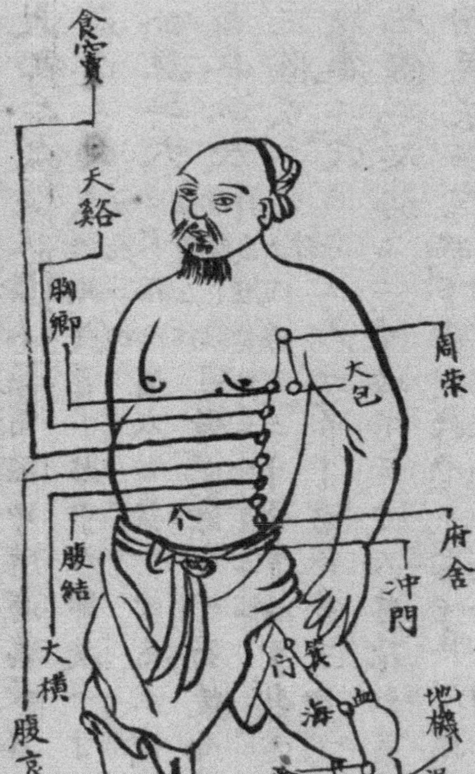

足太陰脾由足拇隱白先從內側起大都太白繼公孫商邱

直上三陰交漏谷地機陰陵泉血海箕門衝門前府舍腹結

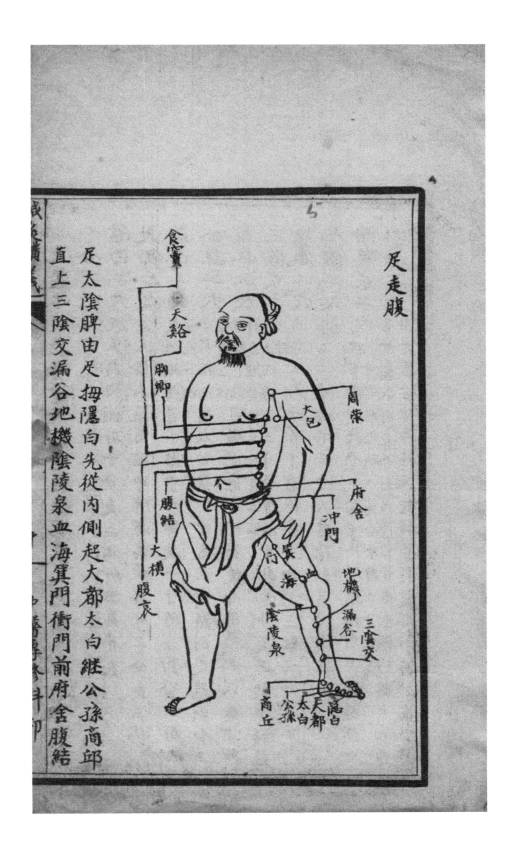

大横上腹哀食竇天谿連胸鄉周榮大包盡二十一穴太陰

全

隱白二穴 足大指內側針一分灸三壯所出爲井木

大都二穴 足大指本節前陷中所溜爲榮火針三分灸三壯

太白二穴 足內側核骨下陷中大都後一寸所注爲俞土針三分灸三壯

公孫二穴 在大指內側太白後一寸足太陰絡別走陽明針三分灸三壯

商丘二穴 內踝下微前陷中前有中封後有照海此穴居中所行爲經金針三分灸三壯

三陰交二穴 去內踝上三寸骨下陷中針三分灸三壯孕婦禁針

漏谷二穴 內踝上六寸骨下陷中針三分灸三壯

地機二穴 谷上二寸膝下五寸大骨後針三分灸五壯

陰陵泉二穴 膝下內側輔骨下陷中與陽陵相對去膝橫開一寸伸足取之所入爲合水針五分禁灸

血海二穴 在膝臏上內廉赤白肉際二寸用手按於膝上大指向內廉中指向外廉指頭盡處是穴針五分灸五壯

箕門二穴 血海上六寸陰股內動脈應手筋間灸三壯禁針
衝門二穴 上去大橫五寸在府舍下橫骨端約紋中動脈針五分灸五壯
府舍二穴 腹結下三寸衝門上七分針七分灸五壯
腹結二穴 大橫下一寸三分針七分灸五壯
大橫二穴 平臍旁四寸半衝門府舍腹結去中行共此穴榮一說水分上五分下脘下五分針七分灸五壯
腹哀二穴 日月下一寸五分日月穴期門下五分期門巨闕旁四寸半巨闕臍上六寸也針三分禁灸
食竇二穴 天谿下一寸六分自食竇至周榮均去中行各六寸針四分灸五壯
天谿二穴 胸鄉下一寸六分仰而取之对膻中針四分灸五壯
胸鄉二穴 周榮下一寸六分仰而取之針四分灸五壯
周榮 中府下一寸六分仰而取之針四分禁灸
大包 淵液下三寸此脾之大絡自食竇天谿胸鄉周榮去中行各六寸針三分灸五壯
大指端內側隱白節前陷中求大都太白內側核骨下節後

一寸公孫呼商邱內踝微前陷踝上三寸三陰交再上三寸漏谷是膝下五寸地機朝膝下內側陰陵泉血海膝髕上內廉箕門血海上六寸動脈應手越筋間衝門橫骨兩端動府舍上行七分看腹結上行三寸大橫上行一寸三腹哀上行三寸半食竇上行三寸間天谿胸鄉下寸六胸鄉周榮寸六然周榮中府下寸六大包淵液下三寸

第五節　手少陰心經起止

手少陰之脈起於心中出屬心系下膈絡小腸其支者從心系上挾咽喉繫目其直者復從心系却上肺下出腋下下循臑內後廉行太陰心主之後下肘內少海穴循臂內後廉灵道穴抵掌後銳骨之端神門穴入掌內後廉少府穴循小指之內出其端少衝穴自此交入包交與極泉循臂行至小指少衝穴止　手太陽午時自大

手少陰脉起心中下膈直共小腸通支者還從肺系走直上喉嚨繫目瞳直者上肺出腋下臑後射内少海從臂内後廉抵掌中鋭骨之端注少衝

本經左右凡一十八穴

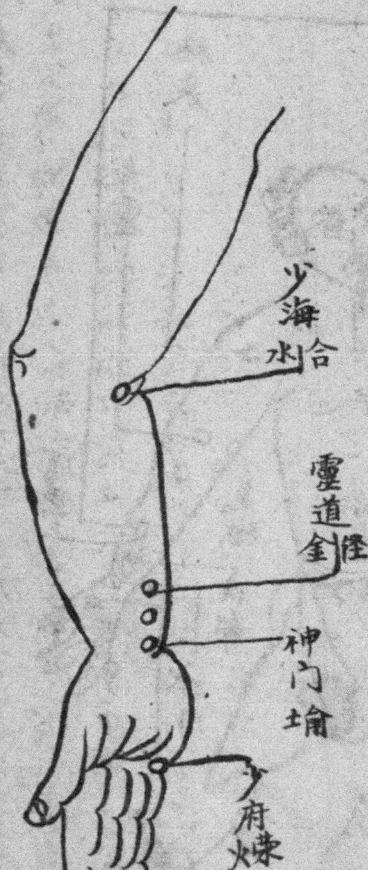

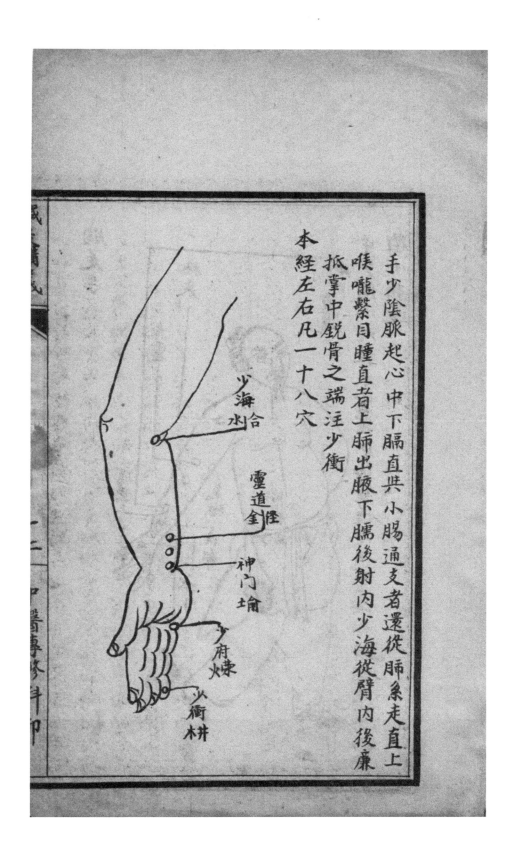

胸走手

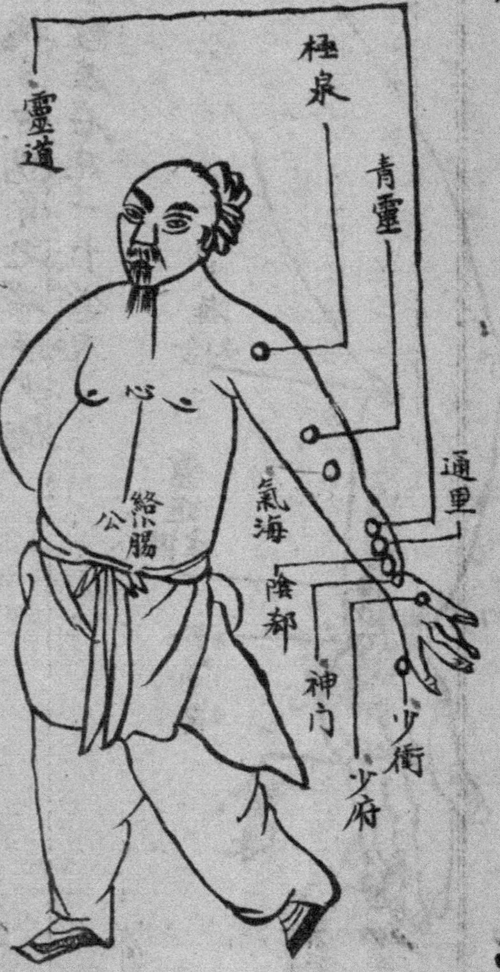

手少陰心起極泉青靈少海靈道全通里陰郄神門下少府少衝小指邊

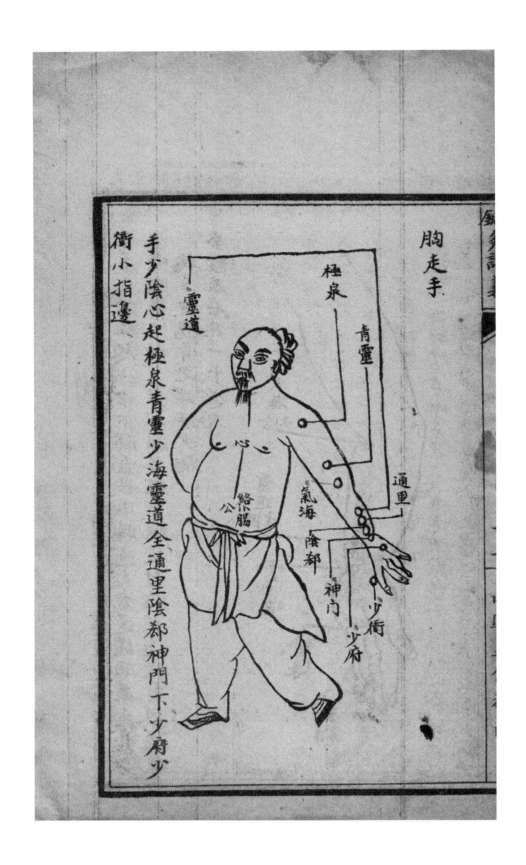

極泉二穴在臂內腋下筋間動脉橫直天府三寸微高於天府八分針三分灸七壯

青靈二穴在肘上三寸伸肘舉臂取之禁針灸七壯

少海二穴在肘內廉橫紋頭節後陷中動脉應手屈肘得之所入為合水針三分灸三壯

靈道二穴在掌後一寸五分所行為經金針三分灸三壯

通里二穴在腕後一寸陷中微向外手少陰絡別走太陽針三分灸三壯

陰郄二穴在掌後脉中去腕五分針三分灸七壯

神門二穴一名銳衝一名中都在掌後腕骨之端動脉應手所注為俞土針三分灸三壯

少府二穴在本節後陷中直勞宮所流為滎火針二分灸三壯

少衝二穴一名經始在手小指端內側去爪甲角如韭葉所出為井木針一分

少陰心起極泉中腋下筋間動引胸青靈肘上三寸取少海

肘後端五分靈道掌後一寸半通里腕後一寸同陰郄腕後

內半寸神門掌後銳骨隆少府小指本節末小指內側取少

衝

第六節　手太陽小腸經起止

手太陽小腸之脉起於小指之端少澤穴循手外側前谷上腕腕骨穴出踝中直上循臂骨下廉出肘內側兩骨之間少海穴上循臑外後廉出肩解繞肩胛交肩上入缺盆向腋絡心循咽下抵胃屬小腸其支者從缺盆貫頸上頰至目銳眥却入耳中其支者別頰上頸抵鼻至目內眥斜絡於顴自此交入足太陽未時自少衝交於少澤循肘上行至聽宮穴止

手太陽經小腸脉小指之端起少澤循手外側出踝中循臂骨出肘內側上循臑外出後廉直过肩解繞肩胛交肩下入缺盆內向腋絡心循咽嗌下膈抵胃屬小腸一支缺盆貫頸頰至目銳眥却入耳復從耳前仍上頰抵鼻升至目內眥斜絡於顴別絡接

本經左右凡三十八穴

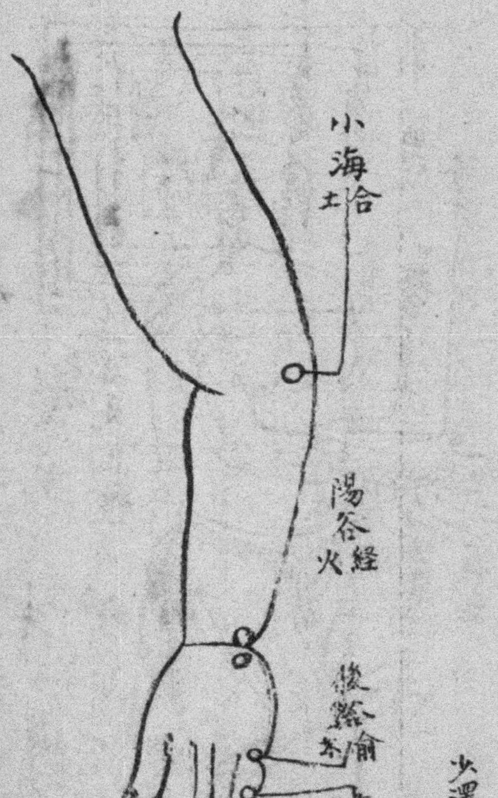

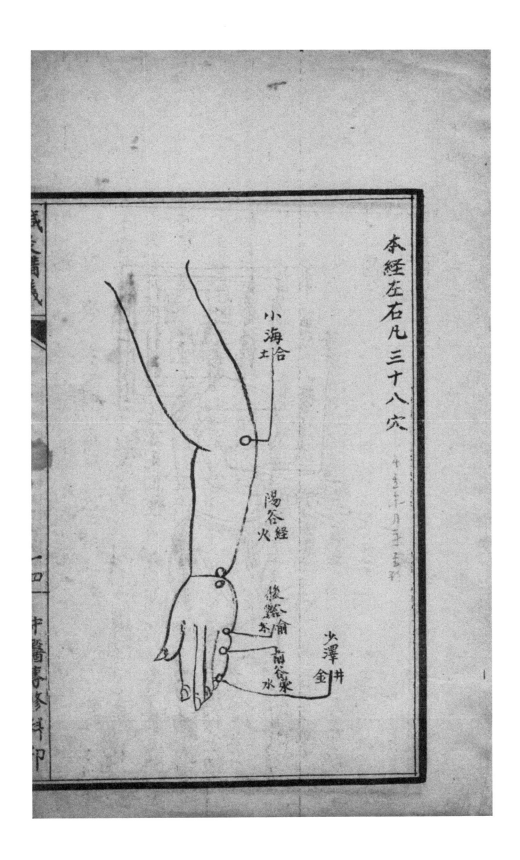

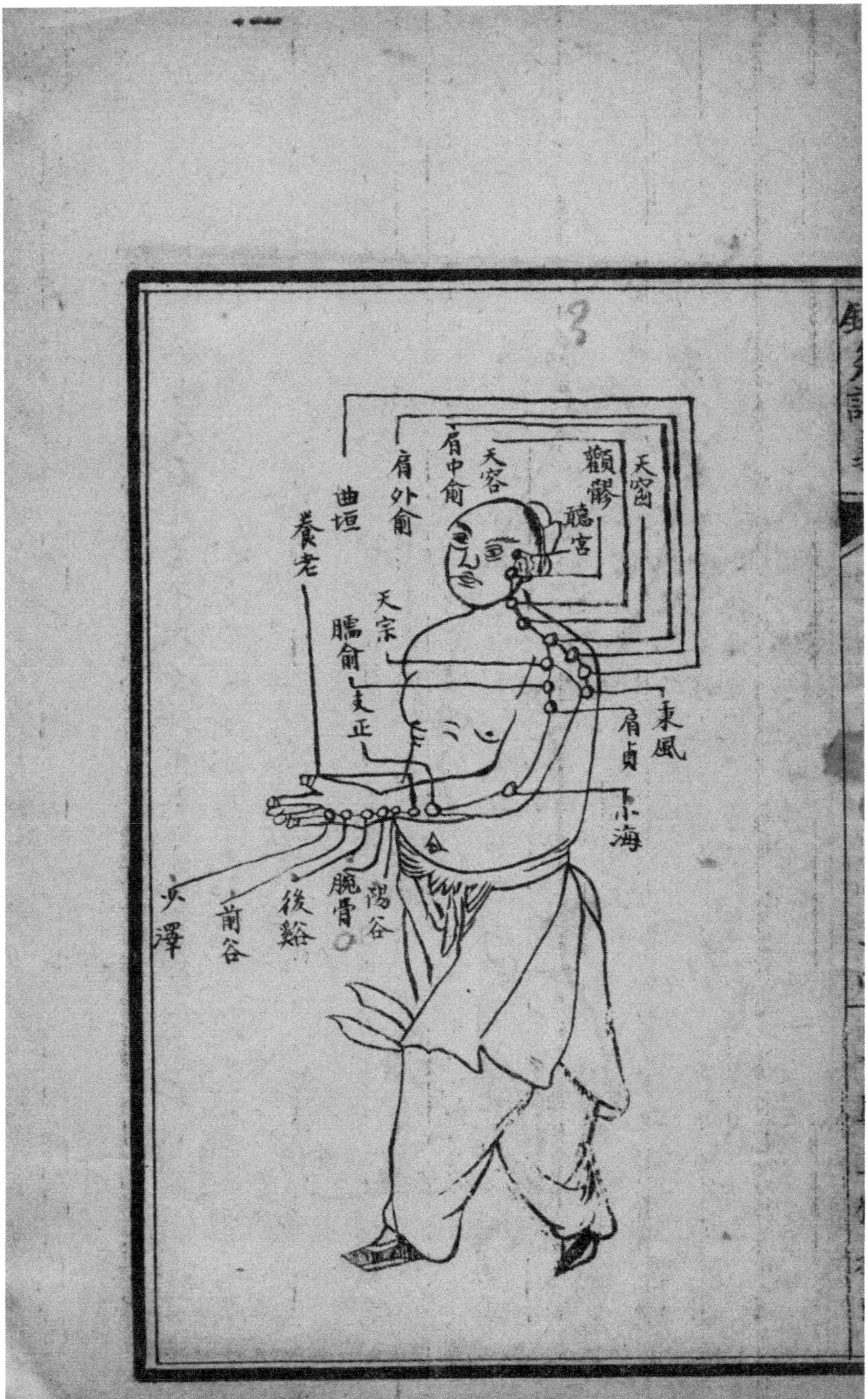
天窗
顴髎
聽宮
天容
肩中俞
肩外俞
曲垣
養老
天宗
臑俞
支正
秉風
肩貞
小海
少澤
前谷
後谿
腕骨
陽谷

手太陽經小腸穴少澤先於小指設前谷後谿腕骨間陽谷須同養老列支正小海上肩貞臑俞天宗秉風合曲垣肩外復肩中天窗循次上天容此經穴数一十九還有顴髎入聽宮

少澤二穴一名少吉在手小指之端外側去爪甲角如韮葉所出為井金尉一分灸一壯

前谷二穴在手小指外側本節前陷中所流為滎水尉一分灸三壯

後谿二穴在手小指本節後握掌橫紋尖盡處所注為俞木尉二分灸三壯

腕骨二穴在掌後外側高骨下陷中握掌向內取之所过為原尉二分灸三壯

陽谷二穴在手外側腕中銳骨下陷中所行為經火尉二分灸三壯

養老二穴在手踝骨上一空腕後一寸陷中仰手採之則有尉三分灸三壯

支正二穴在腕後五寸陷中手太陽絡別走少陰尉三分灸三壯

小海二穴在肘內大骨外去肘端五分陷中屈手向頭取之所入為合土尉二分灸三壯

鍼灸講義　一五　中醫專修科印

肩貞二穴在肩曲胛上兩骨解間肩髃後陷中鍼八分禁灸

臑腧二穴在肩髎後大骨下胛上廉陷中舉臂取之鍼八分灸三壯

天宗二穴在秉風後大骨下陷中鍼五灸三壯

秉風二穴在天髎外肩上小髃骨後舉臂有空鍼五分灸五壯

曲垣二穴在肩中央曲胛陷中按之應手痛鍼五分灸十壯

肩外俞二穴在肩胛上廉去脊三寸陷中鍼六分灸三壯

肩中俞二穴在肩胛內廉去脊二寸陷中鍼三分灸十壯

天窗二穴一名窗籠在頸大筋前曲頰下扶突后動脈應手陷中鍼三分灸三壯

天容二穴在耳下曲頰後鍼一寸灸三壯

顴髎二穴在面頄骨下廉銳骨端陷中鍼三分禁灸

聽宮二穴在耳中珠子旁鍼三分灸三壯

小指端外為少澤前谷本節前外側節後橫紋取後谿腕骨

腕前骨陷側陽谷銳骨下陷腕上一寸名養老支正外側上五寸小海肘端五分好肩貞肩端後陷中臑俞肩臑骨陷考天宗肩骨下陷中秉風肩上小髃空曲垣肩中曲胛陷外俞上髀一寸從中俞大椎二寸旁天窗曲頰動陷祥天容耳下曲頰後顴髎面頄銳骨量聽宮耳中珠子上此為小腸手太陽

第七節 足太陽膀胱起經正

足太陽之脉起於目內眥睛明穴上額交巔上百會穴其支者從巔至耳上角其直者從巔入絡腦還出別下項循肩膊內挾脊抵腰中入循膂絡腎屬膀胱其支者從腰中下貫臀入膕中委中穴其支者從髆內左右別下貫胛挾脊內过髀樞環跳穴循髀外後廉下合膕中以下貫腨內出外踝之後崑崙穴循京骨至小指外側端至陰穴也自此

交入足少陰申時自聽宮交與睛明循頭頸下背腰臀腿至足至陰穴止

足太陽經膀胱脉目内眥上起額尖支者顛上至耳角直者從顛腦後懸絡腦還出别下項仍循肩髆挾脊邊抵腰膂臀膀胱内一支下與後陰連貫臀斜入委中穴一支髆内左右别貫胛挾脊过髀樞臀内後廉膕中合下貫腨内外踝後京骨々下指外側

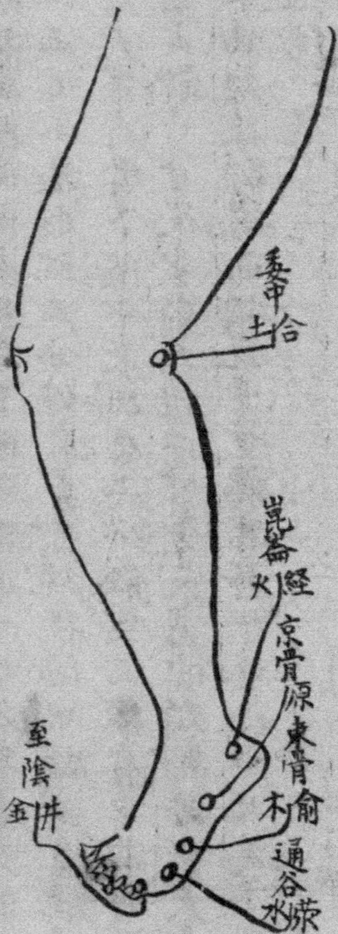

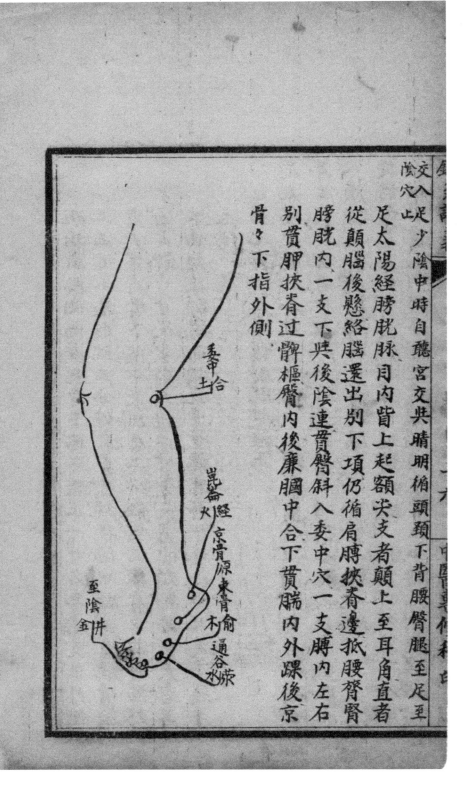

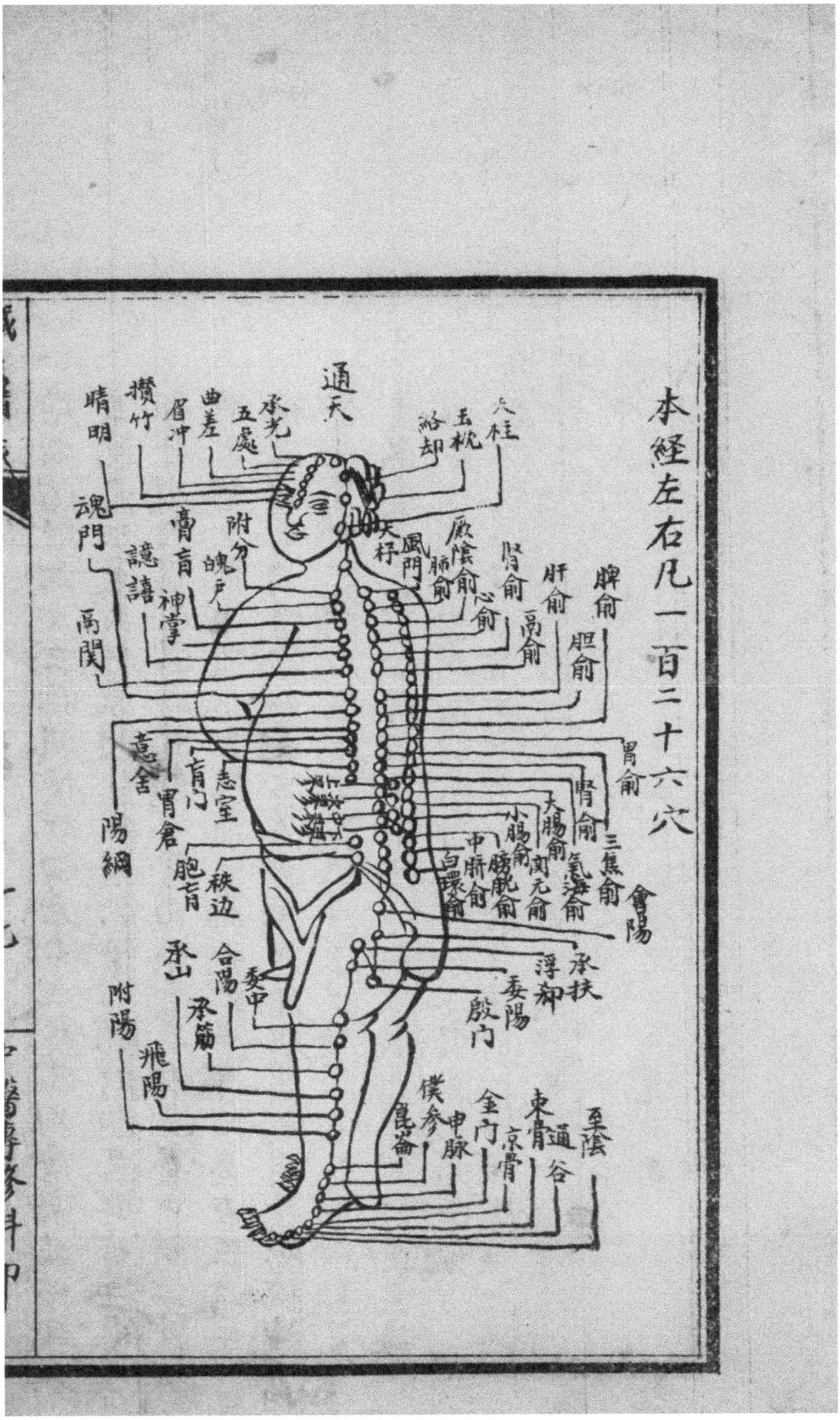
本經左右凡一百二十六穴
通天
承光
五處
曲差
眉冲
攢竹
睛明
天柱
玉枕
絡却
魂門
膏肓
附分
魄户
譩譆
神掌
大杼
風門
厥陰俞
肺俞
心俞
肝俞
脾俞
鬲俞
胆俞
鬲関
胃俞
腎俞
意舍
肓门
志室
胃倉
陽綱
三焦俞
大腸俞
小腸俞
氣海俞
関元俞
中膂俞
膀胱俞
白環俞
胞肓
秩边
會陽
承扶
浮郄
委陽
殷门
委中
合陽
承山
承筋
附陽
飛陽
僕参
崑崙
申脉
金门
京骨
束骨
通谷
至陰

足太陽経六十三睛明攢竹曲差参五處承光接通天絡却玉枕天柱邊大杼风門引肺俞厥陰心膈肝胆居脾胃三焦腎俞次大腸小腸膀胱俞中膂白環皆二行去脊中間二寸許上髎次髎中後下會陽須下尻旁取還有附分在三行二椎三寸半相當魄户膏肓共神堂譩譆膈関魂門旁陽綱意舍及胃倉肓門志室連胞肓秩邊承扶殷門穴浮郄相鄰是委陽委中雨下合陽去承筋承山相次長飛陽附陽達崑崙僕参申脉过金門京骨束骨道通谷小指外側尋至陰

睛明二穴 在目内眥紅肉外一分宛宛中針一分半禁灸一名淚孔

攢竹二穴 一名始光一名員柱在兩眉頭陷中針一分禁灸一名光明

眉冲二穴 在直眉頭上神庭曲差之間針三分禁灸

曲差二穴 在神庭旁一寸五分髮際針二分灸三壯

五處二穴在上星旁一寸五分上曲差一寸尉三分灸三壯

承光二穴在五處後一寸五分尉三分禁灸

通天二穴在承光後一寸五分尉三分灸三壯

絡却二穴在通天後一寸五分尉三分灸三壯

玉枕二穴在絡却後一寸五分俠腦户旁一寸三分枕骨上入髮際三寸尉三分灸三壯

天柱二穴在項後髮際大筋外廉陷中尉三分灸七壯

大杼二穴在項後第一椎下兩旁各開一寸五分正坐取之尉三分灸七壯自此至白環俞兩旁相去脊各開一寸半

風門二穴一名熱府在第二椎下尉五分灸五壯

肺俞二穴在第三椎下前與乳相對尉五分灸五壯

厥陰俞二穴在第四椎下尉三分灸七壯

心俞二穴在第五椎下尉三分禁灸

督俞二穴在第六椎下灸三壮

膈俞二穴在第七椎下針三分灸七壮

肝俞二穴在第九椎下針三分灸三壮

胆俞二穴在第十椎下針三分灸三壮

脾俞二穴在第十一椎下針三分灸三壮

胃俞二穴在第十二椎下針三分灸随年為壮

三焦俞二穴在第十三椎下針三分灸三壮

腎俞二穴在第十四椎下前與臍平針三分灸以年為壮

氣海俞二穴在第十五椎下針三分灸五壮

大腸俞二穴在第十六椎下俯而取之針三分灸三壮

関元俞二穴在十七椎下伏而取之

小腸俞二穴在十八椎下針三分灸三壮

膀胱俞二穴在十九椎下尉三分灸三壮

中膂俞二穴一名脊内俞在二十椎下尉三分灸三壮

白環二穴在二十一椎下尉三分禁灸

上髎二穴在腰髁骨第一空十八椎下两旁各開八分尉三分灸七壮

次髎二穴在第二空十九椎下两旁各開七分尉三分灸七壮

中髎二穴在第三空二十椎下两旁各開六分尉三分灸七壮

下髎二穴在第四空二十一椎下两旁各開五分尉三分灸三

會陽二穴曰壮五壮一名利機在尾尻骨两旁去長强各五分尉八分灸

附分二穴在第二椎下自此至秩邊去脊两旁各開三寸自此至志室均正坐取之尉五分灸七壮

魄戶二穴在第三椎下尉五分灸五壮

膏肓二穴在第四椎下一分五椎上二分灸百壮禁尉

神堂二穴在第五椎下陷中尉三分灸五壮

譩譆二穴在第六椎下針五分灸二七壯

膈關二穴在第七椎下開肩取之肘與肘並合則肩胛開膏肓神堂譩譆均如此取穴

魂門二穴在第九椎下針五分灸五壯

陽綱二穴在第十椎下陷中針五分灸五壯

意舍二穴在第十一椎下陷中針五分灸五壯

胃倉二穴在第十二椎下針五分灸七壯

肓門二穴在第十三椎下針五分灸三十壯

志室二穴在第十四椎下針五分灸五壯

胞肓二穴在第十九椎下伏而取之針五分灸五七壯

秩邊二穴在第二十椎下伏而取之針五分灸三壯

承扶二穴一名肉郄一名陰關在尻臀下約紋中灸針五分禁灸一名皮部

殷門二穴在承扶下六寸針五分禁灸

浮郄二穴在委陽上一寸展膝取之鍼五分灸三壯

委陽二穴在膕中外廉委中外二寸屈伸取之鍼七分灸三壯

委中二穴在膕中央約紋中動脈陷中所入為合土鍼五分禁灸

合陽二穴在膝約紋中央下三寸鍼五分灸五壯

承筋二穴一名腨腸一名直腸在腨腸中央脚根上七寸陷中禁鍼灸三壯

承山二穴一名魚腹一名腸山一名肉柱在腨腸下分肉間陷中鍼七分灸五壯

飛陽二穴一名厥陽在外踝上七寸骨後鍼五分灸三壯

附陽二穴在外踝上三寸太陽前少陽後筋骨之間鍼五分灸三壯

崑崙二穴在足外踝後跟骨上陷中所行為經火鍼五分灸五壯

僕參二穴一名安邪在足後跟骨下陷中拱足取之鍼三分灸七壯

申脈二穴在足外踝下陷中容爪甲白肉際鍼三分禁灸

金門二穴一名關梁在足外踝尖下一寸五分丘墟後申脈前陷中

京骨二穴在足外灸三壯側大骨下赤白肉際陷中所過為原針三分
束骨二穴在足小指分灸三壯本節後赤白肉際陷中所注為俞木針二
通谷二穴在足小指三壯本節前外側陷中所流為滎水針二分灸
至陰二穴在足小指分灸三壯外側去爪甲角如韮葉所出為井金針一
足太陽兮膀胱經目內眥角始睛明眉頭陷中攢竹取曲差
神庭傍寸五五處直行後五分承通絡却玉枕穴後循俱是
寸五行天柱項後髮際內大筋外廉之陷中自此脊中開二
寸第一大杼二風門三椎肺俞厥陰四心五督六膈七論肝
九胆十脾十一胃俞十二椎下尋十三三焦十四腎氣海俞
在十五椎大腸十六關十七膀胱俞穴十九椎中膂內俞二
十下白環俞穴二十一小腸俞至白環內腰空上次中下髎
會陽陰微尻骨旁背開二寸二行了別後脊中三寸半第二

椎下為附分三椎魄户四膏肓第五椎下神堂尊第六噫嘻膈關七第九魂門陽綱十十一意舍之穴存十二胃倉穴巳分十三肓門端正在十四志室不須論十九胞肓廿秩邊背部三行下循行承扶臀下股上約下行六寸是殷門從股外斜上一寸曲膝得之浮郄尋委陽承扶下六寸從部内斜並殷門委中膝膕約紋裏此下三寸尋合陽承筋脚跟上七寸穴在腨腸之中央承山腿肚分肉間外踝七寸上飛陽踝上三寸附陽穴崑崙外跟陷中央僕参亦在踝骨下申脉踝下五分張金門申脉下一寸京骨外側大骨當束骨本節後陷中通谷節前限中量至陰小指外側端去爪甲之韭葉方

第八節　足少陰腎經起止

足少陰之脉起於小指之下斜趨足心涌泉穴出然骨之下然骨穴循

内踝之後（太谿穴）别入跟中（大鍾穴）以上腨内（復溜穴）出膕内廉（陰谷穴）上股内後廉貫脊屬腎絡膀胱其直者從腎上貫肝膈入肺中循喉嚨挾舌本其支者從肺出絡心注胸中（自此交入手心主酉時自至陰交於湧泉循膝上行至胸俞府穴止）

足腎經脈屬少陰小指斜趨湧泉心然骨之下内踝後别入跟中腨内侵出膕内廉上股内貫脊屬腎膀胱臨直者屬腎貫肝膈入肺循喉舌本尋支者從肺絡心内仍至胸中部分深

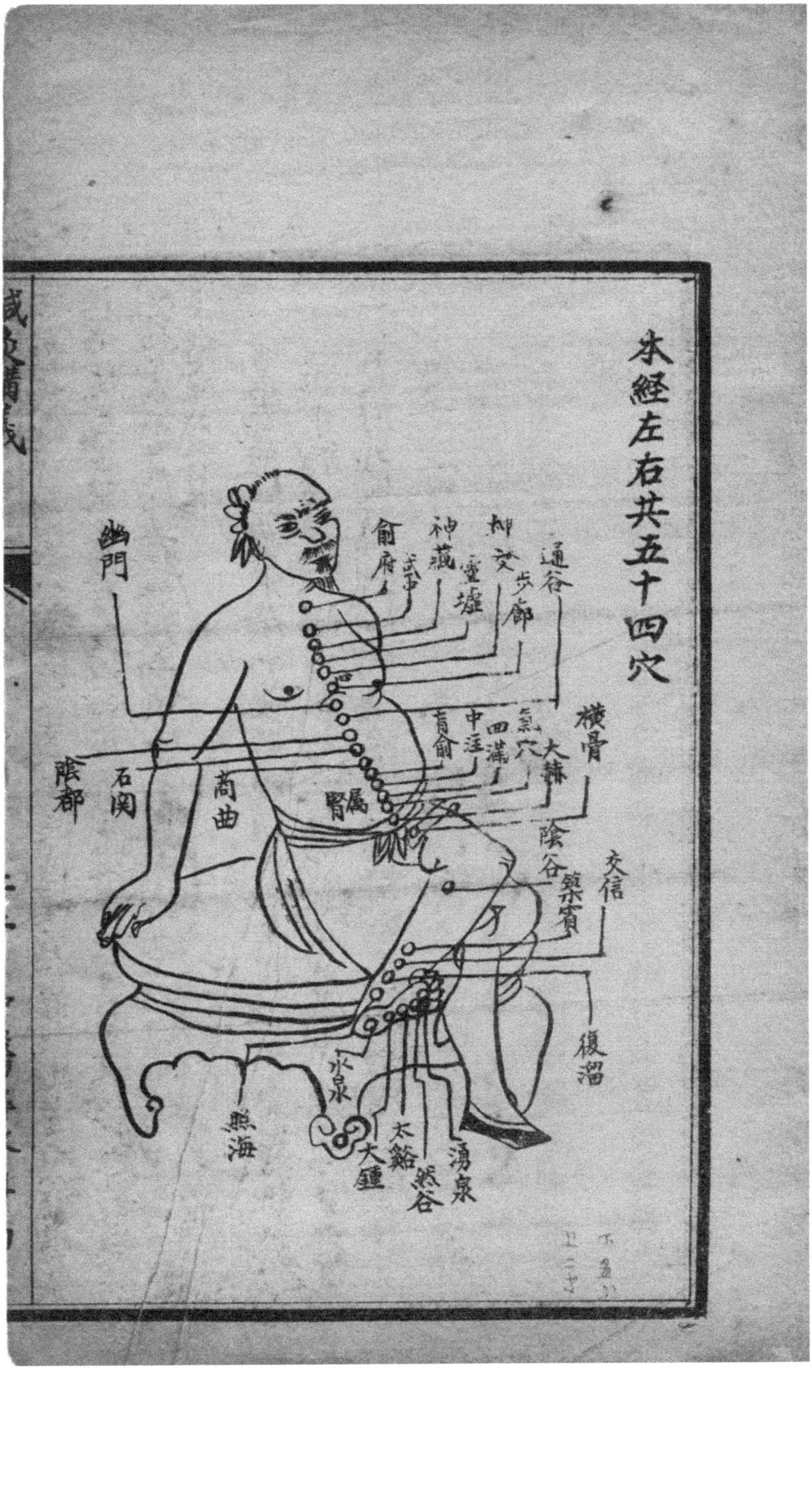
本經左右共五十四穴
幽門
俞府
彧中
神藏
靈墟
神封
步廊
通谷
肓俞
中注
四滿
氣穴
大赫
横骨
陰都
石関
商曲
腎屬
陰谷
築賓
交信
復溜
水泉
照海
大鍾
太谿
然谷
湧泉

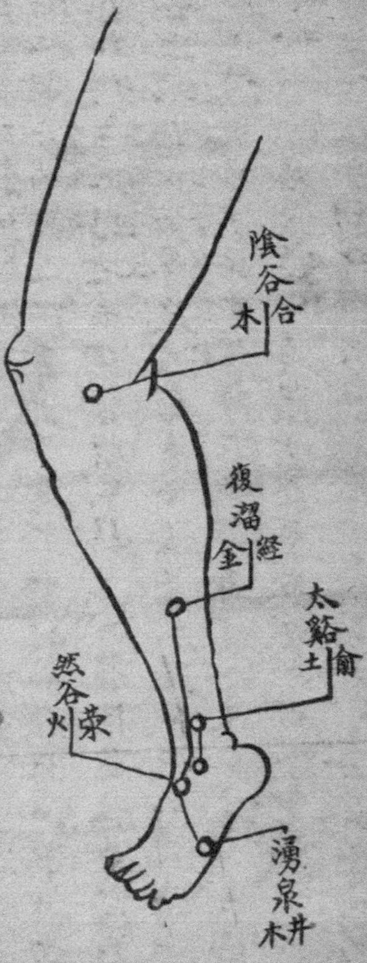

足少陰腎二十七湧泉然谷照海出太谿水泉連大鍾復溜交信築賓立陰谷橫骨趋大赫氣穴四滿中注得肓俞商曲石関蹲陰都通谷幽門值步廊神封出靈墟神藏彧中俞府畢

湧泉二穴在足心陷中屈足踡指宛々中跪而取之所出為井木針三分禁灸

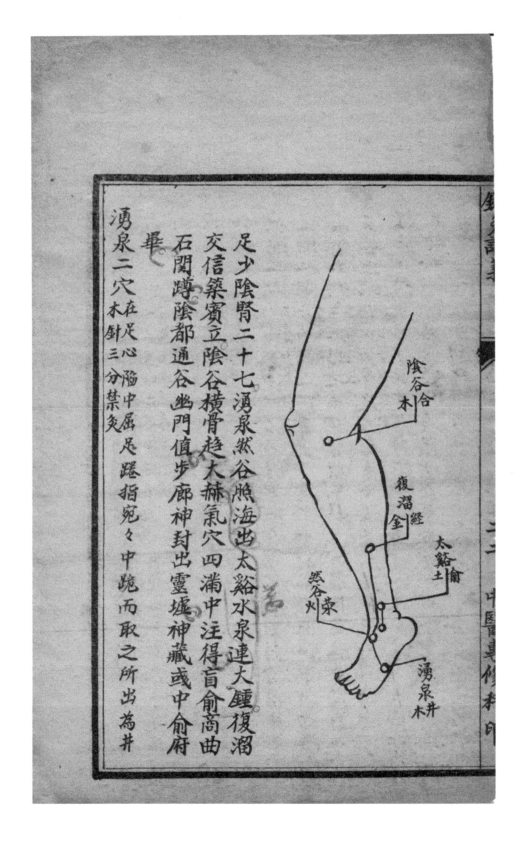

然谷二穴一名龍淵在足內踝前起大骨下內踝前直下一寸陷中所流為榮火針三分不宜見血灸三壯

太谿二穴一名吕細在足內踝後五分跟骨上動脈陷中所注為俞土針三分灸三壯

大鍾二穴在足跟後衝中太谿下五分足少陰絡別走足太陽針二分灸七壯

照海二穴在足內踝下四分容爪甲陰蹻脈所生針三分灸七壯

水泉二穴在太谿下一寸針三分灸五壯

復溜二穴一名伏白一名昌陽在內踝後上二寸筋骨陷中針三分灸五壯

交信二穴在內踝上二寸少陰前太陰後筋骨間陷中針四分灸三壯

築賓二穴在內踝之五寸骨後大筋上小筋下屈膝取之針二分灸五壯

陰谷二穴在內輔骨後大筋上小筋下屈膝取之所入為合水針三分灸三壯

橫骨二穴一名下極在大赫下一寸曲骨外五分禁針灸三壯

大赫二穴一名陰維一名陰關在氣穴下一寸針三分灸五壯

氣穴二穴一名胞門一名子戶在四滿下一寸針三分灸五壯

四滿二穴一名髓府在中注下一寸鍼一寸灸五壯

中注二穴在肓俞下一寸鍼一寸灸五壯

肓俞二穴在商曲下二寸鍼一寸灸五壯

商曲二穴在石關下一寸鍼一寸灸五壯

石關二穴在陰都下一寸鍼一寸灸五壯

陰都二穴一名食宮在通谷下一寸鍼一寸灸三壯

通谷二穴在幽下一寸鍼五分灸五壯

幽門二穴一名上門在巨闕旁五分自此至横骨各去中行五分鍼五分灸五壯

步廊二穴在神封下一寸六分陷中去中行二寸仰而取之鍼三分灸五壯

神封二穴在靈墟下一寸六分鍼三分灸五壯

靈墟二穴在神藏下一寸六分陷中鍼三分灸五壯

神藏二穴在彧中下一寸六分陷中鍼三分灸五壯

彧中二穴在俞府下一寸六分陷中針四分灸五壯

俞府二穴在璇璣旁二寸自此至步廊各去中行二寸皆仰臥取之針三分灸五壯

足掌心中是湧泉然谷内踝一寸前太谿踝後跟骨上大鍾跟後踵中邊水泉谿下一寸覔照海踝下四分塡復溜踝後上二寸交信後上二寸聨二穴只隔筋前後太陰之後少陰前（前傍骨是復溜後傍骨是交信上穴只隔一條筋）築賓内踝上腨分陰谷膝下内膝間橫骨大赫並氣穴四滿中注亦相連五穴上行皆一寸中行旁開五分邊肓俞上行亦一寸但在臍旁半寸間商曲石関陰都穴通谷幽門五穴連五穴上下一寸取各開中行五分前步廊神封靈墟穴神藏彧中俞府安上行寸六旁二寸俞府璇璣二寸觀

第九節　手厥陰心包絡起止

手厥陰之脈起於胸中出屬心包下膈歷絡三焦其支者出脇下腋三寸天池穴上抵腋下下循臑內天泉穴行太陰少陰之間入肘中曲澤穴下臂行兩臂之間間使等穴入掌中勞宮穴循中指出其端中衝穴其支者別掌中循小指次端出其端自此交入手少陽戌時自俞府交與天池從手臂下行至中衝穴止

手厥陰心主起胸屬包下膈三焦宮支者循胸出脇下脇下
連腋三寸间仍上抵腋循臑內太陰少陰兩經中指透中衝
支者別小指次指絡相通
本經左右共一十八穴

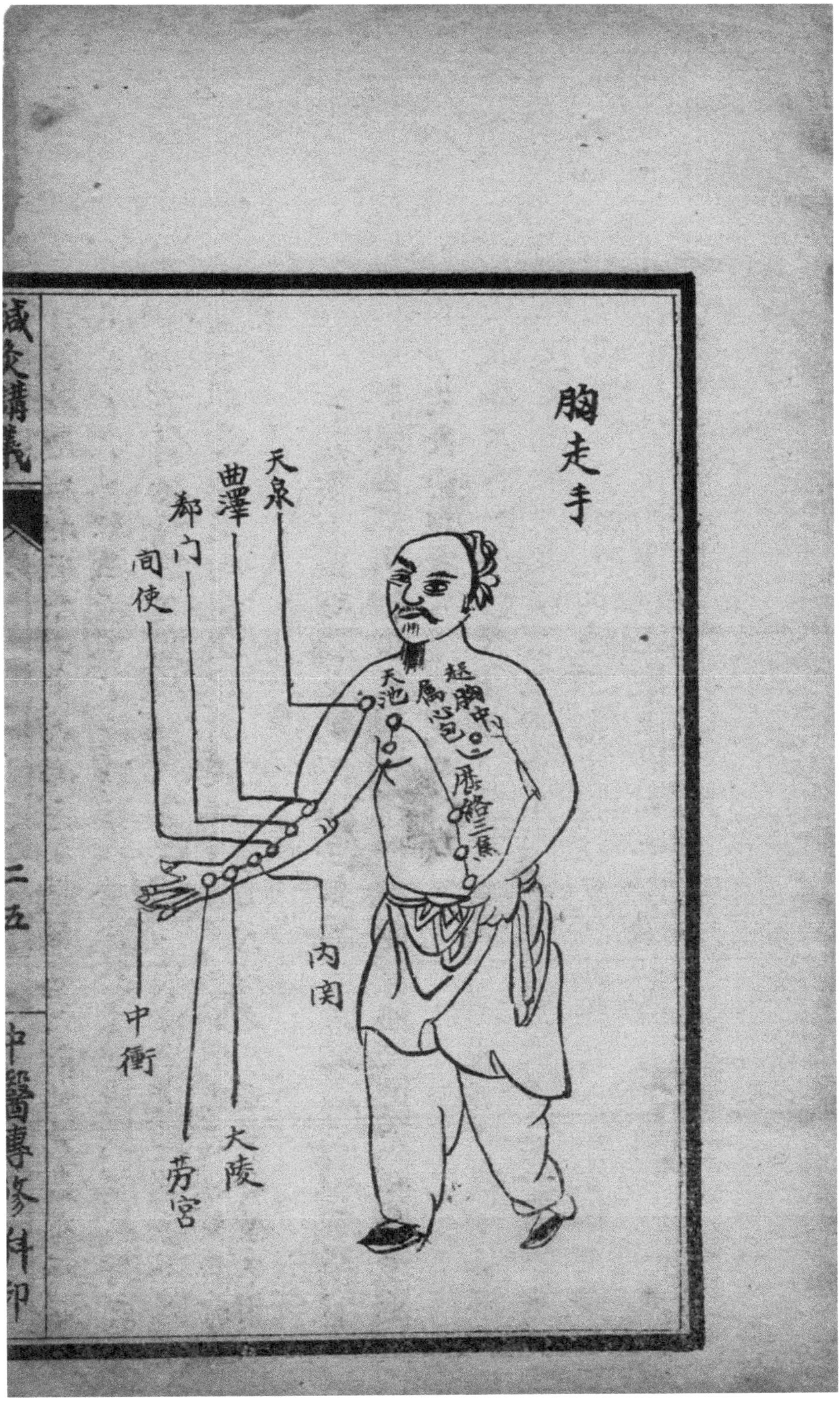
鍼灸講義
胸走手
天泉
曲澤
郄门
间使
天池
起膻中
属心包
歷絡三焦
内关
中衝
劳宫
大陵
二五
中醫專修科印

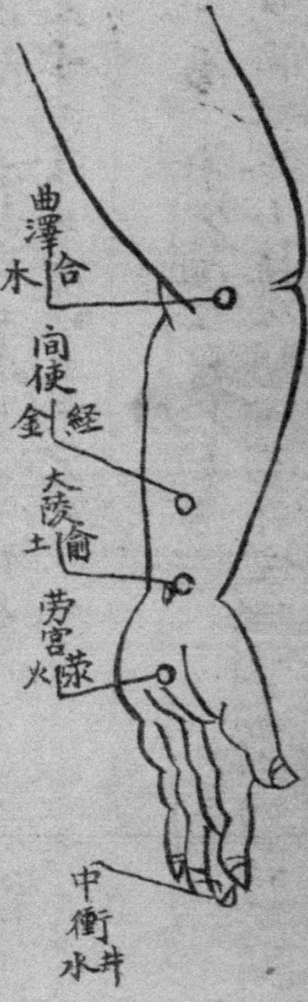

心包九穴天池近天泉曲澤郄門認間使內關踰大陵勞宮

中衝中指盡

天池二穴一名天會在腋下三寸乳後一寸陷中尉三分灸三

天泉二穴一壯一名天濕在曲澤下二寸舉臂取之尉三分灸三壯

曲澤二穴在肘內廉下陷中橫紋中央動脈所入為合水尉三分灸三壯

郄門二穴在掌後去腕五寸尉三分灸五壯

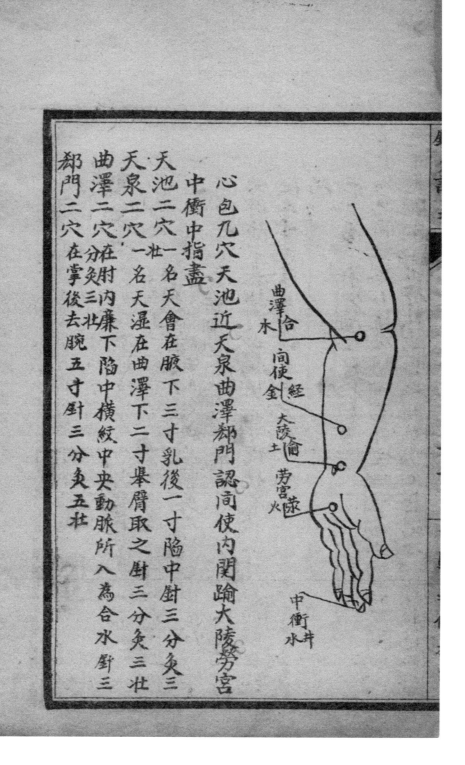

間使二穴在掌後三寸兩筋間陷中所行為経金尉三分灸五壮
内関二穴在掌後二寸兩筋間陷中手心主絡別走手少陽尉三分灸三壮
大陵二穴在掌後兩筋間所注為俞土尉五分灸三壮
劳宮二穴一名五里一名掌中在掌中央屈無名指與中指間取之所流為滎火尉三分禁灸
中衝二穴在手中指端去爪甲如韭葉所出為井木尉一分灸一壮
心絡起至天池間乳後傍一腋下三天泉繞腋下二寸曲澤
曲射陷中參郄門去腕後五寸間使腕後三寸然内関去腕
後二寸大陵掌後横紋間劳宮屈拳名指取中指之末中衝
端

第十節　手少陽三焦経起止

手少陽之脈起於小指次指之端外側関衝穴上出兩指之間液门穴
循手表腕陽池穴出臂外兩骨之間支溝穴上貫肘天井穴循臑外上肩

交出少陽之後入缺盆布膻中散絡心包下膈循屬三焦其支者從膻中上出缺盆上項繫耳後直上出耳上角以屈下頰至䪼其支者從耳後入耳中出走耳前過客主人前交頰至目銳眥䪼交入足少陽亥時自中衝交於關衝循臂上行至耳門穴止

手經少陽三焦脉起至小指次指端兩指岐骨手腕表上出臂外兩骨間肘後臑外循肩上少陽之後交別傳下入缺盆膻中分散絡心包膈裏穿支者膻中缺盆上上項耳後耳角旋屈下至䪼仍注頰一支出耳入耳前郄從上間交曲頰至目銳眥乃盡焉

本經左右共四十六穴

鍼灸講義　二七　中醫專修科印

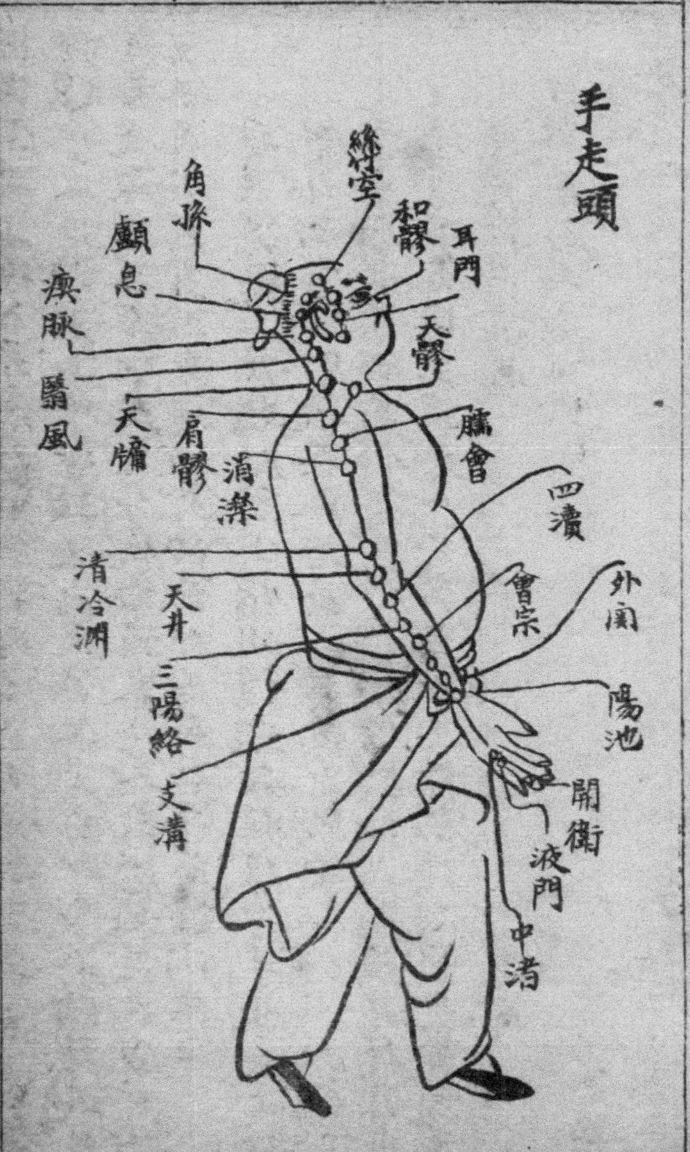

手少三焦所從經二十三穴起関衝液門中渚陽池歷外関支溝會宗逢三陽絡入四瀆内注於天井清冷中消濼臑會肩髎穴天髎天牖經翳風瘈脈顱息角耳門和髎上行絲竹空

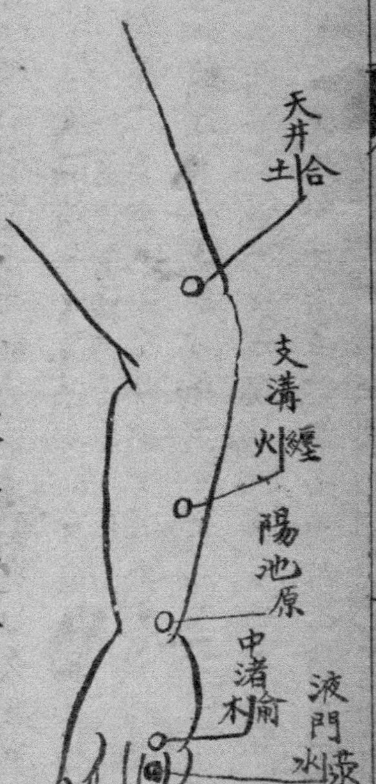

関衝二穴在小指次指之端去爪甲角如韮葉所出為井金尉一分灸一壯

液門二穴在小指次指本節前陷中所流為滎水尉二分灸三壯

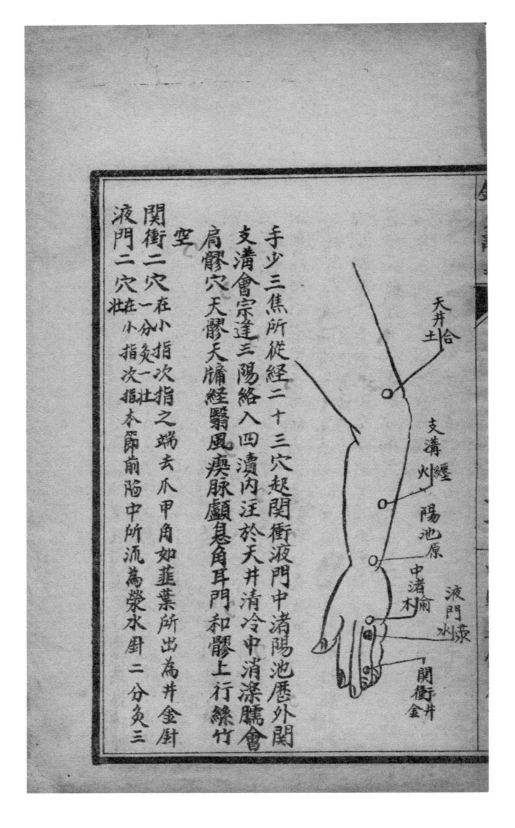

中渚二穴在小指次指本節後陷中液門下一寸握拳取之所注為俞木鍼三分灸三壯

陽池二穴一名別陽在手表腕二寸陷中所过為原鍼三分禁灸

外關二穴在腕後二寸兩骨間陷中手少陽絡別走心包鍼三分灸三壯

支溝二穴在腕後三寸兩骨間陷中所行為經火鍼三分灸二七壯

會宗二穴在腕後三寸空中支溝外旁陷中鍼三分灸三壯

三陽絡二穴在腕後四寸陷中灸七壯禁鍼

四瀆二穴在肘前五寸外廉陷中鍼六分灸三壯

天井二穴在肘外大骨後肘上一寸陷中叉手按膝頭取之所入為合土鍼一分灸三壯

清冷淵二穴在肘上二寸伸肘舉臂取之鍼三分灸三壯

消濼二穴在臑会下二寸鍼六分灸三壯

臑會二穴一名臑髎在肩頭下三寸宛宛中鍼七分灸七壯

肩髎二穴在肩頭外陷中臑會上斜鍼七分灸七壯

天髎二穴在肩井後一寸陷中針八分灸五壮
天牖二穴在頸大筋前缺盆上天容後天柱前完骨下髮際上一寸陷中針一寸禁灸
翳風二穴在耳中後尖角陷中按之引耳中痛針七分灸七壮
瘈脈二穴一名資脈在耳本後鷄足青絡脈刺出血如豆汁針一分禁灸
顱息二穴在耳後間青脈灸七壮禁針
角孫二穴在耳骨中間髮際開口有空禁針灸三壮
絲竹空二穴一名目髎在眉後陷中針三分禁灸
和髎二穴在耳前鋭髮下横動脈中針三分禁灸
耳門二穴在耳前起肉当耳中缺者針三分禁灸
無名外側端關衝液門小次指陷中中渚液門上一寸陽池
腕前表陷中外關腕後二寸陷關上一寸支溝名外關一寸
会宗平斜上一寸三陽絡肘前五寸四瀆稱天井肘外大骨

後肘上一寸骨罅中井上一寸清冷淵消濼臂肘分肉端臑會肩端前二寸肩髎臑上陷中看天髎肩井後一寸天牖耳下一寸間翳風耳後尖角陷瘈脉耳後清脉看顱息清絡脉之上角孫耳上髮下間耳門耳前缺處陷和髎横動脉耳前欲覓絲竹空何在肩後陷中仔細看

第十一節　足少陽胆經起止

足少陽之脉起於目鋭眦瞳子髎穴上抵頭角頷厭等穴下耳後浮白等穴循頸風池穴行手少陽之脉前至肩上肩井穴卻交出手少陽之後入缺盆其支別者從耳後入耳中出走耳前至目鋭眦下大迎合於手少陽抵於䪼下加頰車下頸合缺盆以下胸中貫膈絡肝屬胆循脇裏出氣衝繞毛際横入髀厭中即環跳穴其直者從缺盆下腋淵液穴循胸中日月等穴過季脇帶脉等穴下合髀厭中以下循髀陽風市穴出膝外廉

陽陵泉穴下外輔骨之前直下抵絕骨之端陽輔穴下出外踝之前丘墟穴循足跗上出小指次指之端竅陰穴其支者從跗上入大指岐骨內出其端還貫爪甲出三毛自此交入足厥陰子時耳門交與瞳子髎循頭耳側脇下行至足竅陰穴止

足脉少陽胆之經始從兩目銳眥生抵頭循角下耳後腦空風池次第行手少陽前至肩上交少陽右上缺盆支者耳後貫耳內出走耳前銳眥循一支銳眥大迎下合手少陽抵項根下加頰車缺盆合入胸貫膈絡肝經屬胆仍從脇裏过下入氣衝毛際縈橫入髀厭環跳內直者缺盆下腋膺过季脇下髀厭內出膝外廉是陽陵外輔絕骨踝前过足跗小指次指分一支別從大指去三毛之際接肝經

本經左右共八十八穴

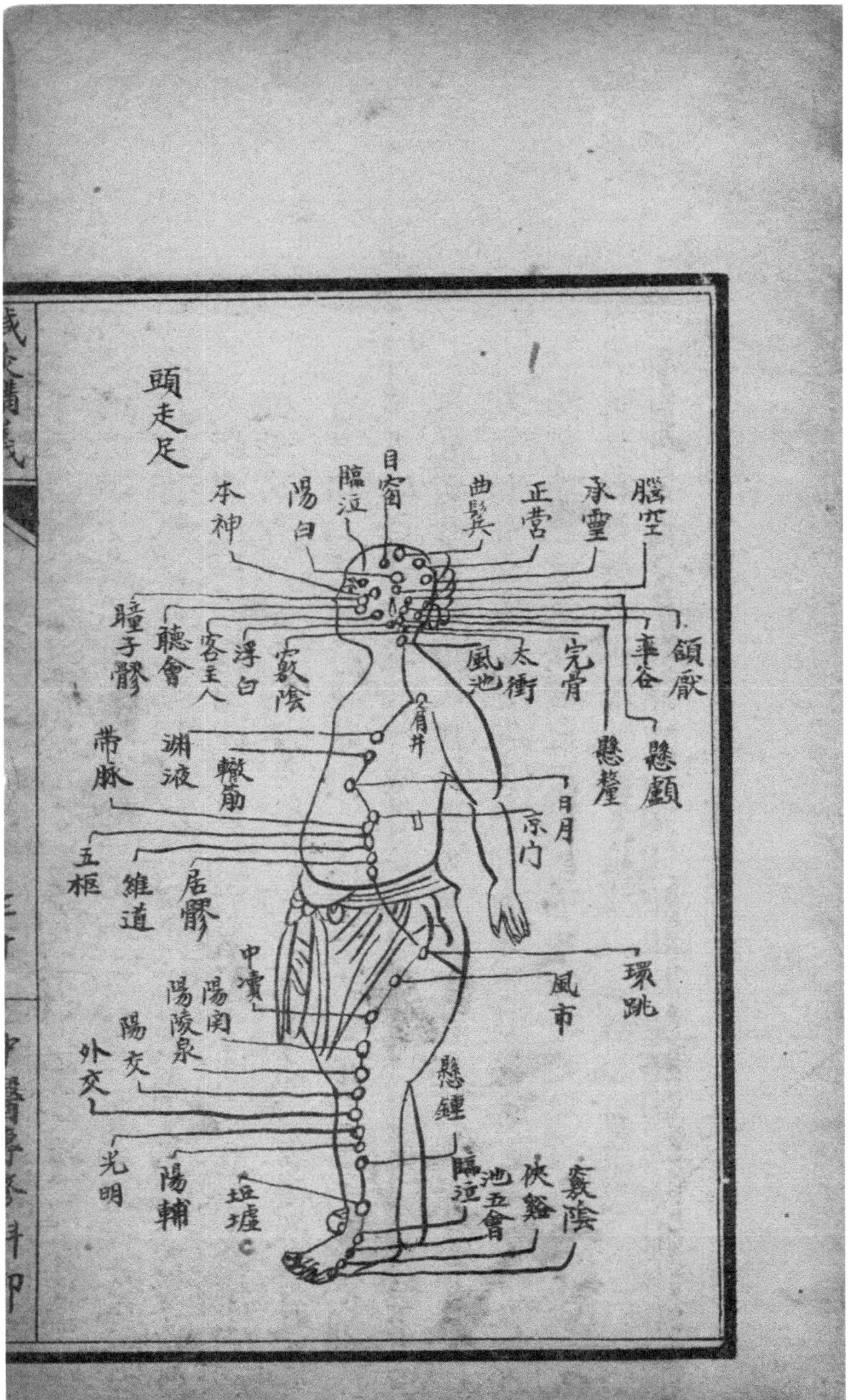
頭走足
目窗
臨泣
陽白
本神
曲鬢
正營
承靈
腦空
瞳子髎
聽會
客主人
浮白
竅陰
風池
太衝
完骨
率谷
頷厭
肩井
懸釐
懸顱
帶脉
淵液
輒筋
日月
京门
五樞
維道
居髎
環跳
風市
中瀆
陽關
陽陵泉
陽交
外交
懸鍾
光明
陽輔
坵墟
臨泣
地五會
俠谿
竅陰

足少陽経童子髎四十四穴行逕々聽會客主頷厭集懸顱懸釐曲鬢翹率谷天衝浮白次竅陰完骨本神至陽白臨泣間目窗正營承靈腦空是風池肩井淵液長輙筋日月京門鄉帶脉五樞維道續居髎環跳市中瀆陽關陽陵復陽交外邱光明陽輔髙懸鍾邱墟足臨泣地五侠谿竅陰畢

瞳子髎二穴一名太陽一名前關在目外眥去眥五分尉三分灸三壯

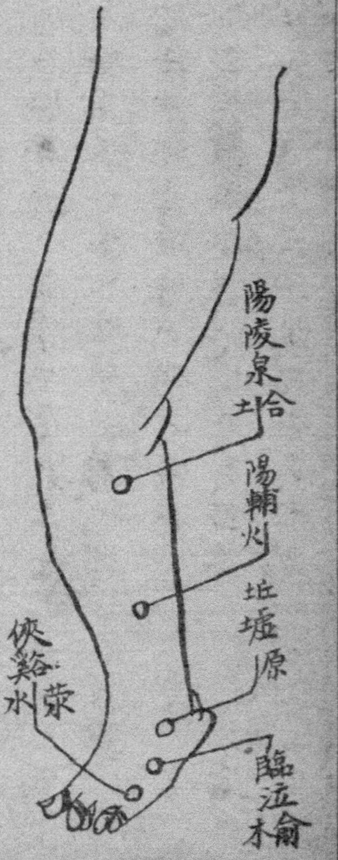

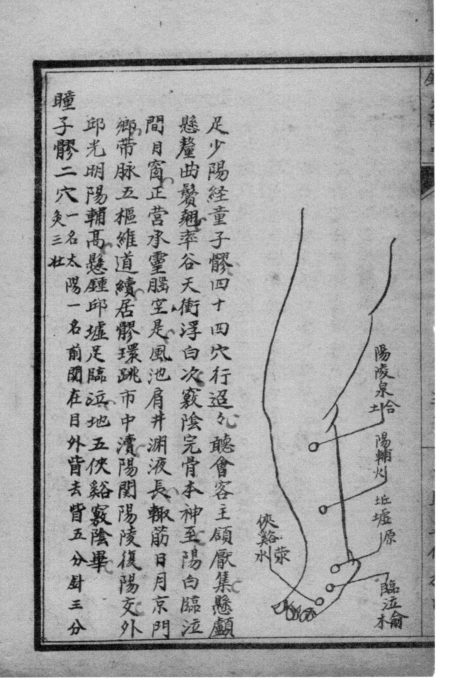

聽會二穴一名後關在上關下一寸動脉宛宛中開口得之針三分灸五壯

客主人二穴一名上關在耳前上廉起骨開口有空動脉宛宛中禁針灸七壯

頷厭二穴在曲周下顳顬上廉針五分灸三壯

懸顱二穴在曲周下顳顬中針三分灸三壯

曲鬢二穴在耳上入髮際曲隅陷中鼓頷有空針三分灸七壯

懸釐二穴在曲周上顳顬下廉針三分灸三壯

率谷二穴在耳上入髮際一寸五分針三分灸三壯

天衝二穴在率谷後耳後入髮際二寸針三分灸七壯

浮白二穴在天衝直下一寸入髮際一寸針三分灸七壯

竅陰二穴在完骨上枕骨下針三分灸七壯

完骨二穴在耳後入髮際四分針三分灸七壯

本神二穴在曲差旁一寸五分針三分灸七壯

陽白二穴在眉上一寸直目瞳子針三分灸七壯

臨泣二穴在當目直上入髮際五分針二分禁灸

目窗二穴一名至榮在臨泣後一寸針三分灸五壯

正營二穴在目窗後一寸針三分灸五壯

承靈二穴在正營後一寸五分

腦空二穴在承灵後一寸五分去督脈約五分挾玉枕骨下陷中針五分灸三壯

風池二穴在腦空後髮際陷中挾三焦經天牖與膀胱天柱之中間是穴針三分灸七壯

肩井二穴（一名膊井在肩上陷中缺盆上大骨前一寸半以三指按取之當中指下陷中者是穴又法肩上陷是缺盆其上一寸半是柱骨如取左穴用本人右手小指挾於左肩柱骨尖上平髃三指取中指下第一節中是穴取右穴亦如是禁沉針針三分）

淵液二穴在側液下三寸宛宛中舉臂取之針三分禁灸

輒筋二穴在淵液前一寸其穴與淵液並針六分灸三壯

日月二穴一名神光在期門下五分鍼七分灸五壯

京門二穴一名氣府一名氣俞在脐上五分旁九寸半鍼七分灸五壯

帶脈二穴在季肋下一寸八分脐上二分旁各七寸半鍼六分灸五壯

五樞二穴在帶脈下三寸水道旁一寸半鍼一寸灸五壯

維道二穴在章門下五寸三分鍼八分灸三壯

居髎二穴在章門下六寸三分鍼八分灸三壯

環跳二穴在髀樞中側卧伸下足屈上足以左手摸穴右手搖撼取之鍼一寸灸五十壯

風市二穴在膝上七寸股外側兩筋間正立以兩手着腿中指盡處是穴鍼五分灸五壯

中瀆二穴在髀骨外膝上五寸分肉間陷中鍼五分禁灸

陽關二穴一名關陽一名關陵在陽陵泉上三寸犢鼻外陷中鍼五分禁灸

陽陵泉二穴在膝下寸一外廉灸骨前陷中所入為合土鍼六分灸七壯至七七壯

陽交二穴一名別陽一名足髎足外踝上七寸斜屬三陽分肉之間鍼六分灸三壯

外丘二穴在外踝上七寸陽交稍後針三分灸三壯
光明二穴在外踝上五寸足少陽絡別走厥陰針六分灸壯五
陽輔二穴在足外踝上四寸輔骨前絕骨端如前三分去丘墟七寸所行為經火針五分灸三壯
懸鍾二穴一名絕骨在外踝上三寸動脈中尋摸尖骨者是足三陽之大絡按之陽明脈絕乃取之針六分灸三壯
丘墟二穴在足外踝下微前陷中去臨泣三寸所過為原針五分灸三壯
臨泣二穴在足小指次指本節後陷中去俠谿一寸半所注為俞木針三分灸三壯
地五會二穴在足小指次指本節後陷中去俠谿一寸中針二分禁灸
俠谿二穴在足小指次指岐骨間本節前陷中所流為滎水針二分灸三壯
竅陰二穴在足小指次端外側去爪甲如韭葉所出為井金針一分灸三壯
足少陽分四十四頭上廿穴分三折起自童子至風池積數
陳之依次第外皆五分童子髎耳前中陷尋聽會上行一寸
客主人內斜曲角上頷厭後行顱中釐下穴曲鬢耳前上髮

際率谷入髮寸半安天衝耳後斜二寸浮白下行一寸間竅陰穴在枕骨下完骨耳後入髮際量得四分須用記本神神庭旁三寸入髮四分耳上係陽白眉上一寸許入髮五分是臨泣臨後寸半目窗穴正營承靈及腦空後行相去一寸五風池耳後髮陷中肩井肩上陷中取大骨之前寸半明淵液液下行三寸輒筋復前一寸行日月乳下二肋縫下行五分是穴名脐上五分傍九五季肋俠脊是京門季下寸八尋帶脉帶下三寸穴五樞維道章下五三定維下一寸居髎明環跳髀樞宛中陷風市垂手中指終膝上五寸中瀆穴膝上二寸関陽尋陽陵膝下一寸住陽交外踝上七寸外邱外踝七寸同此係斜屬三陽分踝上五寸定光明踝上四寸陽輔穴踝上三寸是懸鍾邱墟踝前陷中取邱下三寸臨泣存臨下

五分地五會會下一寸俠谿輪欲覓竅陰穴何在小指次指外側尋

第十二節　足厥陰肝經起止

足厥陰之脈起於大指聚毛之際（大敦穴）上循足跗上廉（太衝穴）去內踝一寸（中封穴）上踝八寸交出太陰之後上膕內廉（曲泉穴）循股陰（陰包穴）（五里穴）入毛中過陰器抵小腹挾胃屬肝絡膽上貫膈布脇肋循喉嚨之後上入頏顙連目系出額與督脈會於巔其支者從目系下頰裏環脣內其支者復從肝別貫膈上注肺（自此交入手太陰末將自竅陰穴交）於大敦穴循膝股上行至期門穴止

厥陰足脉肝所終大指之端毛際叢足跗上廉大衝分踝前一寸入中封上踝交出太陰後循膕內廉陰股衝環繞陰器抵小腹俠胃屬肝絡膽逢上貫膈裏布脇肋俠喉頏顙目繫

同脈上顛會督脈出支者還目系中下絡頰裏環唇內支者
便從膈肺通
本經左右共二十八穴

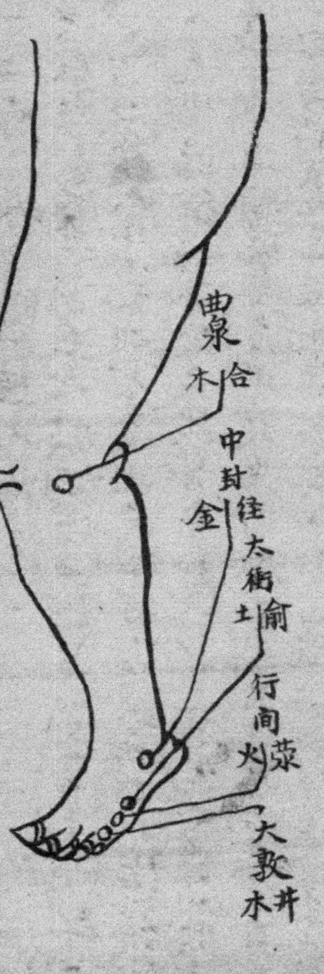

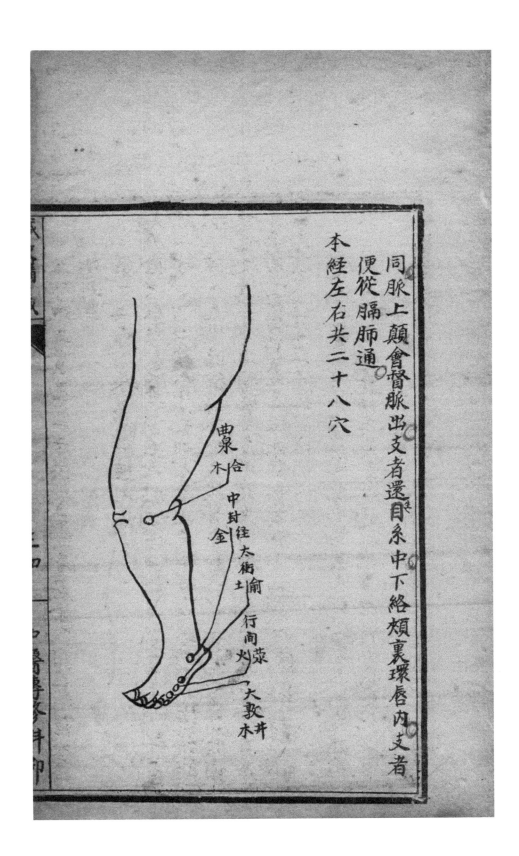

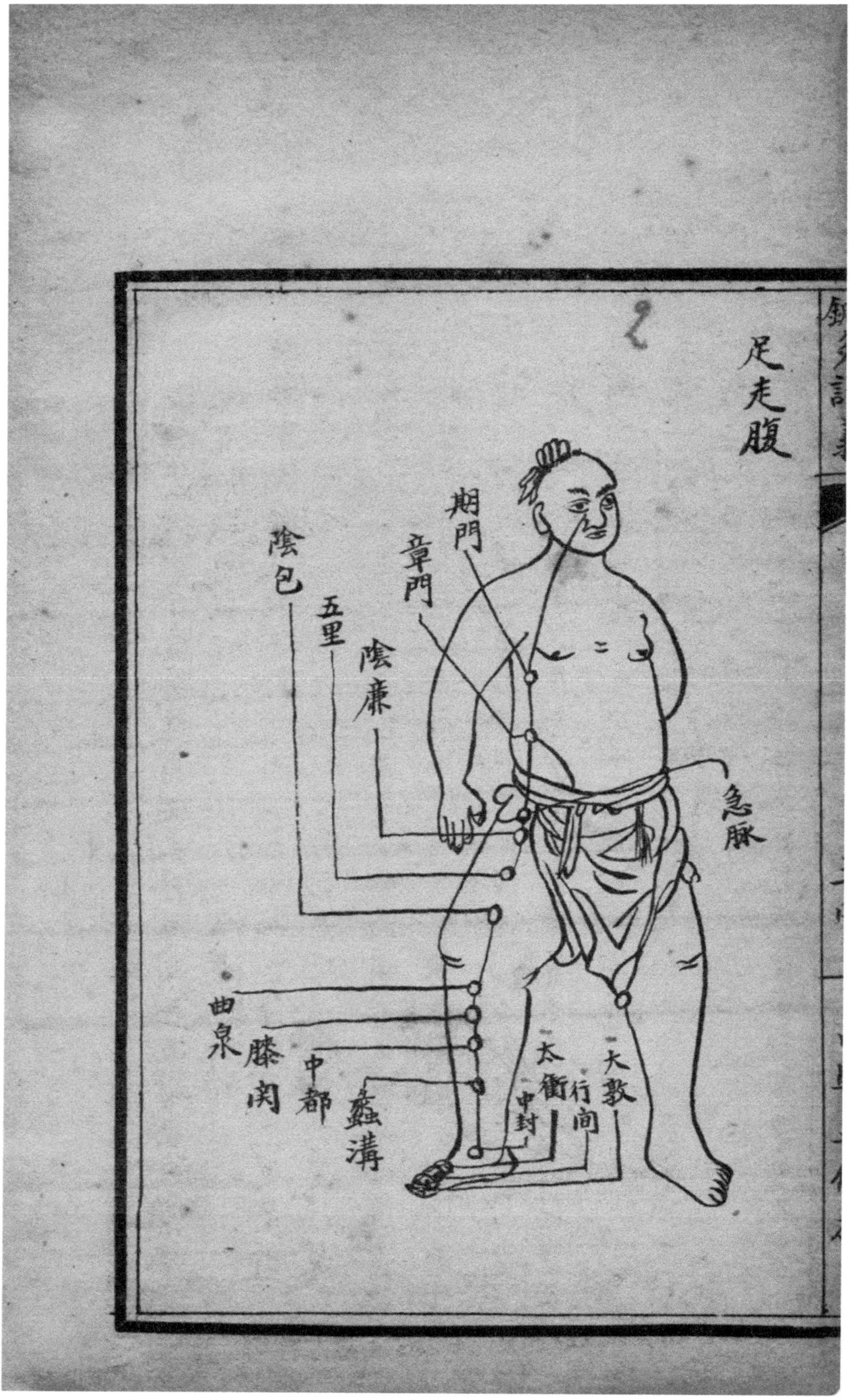
足走腹
期門
章門
陰包
五里
陰廉
急脉
曲泉
膝関
中都
蠡溝
中封
太衝
行间
大敦

足厥陰經一十四穴大敦行間太衝是中封蠡溝伴中都膝関
曲泉陰包次五里陰廉上急脈章門纔过期門至

大敦二穴在足大指端外側去爪甲如韭葉所出為井木針二分灸三壯

行間二穴在足大指次指岐骨間動脈陷中所溜為滎火針三分灸三壯

太衝二穴在足大指本節後二寸動脈應手陷中所注為俞土針三分灸三壯

中封二穴一名懸泉在內踝骨前一寸筋裏宛宛中仰足陷中所行為經金針四分灸三壯

蠡溝二穴一名交儀在內踝上五寸足厥陰絡別走少陽針二分灸三壯

中都二穴一名中郄在內踝上七寸䯒骨中與少陰相直針三分灸五壯

膝関二穴在犢鼻下旁二寸陷中針四分灸三壯

曲泉二穴在膝內側輔骨下大筋上小筋下陷中屈膝取之所入為合水針六分灸三壯

陰包二穴在膝上四寸股內廉兩筋間針六分灸三壯

五里二穴在氣衝下三寸陰股中動脈應手針六分灸三壯

陰廉二穴在羊矢下去氣衝二寸半羊矢二穴在氣衝外一寸針八分灸三壯

急脉二穴在陰毛中陰上兩旁相去同身寸二寸半禁針灸按厥陰經循股陰入毛中过陰器其别者循脛上睾結於莖

章門二穴一名長平一名脅髎在臍上二寸兩旁六寸針六分灸百壯

期門二穴在不容旁一寸半乳直下肋骨近後處從下数起第二肋端針四分灸五壯

大敦足大指端外側行間兩指縫中間太衝本節後二寸中封内踝一寸前蠡溝踝上五寸是中都上行二寸边膝關犢鼻下二寸曲泉曲膝盡横紋尖陰包膝上行四寸氣衝三寸下五里陰廉氣衝下二寸急脉毛際旁二五厥陰大絡系睾丸章門臍上二旁六期門從章斜行乳直乳二肋端縫已

奇經八脉總論歌

正經經外是奇經八脉分司各有名任脉任前督於後衝起

會陰督同行陽蹻跟外膀胱別陰起跟前隨少陰陽維維絡諸陽脈陰維維絡在諸陰帶脈圍腰如束帶不由常度號奇經

第十三節　任脈起止

任脈者起於中極穴之下以上毛際循腹裏上關元至咽喉上頤循面入目屬陰脈之海

任脉起於中極下會陰脉裏上関元循内上行會衝脉浮外
循復至咽喉別絡口唇承漿已過足陽明上頤間循面入目
至睛明交督陰脉海名傳

本經凡二十四穴

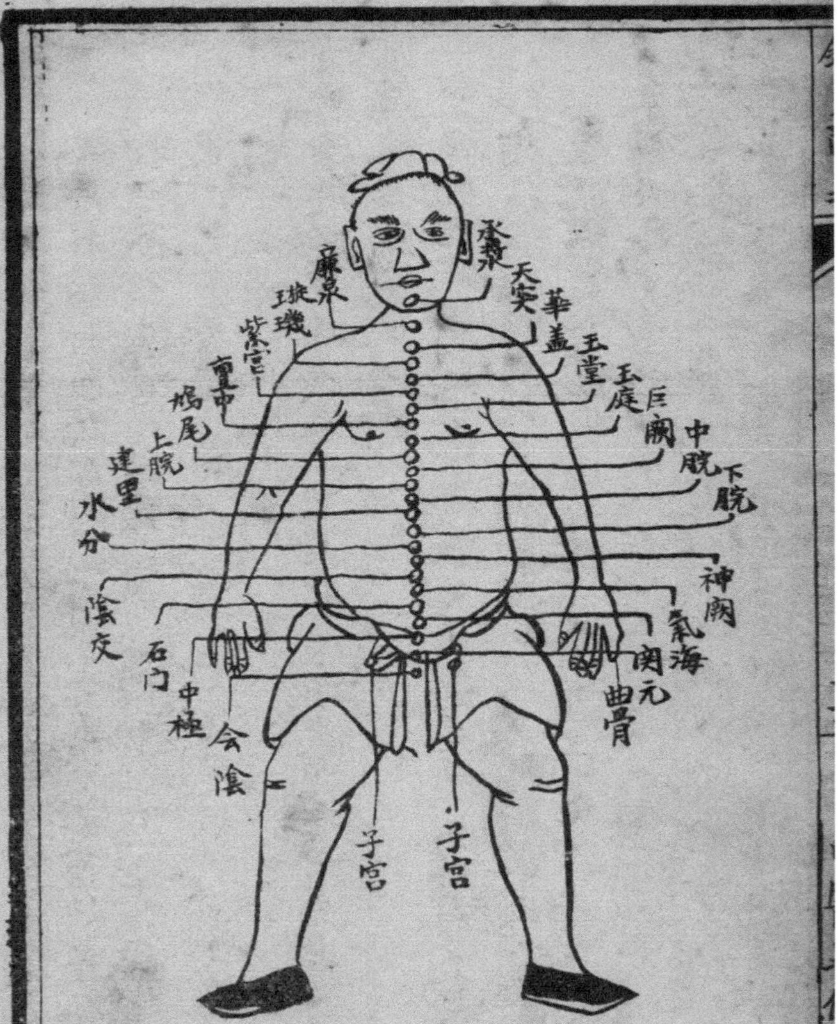
承漿
廉泉
天突
璇璣
華蓋
紫宮
玉堂
膻中
玉庭
鳩尾
巨闕
上脘
中脘
建里
下脘
水分
神闕
陰交
氣海
石门
関元
中極
曲骨
会陰
子宮
子宮

任脈中行二十四會陰潛伏兩陰間曲骨之前中極在關元石門氣海邊陰交神闕水分處下脘建里中脘前上脘巨闕連鳩尾中庭膻中玉堂聯紫宮華蓋循璇璣天突連泉承漿端

會陰一穴一名屏翳在前陰後肛門前兩陰間禁針灸三壯

曲骨一穴在橫骨上中極下一寸毛際陷中針六分灸七壯

中極一穴一名玉泉一名氣原在關元下一寸臍下四寸屆針八分灸百壯

關元一穴一名丹田在臍下三寸針一寸二分灸七壯

石門一穴一名利机一名精露在臍下二寸針五分灸二七壯婦人禁針

氣海一穴一名脖胦在臍下寸半針八分灸三十壯

陰交一穴在臍下一寸針八分灸三七壯

神闕一穴一名氣舍當臍中央禁針灸三壯

水分一穴一名中守在臍上一寸禁刺水病宜灸七壯至百壯

下脘一穴在臍上二寸刺八分灸七壯至百壯

建里一穴在臍上三寸刺五分灸七壯

中脘一穴一名太倉在臍上四寸居蔽骨與臍之中刺八分灸二七壯至百壯

上脘一穴一名上營一名胃脘在臍上五寸刺八分灸二七壯至百壯

巨闕一穴在臍上六寸鳩尾下一寸刺六分灸七壯至七七壯

鳩尾一穴一名髑骬一名䯏尾在臆前蔽骨下五分無蔽骨者從岐骨之際量取一寸禁刺灸

中庭一穴在膻中下一寸六分陷中仰卧取之刺三分灸五壯

膻中一穴一名元見在玉堂下一寸六分橫直兩乳間陷中仰卧取之灸七壯至七七壯禁刺

玉堂一穴一名玉英在紫宮下一寸六分仰面取之刺三分灸五壯

紫宮一穴在華蓋下一寸六分陷中仰面取之刺三分灸五壯

華蓋一穴在璇璣下一寸陷中仰面取之刺三分灸五壯

璇璣一穴在天突下一寸陷中仰面取之針三分灸五壯
天突一穴灸三壯一名天瞿在頸結喉下二寸宛宛中針五分宜横下
廉泉一穴灸三壯一名舌本在頷下結喉上舌本間仰面取之針三分
承漿一穴一名懸漿在頤前唇下宛宛中針二分灸七壯
任脉會陰兩陰間曲骨毛際陷中安中極臍下四寸取関元
臍下三寸連臍下二寸右石門臍下寸半氣海全臍下一寸
陰交穴臍之中央即神闕臍上一寸為分水臍上二寸下脘
尋臍上三寸名建室臍上四寸中脘許臍上五寸上脘在巨
闕臍上六寸尋鳩尾蔽骨下五分中庭膻中下寸六膻中郤
在兩乳間膻上寸六玉堂主紫宮華盖下寸六華盖璇璣下
一寸天突結喉下二寸廉泉頷下骨尖已承漿頤前唇棱下
任脉央中行腹裏

第十四節　督脉起止

督脉者起於下極之腧並於脊裏上至風府入腦上巔循額至鼻柱屬陽脉之海

督脉少腹骨中央女子入繫溺孔疆男子之絡循陰器繞篡之後別臀方至少陰者循腹裏會任直上關元行屬腎會衝街腹氣入喉上頤環唇當上繫兩目中央下始合內背絡太陽上額交巔入絡腦還出下項肩髆場俠脊抵腰入循膂絡腎莖篡等其鄉此是中明督脉路總為陽脉之督綱

本經凡二十八穴

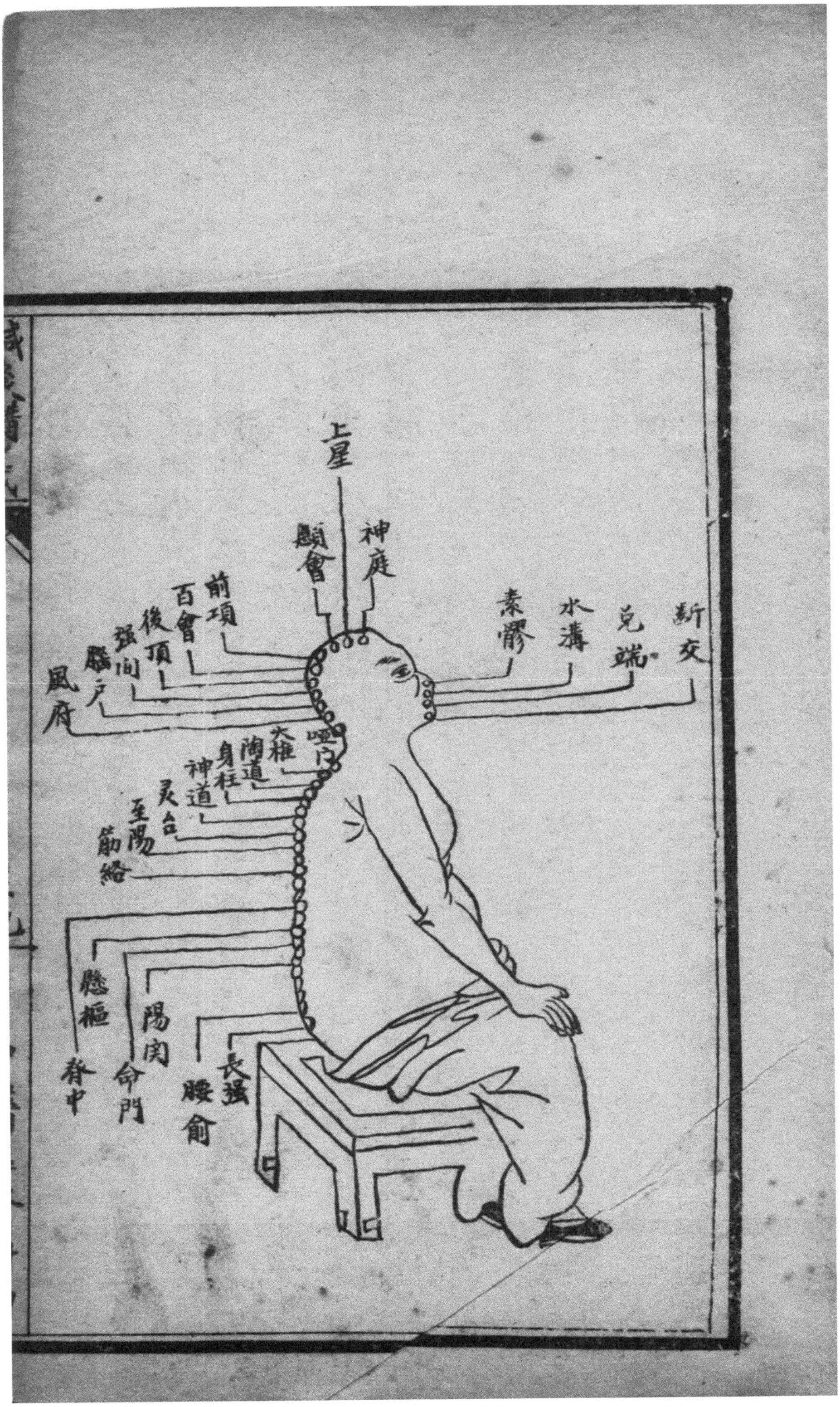
上星
顖會
神庭
前頂
百會
後頂
強间
腦户
風府
素髎
水溝
兑端
齗交
瘂門
大椎
陶道
身柱
神道
灵台
至陽
筋縮
懸樞
脊中
陽関
命門
長強
腰俞

督脉行背之中行二十八穴始長强腰俞陽關入命門懸樞
脊中中樞長筋縮至陽歸靈臺神道身柱陶道開大椎瘂門
連風府腦戶强間後項排百會前項通顖會上星神庭素髎
對水溝兑端在唇上齦交上齒縫之內

長强一穴一名氣之陰郄灸三十壯至二百壯脊骶骨端下陷中伏地取之針二分

腰俞一穴一名背解一名髓孔一名腰柱一名腰戶在二十一椎下宛宛中針八分灸五壯

陽關一穴在十六椎下坐而取之針五分灸三壯

命門一穴一名屬累在十四椎下伏而取之針五分灸三壯

懸樞一穴在十三椎下伏而取之針三分灸三壯

脊中一穴一名神中一名脊俞在十一椎下自此至陶道皆俛而取之針五分禁灸

中樞一穴在十椎下針五分禁灸

筋縮一穴在九椎下針五分灸三壯

至陽一穴在七椎下鍼五分灸三

靈臺一穴在六椎下鍼五分禁灸

神道一穴在五椎下灸七七壯至百壯禁鍼

身柱一穴在三椎下鍼五分灸五壯

陶道一穴在項後大椎節下間鍼五分灸五壯

大椎一穴在項後第一椎上陷中鍼五分灸隨年為壯

瘂門一穴一名舌厭在項後入髮際五分項中央宛宛中仰頭取之鍼二分禁灸

風府一穴一名舌本在項後入髮際一寸大筋內宛宛中鍼二分禁灸

腦户一穴一名合顱在枕骨上强間後一寸半禁鍼灸

强間一穴一名大羽在後項後一寸半鍼三分灸五壯

後頂一穴一名交衝在百會後一寸半鍼三分灸五壯

百會一穴一名三陽一名五会一名天滿在前項後一寸五分頂中央旋毛中可容豆直兩耳間尖鍼二分灸七壯

前項一穴在顖會後一寸半骨間陷中鍼一分灸三壯
顖會一穴在上星後一寸陷中灸二七壯至七七壯禁鍼
上星一穴在神庭後入髮際一寸陷中鍼二分灸三壯
神庭一穴在額前直鼻上入髮際五分灸七壯禁鍼
素髎一穴一名面王在鼻柱上端準頭鍼一分禁灸
水溝一穴三壯一名人中在鼻柱下溝中央近鼻孔陷中鍼三分灸
兌端一穴在唇上端尖尖上鍼三分灸三壯
齗交一穴在唇內齒上縫中央鍼三分灸三壯

尾閭骨端是長強二十一椎腰俞當十六陽關十四命十三
懸樞脊中央十一脊中十中樞九椎筋縮七至陽六靈五神
三身柱陶道一椎之下尋一椎之上大椎穴入髮五分瘂門
行風府一寸宛中取腦戶二五枕之方再上四寸強間位後

頂會後寸詳半百會前頂後寸五前頂顖後寸半顖會上星後一寸上星庭後一寸量神庭入髮五分取素髎鼻柱上端準水溝鼻柱下中央兑端唇上端尖取齦交唇內牙縫中

第十五節　衝帶陰維陽維陰蹻陽蹻起止及穴次

衝脈者與任脈皆起於胞中為經脈之海其脈浮於外者起於氣衝並足陽明少陰之間循腹上行自橫骨夾臍左右各五分歷督之大赫　氣穴　四滿　中注　肓俞　商曲　石関　陰都　通谷　幽門　至胸中而散止挾咽

帶脈者起於季脇足厥陰之章門　同足少陽循　帶脉　圍身一周如束帶然與足少陽會於　五樞　維道

陰維者起於諸陰之交其脉發於足少陽　築賓　為陰維之郄在內踝上五寸腨肉分中上循股內廉上行入小腹會足太陰厥

陰少陰陽明於 府舍 上會足太陰於 大橫 腹哀 循脇
肋會足厥陰於 期門 上胸膈挾咽與任脈會於 天突 廉
泉 上至頂前而終
陽維者發於諸陽之會其脉起於足太陽 金門 在外踝下一
寸五分上外踝七寸會足少陽於 陽交 為陽維之郄循膝外
廉上髀厭抵少腹側會足少陽於 居髎 循脅肋斜上肘上會
手陽明手足太陽於 臂臑 過肩前與手少陽會於 臑會
天髎 却會手足少陽足陽明於 肩井 入肩後會手太陽陽
蹻於 臑腧 上循耳後會手足少陽於 風池 上 腦空
承靈 正營 目窗 臨泣 下額與手足少陽陽明五脉會於
陽白 循頭入耳上至 本神 而止
陰蹻者足少陽之別脉其脉起於跟中足少陰 然谷 之後同

足少陰循內踝下　照海　上內踝之上二寸以　交信　為郄直上循陰股入陰上循胸裏入缺盆上出人迎之前至咽嚨交貫衝脉入鳩內廉上行屬目內眥與手足太陽足陽明陽蹻會於睛明　而上行

陽蹻者足太陽之別脉其脉起於跟中出於外踝下足太陽　申脉當踝後遶跟以　僕參為本上外踝上三寸以　附陽　為郄直上循股外廉循脅後胛上會手太陽陽維於　臑俞　上循肩膊外廉會手陽明於　巨骨　會手陽明少陽於　肩髃上人迎夾口吻會足陽明任脉於　地倉　同足陽明上而行　巨髎　復會任脉於　承泣　至目內眥與手足太陽足陽明陰蹻五脉會於　睛明　從睛明上行入髮際下耳後入　風池　而終

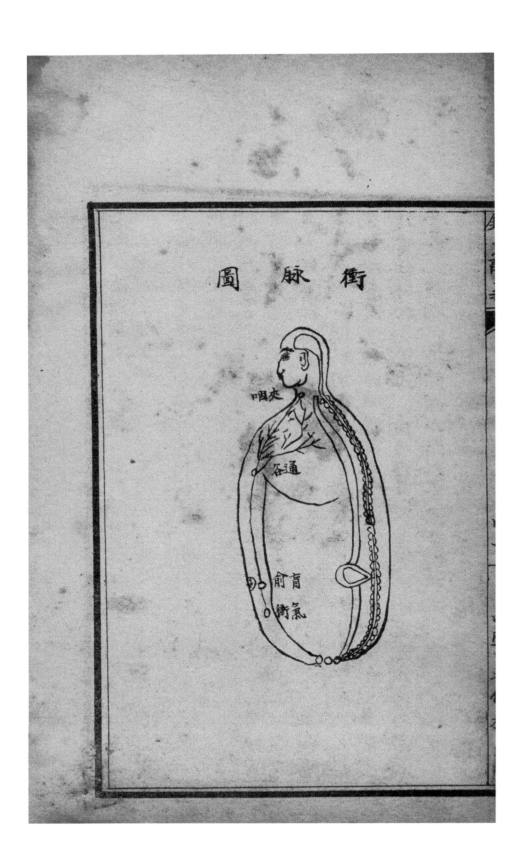

衝脉圖

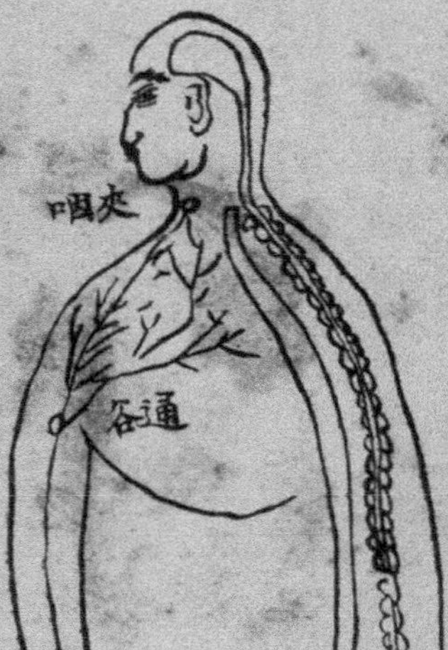

帶脈圖

第二章　驗刺略編

第一節　十二経治症主客原絡歌

楊継洲

十二経表裏原絡總歌

藏府有病均宜刺原絡表裏相隨看肺原太淵大偏歷大肺合谷列缺端脾原太白胃豐隆胃脾衝陽公孫關心原神門小支正小心腕骨通里邊腎原太谿傍飛陽膀胱京骨大鍾班三焦陽池包内關包原大陵焦外關膽原坵墟肝蠡溝肝膽太衝光明間

肺経表裏原絡穴主治歌

肺經原絡應刺病胸脹溏瀉小便頻洒翕寒熱欬喘短木痛皮膚肩缺盆

大腸経表裏原絡穴主治歌

大腸原絡應刺病大指（大）次指（次）不用肩臂疼氣滿皮膚木不仁面頰

顋腫耳聾鳴

脾経表裏原絡穴主治歌

脾経原絡應刺病重倦面黄舌强疼腹滿時痛吐或瀉善饑不食脾病明

胃経表裏原絡穴主治歌

胃経原絡應刺病項膺股胻足跗疼狂妄高歌棄衣走悪聞烟火木音驚

心経表裏原絡穴主治歌

心経原絡應刺病消渴背腹引腰疼眩仆欬吐下泄氣熱煩好笑善忘驚

小腸経表裏原絡穴主治歌

小腸原絡應刺病顴頷耳腫苦寒熱肩臑肘臂内外廉痛不能轉

腰似折

腎經表裏原絡穴主治歌

腎經原絡應刺病大小腹痛大便難臍下氣逆脊背痛唾血渴熱兩足寒

膀胱經表裏原絡穴主治歌

膀胱原絡應刺病目脫淚出頭項疼臍突大小腹脹痛按之尿難溲血膿

三焦經表裏原絡穴主治歌

三焦原絡應刺病小指次指如廢同目眥耳後喉腫痛自汗肩臑內外疼

心包絡經表裏原絡穴主治歌

心包原絡應刺病面紅目赤笑不休心中動熱掌中熱胸腋臂手

痛中求

膽経表裏原絡穴主治歌

膽経原絡應刺病口苦胸脇痛不寧髀膝外踝諸節痛太息馬刀挾癭瘻

肝経表裏原絡穴主治歌

肝経原絡應刺病頭痛頰腫脇疝疼婦人少腹胞中痛便難溲淋怒色青

第二節　八法主客治症歌

八脉交會八穴歌

公孫衝脉胃心胸内関陰維下總同臨泣膽経連帶脉陽維目鋭外関逢後谿督脉内眥頸申脉陽蹻絡亦通列缺任脉行肺系陰蹻照海膈喉嚨

衝脉公孫穴主治歌

九種心疼病不寧結胸翻胃食难停酒食積聚腸鳴見水食氣疾膈臍疼腹痛脇脹胸膈滿瘧疾腸風大便紅胎衣不下血迷心急刺公孫穴自靈

陰維内関穴主治歌

中滿心胸多痞脹腸鳴泄瀉及脱肛食难下膈傷於酒積塊堅硬横脇旁婦女脇疼並心痛裏急腹痛勢难當傷寒不解結胸病瘧疾内関可獨當

帯脉臨泣穴主治歌

中風手足舉動难麻痛發熱筋拘攣頭風腫痛連顋項眼赤而疼合頭眩齒痛耳聾咽腫證遊風搔癢筋牽纏腿疼脇脹肋肢痛鍼入臨泣病可痊

陽維外關穴主治歌

肢節腫疼共膝冷四肢不遂合頭風背胯內外筋骨痛頭項眉稜病不寧手足熱麻夜盜汗破傷跟腫目睛紅傷寒自汗烘烘熱惟有外關鍼極靈

督脉後谿穴主治歌

手足拘攣戰掉眩中風不語並癲癇頭疼眼腫漣漣淚背腰腿膝痛綿綿項强傷寒病不解牙齒顋腫喉病难手足麻木破傷風盜汗後谿穴先砭

陽蹻申脉穴主治歌

腰背脊强足踝風惡風自汗或頭疼手足麻攣臂間冷雷頭赤目眉稜痛吹乳耳聾鼻衄血癲癇肢節苦煩疼遍身腫滿汗淋漓申脉先鍼有奇功

任脉列缺穴主治歌

痔瘡肛腫泄痢纏吐紅溺血咳嗽痰牙疼喉腫小便澁心胸腹疼噎嚥难產後發强不能語腰痛血疾臍腹寒死胎不下上攻膈列缺一刺病乃痊

陰蹻照海穴主治歌

喉閉淋澁與胸腫膀胱氣痛並腸鳴食黄酒積臍腹痛嘔瀉胃翻及乳癰便燥难產血昏迷積塊腸風下便紅膈中不快梅核氣格主照海鍼有靈

第一節　子午流注

井荥俞原經合歌

少商魚際與太淵　經渠尺澤肺相連
商陽二三間合谷　陽谿曲池大腸牽

隱白大都太白脾　商丘陰陵泉要知
厲兌内庭陷谷胃　衝陽解谿三里隨
少衝少府屬於心　神門靈通少海尋
少澤前谷後谿腕　陽谷小海小腸經
湧泉然谷與太谿　復溜陰谷腎所宜
至陰通谷束京骨　崑崙委中膀胱知
中衝勞宮心包絡　大陵間使傳曲澤
關衝液門中渚焦　陽池支溝天井索
大敦行間大衝看　中封曲泉屬於肝
竅陰俠谿臨泣胆　丘墟陽輔陽陵泉

井榮俞原經合横圖

肺　脾　心　腎　包絡　肝

井木	少商	隱白	少衝	湧泉	中衝	大敦	春刺
滎火	魚際	大都	少府	然谷	劳宮	行間	夏刺
俞土	太淵	太白	神門	太谿	大陵	太衝	季夏刺
経金	経渠	商丘	灵道	復溜	間使	中封	秋刺
合水	尺澤	陰陵泉	少海	陰谷	曲澤	曲泉	冬刺
	大腸	胃	小腸	膀胱	三焦	膽	
井金	商陽	厲兌	少澤	至陰	関衝	竅陰	所出
滎水	二間	内庭	前谷	通谷	液門	俠谿	所溜
俞木	三間	陷谷	後谿	束骨	中渚	臨泣	所注
原	合谷	衝陽	腕骨	京骨	陽池	丘墟	所過
経火	陽谿	解谿	陽谷	崑崙	支溝	陽輔	所行
合土	曲池	三里	小海	委中	天井	陽陵泉	所入

項氏曰所出為井井象水之泉所溜為滎滎象水之陂所注為俞俞象水之竇所行為經經象水之流所入為合合象水之歸皆取水義也

又曰春刺井井者東方春也萬物之始生故言井冬刺合合者北方冬也陽氣入藏故言合舉始終而言滎俞經在其中矣又曰諸井肌肉淺薄瀉井当瀉滎滑氏曰補井当補合

岐伯曰春刺井者邪在肝夏刺滎者邪在心季夏刺俞者邪在脾秋刺經者邪在肺冬刺合者邪在腎故也帝曰五臟而繫於四時何以知之岐伯曰五臟一病輒有五騐假如肝病色青者肝也臊臭者肝也喜酸者肝也喜呼者肝也喜泣者肝也其病衆多不可盡言也四臟有騐並繫於四時者也針之要妙在於秋毫

四明陳氏曰春氣在毛夏氣在皮秋氣在内冬氣在骨髓是淺深之應也

十二經絡天干歌

甲膽乙肝丙小腸丁心戊胃己脾鄉庚屬大腸辛屬肺壬屬膀胱癸腎藏三焦亦向壬中寄包絡同歸入癸方

十二經絡地支歌

肺寅大卯胃辰宮脾巳心午小未中申胱酉腎心包戌亥焦子膽丑肝通

大大腸　小小腸

脚不過膝手不過肘歌

陽日陽時氣在前血在後分脉在邊陰日陰時血在前氣在後分脉歸原陽日陽時尉左轉先取陽經腑病看陰日陰時針右轉行屬陰經臟府痊

甲 胆经
甲戌 所出 井 竅陰
丙子 所溜 滎 俠谿
戊寅 所注 俞 臨泣
并過本原 丘墟
庚辰 所行 經 陽輔
壬午 所入 合
甲申 氣納三焦 液門
門屬水 甲屬木

流注圖

足少陽膽之經　甲主　與己合　膽引氣行

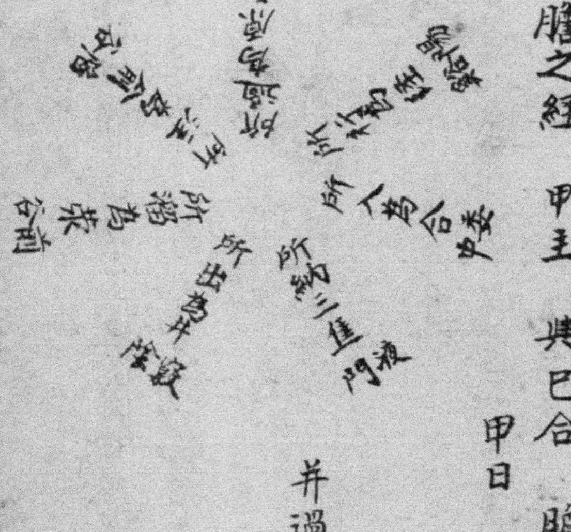

甲日

甲戌時開膽為井金

丙子時　小腸滎水

戊寅時　胃　俞木

并過膽原丘墟木原在寅

庚辰時　大腸經火

壬午時　膀胱合土

甲申時氣納三焦之

滎水甲屬木是以水

生木子母相生

徐氏子午流注逐日按時定穴歌

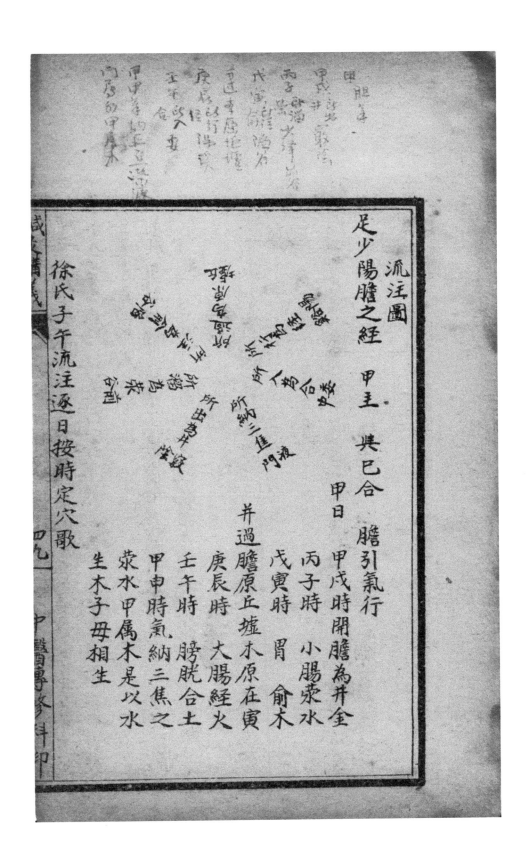

甲日戌時胆竅陰丙子時中前谷榮戊寅陷谷陽明俞返本丘墟
木在寅庚辰經注陽谿穴壬午膀胱委中尋甲申時納三焦水榮
合天干取液門
足厥陰肝之經　乙主　與庚合　肝引血行

乙日
乙酉時開肝為井木
丁亥時　心　榮火
己丑時　脾　俞土
并過　肝　原
辛卯時　肺　經金
癸巳時　腎　合水
乙未時血納包絡之
榮火乙屬木是以

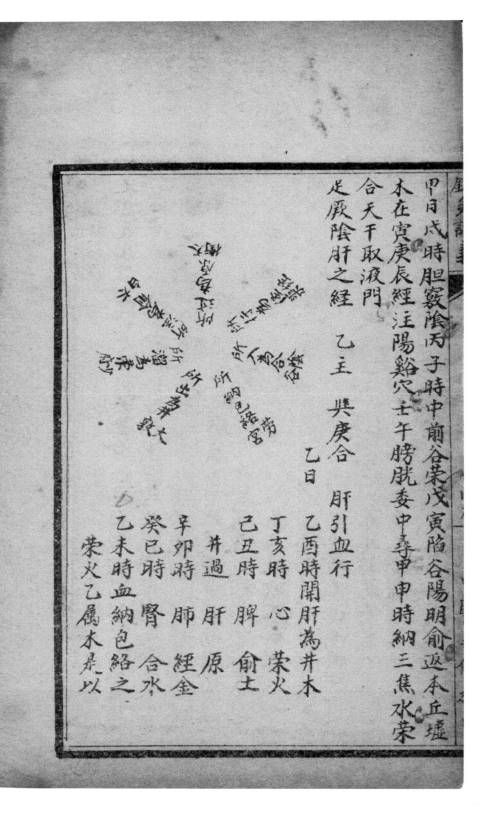

木生火也

乙日酉時肝大敦丁亥時榮少府心已丑太白太冲穴辛夘經渠

是肺經癸巳腎宮陰谷合乙未勞宮火穴榮

手太陽小腸經　丙主　共辛合　小腸引氣

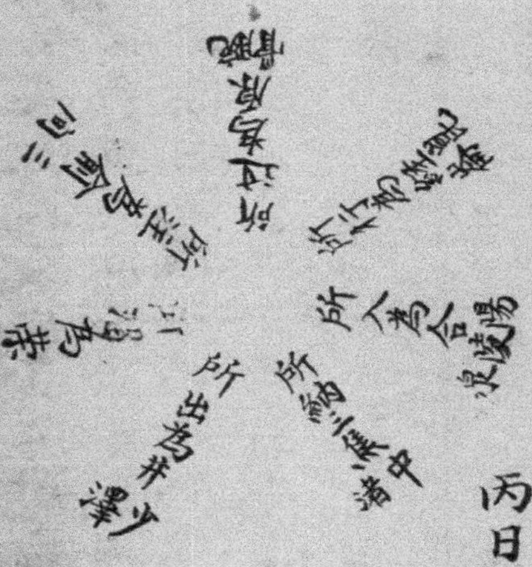

丙日

丙申時開小腸井金

戊戌時　胃　榮水

庚子時　大腸俞木

并過　小腸原

壬寅時　膀胱經火

甲辰時　膽　合土

丙午時氣納三焦之

木俞丙屬火是以

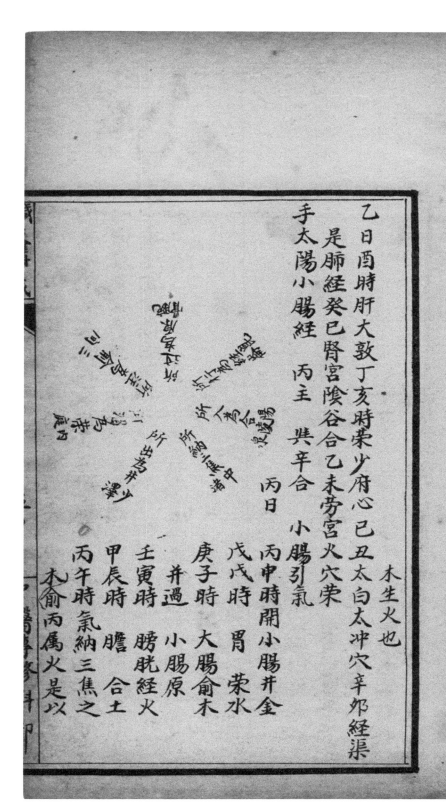

木生火也
丙日申時少澤當戊戌内庭治脹康庚子時在三間俞木原腕骨
可祛黃壬寅経火崑崙上甲辰陽陵泉合長丙午時受三焦木
中渚之中仔細詳
手少陰心之経　丁主　與壬合　心引血行

丁日　丁未時開心為井木
己酉時　脾　滎火
辛亥時　肺　俞土
并過　心　原
癸丑時　腎　経金
乙卯時　肝　合水
丁巳時血納包絡之

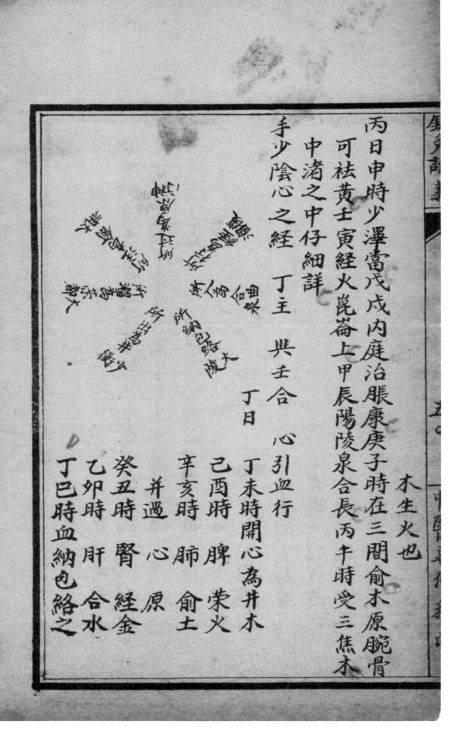

俞土丁屬火是以
火生土也
丁日未時心少冲己酉大都脾土逢辛亥太渊神門穴癸丑復溜
腎水通乙卯肝經曲泉合丁巳包絡大陵中
足陽明胃之經　戊主　與癸合　胃引氣行
戊日　戊午時闢胃為井金
庚申時　大腸滎水
壬戌時　膀胱俞木
并過　胃　原
甲子時　膽　經火
丙寅時　小腸合土
戊辰時氣納三焦之

經火戊屬土是以火生土也

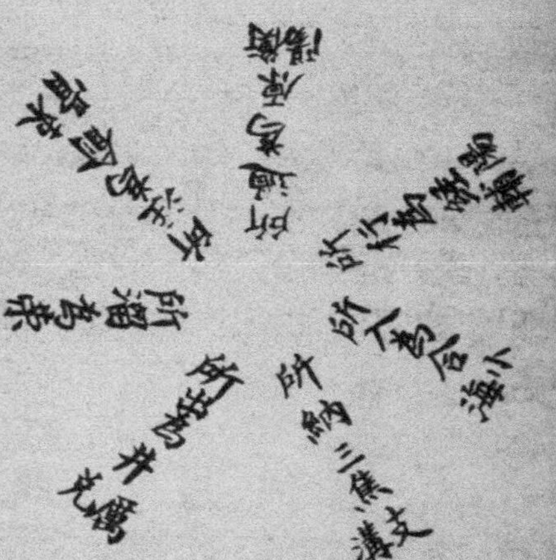

戊日午時屬兌先庚申榮穴二間遷壬戌膀胱尋束骨冲陽土穴必還原甲子膽經陽輔是丙寅小海穴安然戊辰氣納三焦脈經穴支溝刺必痊

足太陰脾之經　巳主　與甲合　脾引血行

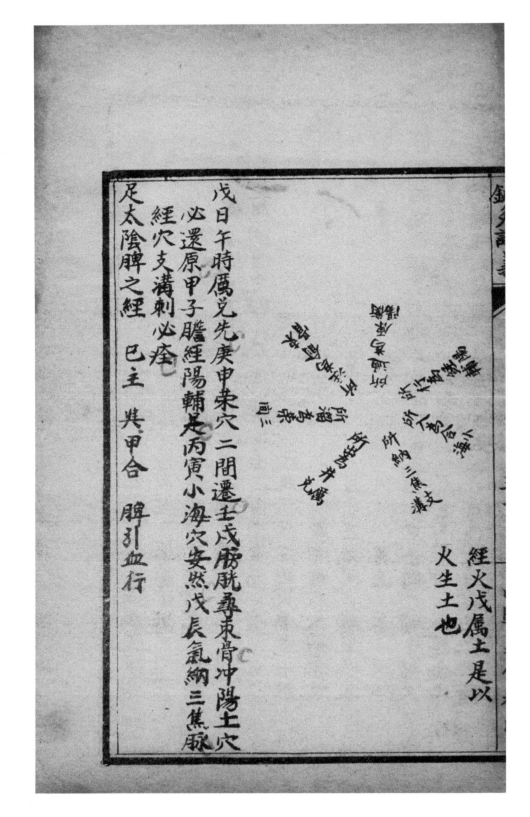

乙日

乙巳時開脾為井木
辛未時　肺　榮火
癸酉時　腎　俞土
并過　脾　原
乙亥時　肝　經金
丁丑時　心　合水
己卯時血入包絡之
經金巳屬土是以
土生金也

乙日乙時隐白始辛未時中魚際取癸酉太谿太白原乙亥中封
内踝化丁丑時合少海心己卯間使包絡止
手陽明大腸經　庚主　與乙合　大腸引氣行

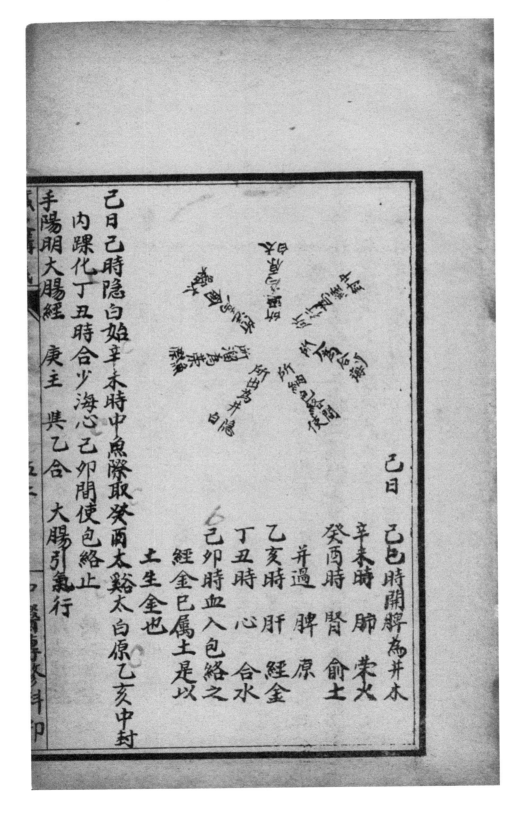

庚日　庚辰時開大腸井金
壬午時　膀胱滎水
甲申時　膽　俞木
并過　大腸原
丙戌時　小腸經火
戊子時　胃　合土
庚寅時氣納三焦之合土庚屬金是以土生金也

庚日辰時商陽居壬午膀胱通谷之甲申臨泣為木俞合谷金原返本歸丙戌小腸陽谷火戊子時居三里宜庚寅氣納三焦合天井之中不用疑

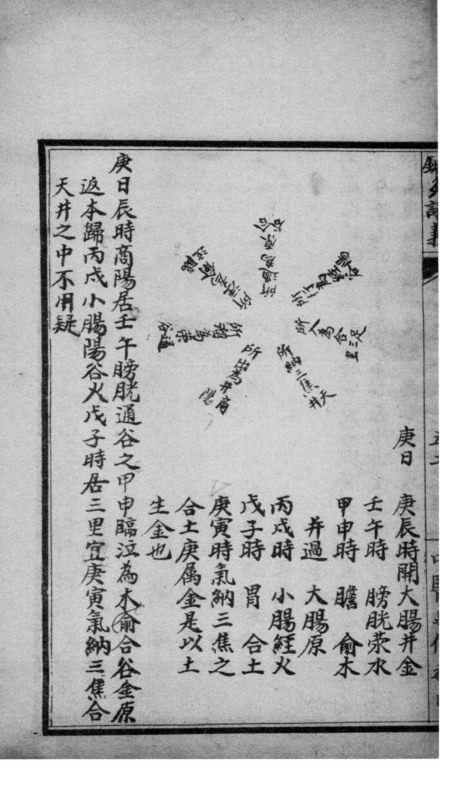

手太陰肺之經　辛主　與丙合　肺引血行

辛日　辛卯時關肺為井木

癸巳時　腎　荣火

乙未時　肝　俞土

并过　肺　原

丁酉時　心　經金

己亥時　脾　合水

辛丑時血納包絡之

合水辛屬金是以

金生水也

辛日卯時少商本癸巳然谷何須忖乙未太沖原太淵丁酉心經灵道引己亥脾合陰陵泉辛丑曲澤包絡準

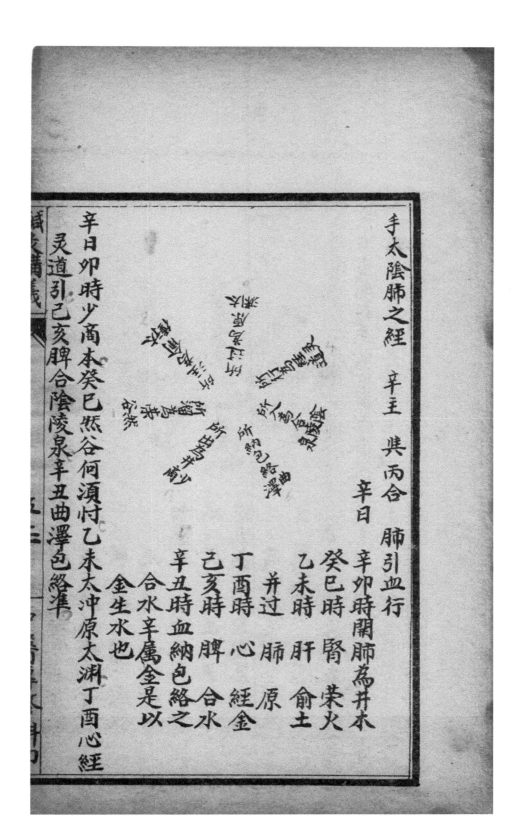

足太陽膀胱經　壬主　與丁合　膀胱引氣行

壬日

壬寅時閙膀胱井金
甲辰時　膽　滎水
丙午時　小腸俞木
所過本原京骨本原在午
水入火鄉故壬丙子午相
交也兼过三焦之原陽池
戊申時　胃　經火
庚戌時　大腸合土
壬子時氣納三焦井金

壬日寅時起至陰甲辰胆脉俠谿滎丙午小腸後谿俞返求京骨本原尋三焦寄有陽池穴返本还原似的親戊申時注解谿胃

大腸庚戌曲池真壬子氣納三焦寄井穴關冲一井金關冲屬
金壬屬水子母相生恩義深
足少陰腎之經 癸主 與戊合 腎引血行
癸日 癸亥時開腎為井木
乙丑時 肝 滎火
丁卯時 心 俞土
并過 腎原太谿
又过包絡原大陵
己巳時 脾 經金
辛未時 肺 合水
癸酉時血納包絡之
井木謂水生木也

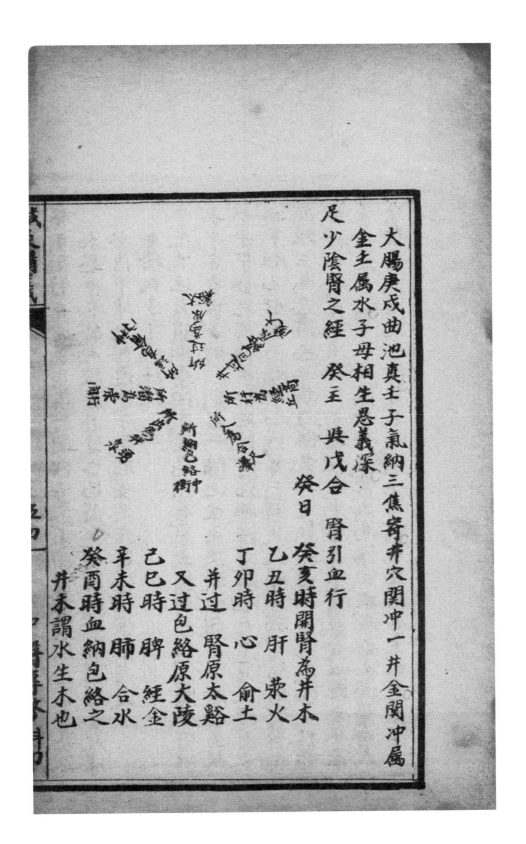

癸日亥時井湧泉乙丑行閭穴必然丁卯俞穴神門是本尋腎水太谿原包絡大陵原并过己巳商丘内踝邊辛未肺經合尺澤癸酉中冲包絡連子午截時安定穴留傳後學莫忘言

徐氏子午流注法

子午流注者謂剛柔相配陰陽相合氣血循環時穴開闔也何以子午言之曰子時一刻乃一陽之生至午時一刻乃一陰之生故以子午分之而得乎中也流者往也注者住也天干有十經有十二甲胆乙肝丙小陽丁心戊胃己脾庚大腸辛肺壬膀胱癸腎餘兩經三焦包絡也三焦乃陽氣之父包絡乃陰血之母此二經雖寄於壬癸亦分派於十干每經之中有井荣俞經合以配金水木火土是故陰井木而陽井金陰荣火而陽荣水陰俞土而陽俞木陰經金而陽經火陰合水而陽合土經中有返本還元者乃十二

經出入之門也陽經有原遇俞穴并过之陰經無原以俞穴即代之是以甲出丘墟乙太冲之例又按千金云六陰經亦有原穴乙中都丁通里己公孫辛列缺癸水泉包絡内関是也故陽日氣先行而血後隨也陰日血先行而氣後隨也得時為之開失時為之闔陽干注腑甲丙戊庚壬而重見者氣納三焦陰干注臟乙丁己辛癸而重見者血納包絡如甲日甲戌時以開胆井至戊寅時正當胃俞而又并过胆原重見甲申時氣納三焦荥穴屬水甲屬木是以水生木謂甲合還元化本又如乙日乙酉時以開肝井至己丑時當脾之俞并过肝原重見乙未時血納包絡荥穴屬火乙屬木是以木生火也餘仿此俱以子午相生陰陽相濟也陽日無陰時陰日無陽時故甲與己合乙與庚合丙與辛合丁與壬合戊與癸合也何謂甲與己合曰中央戊己屬土畏東方甲乙之木所尅

戊乃陽為兄己屬陰為妹戊兄遂將己妹嫁與木家與甲為妻庶得陰陽相合而不相傷所以甲與己合餘皆然子午之法盡於此矣

流注開闔

人每日一身週流六十六穴每時週流五穴除六原穴乃过经之所相生相合者為開則刺之相尅者為闔則不刺　陽生陰死陰生陽死如甲木死於午生於亥乙木死於亥生於午丙火生於寅死於酉丁火生於酉死於寅戊土生於寅死於酉己土生酉於死於庚金生於己死於子辛金生於子死於己壬水生於申死於卯癸水生於卯死於申凡值生我我生及相合者乃氣血生旺之時故可辨虛實刺之尅我我尅及闔閉時穴氣血正值衰絕非氣行未至則氣行已过誤刺妄引邪氣壞乱真氣實實虛虛其害非小

寅午戌 火
長生在寅
亥卯未 木
長生在亥
巳酉丑 金
長生在巳
申子辰 水
長生在申
土寄生于寅

流注時日

陽日陽時陽穴陰日陰時陰穴陽以陰為闔陰以陽為闔闔者閉也閉則以天時天干與某穴相合者針之　陽日遇陰時陰日遇陽時則前穴已閉取其合穴針之合者甲與己合化土乙與庚合化金丙與辛合化水丁與壬合化木戊與癸合化火五門十变此之謂也

其所以然者陽日注腑則氣先至而後血行陰日注臟則血先至而氣後行順陰陽者所以順氣血也

陽日六腑值日者引氣陰日六腑值日者引血

或曰陽日陽時已过陰日陰時已过遇有急症奈何曰夫妻子母互用必適其病為貴耳

妻閉則針其夫夫閉則針其妻子閉針其母母閉針其子必穴

其病相宜乃可針也

噫用穴則先主而後客用時則棄主而從賓

假如甲日胆經為主他穴為客針必先主後客非甲戌等時主

穴不開則針客穴

按日起時循經尋穴時上有穴穴上有時分明實落不必數上衍

數此所以寧守子午而舍爾灵龜也

靈龜八法專為奇經八穴而談其圖其後但子午法其理易明

其穴亦肘膝内穴豈逃能子午之流注哉

臟腑井滎俞經合主治

假令得弦脈病人善潔胆為清净之府故耳面青善怒此膽病也若心下滿

當刺竅陰井身熱當刺俠谿滎体重節痛刺臨泣俞喘嗽寒熱

刺陽輔經逆氣而泄刺陽陵泉合又總刺丘墟原

假令得弦脉病人淋溲便難轉筋四肢滿閉脐左有動氣此肝病也若心下滿刺大敦井身熱刺行間荥体重節痛刺太冲俞喘嗽寒熱刺中封經逆氣而泄刺曲泉合

假令得浮洪脉病人面赤口乾喜笑此小腸病也若心下滿刺少澤井身熱刺前谷荥体重節痛刺後谿俞喘欬寒熱刺陽谷經逆氣而泄刺小海合又總刺腕骨原

假令得浮洪脉病人煩心心痛掌中熱而啘脐上有動氣此心病也若心下滿刺少冲井身熱刺少府荥体重節痛刺神門俞喘嗽寒熱刺灵道經逆氣而泄少刺海合

假令得浮緩脉病人面黄善噫善思善咏此胃病也若心下滿刺厲兑井身熱刺内庭荥体重節痛刺陷谷俞喘欬寒熱刺解谿經逆氣而泄刺三里合又總刺冲陽原

假令得浮緩脉病人腹脹滿食不消体重節痛怠惰嗜卧四肢不收當臍有動氣按之牢若痛此脾病也若心下滿刺隱白井身热刺大都荥体重節痛刺太白俞喘嗽寒熱刺商丘經逆氣而泄刺陰陵泉合

假令得浮脉病人面白善嚔悲愁不樂欲哭此大腸病也若心下滿刺商陽井身熱刺二間荥体重節痛刺三間俞喘嗽寒熱刺陽谿經逆氣而泄刺曲池合又總刺合谷原

假令得浮脉病人喘嗽洒淅寒熱臍右有動氣按之牢痛此肺病也若心下滿刺少商井身熱刺魚際荥体重節痛刺太淵俞喘嗽寒熱刺經渠經逆氣而泄刺尺澤合

假令得沈遲脉病人面黑善恐欠此膀胱病也若心下滿刺至陰井身熱刺通谷荥体重節痛刺束骨俞喘嗽寒熱刺崑崙經逆氣

而泄刺委中合又總刺京骨原

假令得沉遲脉病人逆氣小腹急痛泄如下重足脛寒而逆臍下有動氣按之牢若痛此腎病也若心下滿刺湧泉井身熱刺然骨荥体重節痛刺太谿俞喘嗽寒熱刺復溜經逆氣而泄刺陰谷合

總論

紀氏曰井之所治不以五臟六腑皆主心下滿荥之所治不以五臟六腑皆主身熱俞之所治不以五臟六腑皆主体重節痛經之所治不以五臟六腑皆主喘嗽寒熱合之所治不以五臟六腑皆主逆氣而泄

十二經是動所生病補瀉迎隨　聚英

內經曰十二經病盛則瀉之虛則補之熱則疾之寒則留之不盛

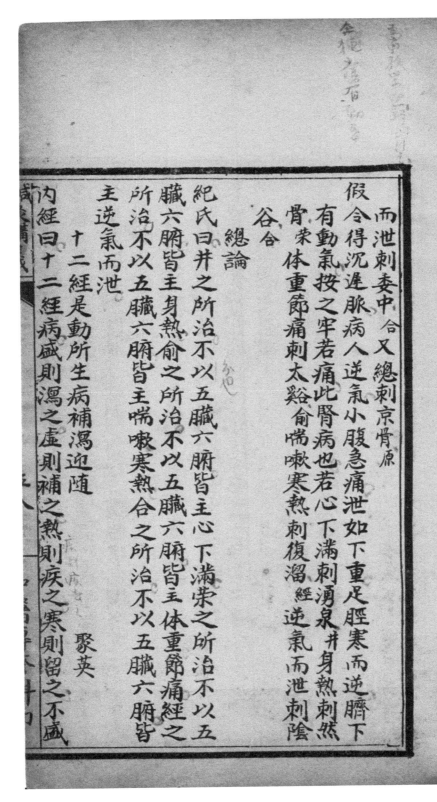

不虛以經取之又曰迎而奪之隨而濟之又曰虛則補其母實則瀉其子难經曰經脈行血氣通陰陽以荣於其身者也其始乎旦從中焦注手太陰肺寅陽明大腸卯陽明注足陽明胃辰太陰脾巳太陰注手少陰心午手太陽小腸未太陽注足陽(太)膀胱申少陰腎酉少陰注手厥陰包絡戌少陽三焦亥少陽注足少陽胆子厥陰肝丑厥陰復注於手太陰明日寅時如環無端轉相灌溉又曰迎隨者知營衛流行經脈往来隨其順逆而取之也

十二經之原歌

甲出丘墟乙太衝丙居腕骨是原中丁出神門原内過戊胃衝陽氣可通己出太白庚合谷辛原本出太渊同壬歸京骨陽池穴癸出太谿大陵中

三焦行於諸陽故置一俞曰原又曰三焦者水谷之道路原氣

之別使也主通行三氣經歷五臟腑原者三焦之尊號故所止輒為原也

按难經云五臟六腑之有病者皆取其原王海藏曰假令補肝經於本經原穴補一針太衝穴是如瀉肝經於本經原穴亦瀉一針餘傚此

十二經病井荥俞經合補虚瀉實

手太陰肺經屬辛金起中府終少商多氣多血寅時注此

是動病邪在氣氣留而不行是為動病 肺脹膨膨而喘咳缺盆中痛甚則交兩手而瞀是謂臂厥

所生病邪在血血壅而不濡為所生病 咳嗽上氣喘渴煩心胸滿臑臂內前廉痛掌中熱 氣盛有餘則肩背痛風寒疑寒字衍汗出中風小便數而欠寸口大三倍於人迎 虛則肩背痛

寒少氣不足以息溺色变卒遺矢無度寸口反小於人迎也

補虛則補之用卯時隨而濟之太淵　為俞土土生金為母經曰虛則補其母

瀉盛則瀉之用寅時迎而奪之尺澤　為合水金生水為子實則瀉其子

手陽明大腸經為庚金起商陽終迎香氣血俱多卯時氣血注此

是動病　齒痛頸腫是主津液

所生病　目黃口乾鼽衄喉痹肩前臑痛大指次指不用氣有餘則當脈所过者熱腫人迎大三倍於寸口虛則寒慄不復人迎反小於寸口也

補　用辰時　曲池　為合土土生金虛則補其母

瀉　用卯時　二間　為滎水金生水實則瀉其子

足陽明胃經屬戊土起頭維終屬兌氣血俱多辰時注此

是動病　洒洒然振寒善呻數欠顔黑病至惡人與火聞木音則惕然而驚心動欲獨閉戶牖而處甚則欲登高而歌棄衣而走賁響腹脹是謂骭厥主血

所生病　狂瘧温淫汗出鼽衄口喎脣裂喉痺大腹水腫膝臏腫痛循胸乳氣膺伏兎䯒外廉足跗上皆痛中指不用　氣盛則身已前皆熱其有餘於胃則消谷善飢溺色黄人迎大三倍於寸口　氣不足則身已前皆寒慄胃中寒則脹滿人迎反小於寸口也

補　用巳時　解谿　為經火火生土虛則補其母

瀉　用辰時　厲兑　為井金土生金實則瀉其子

足太陰脾經屬己土起隐白終大包多氣少血巳時注此

是動病　舌本强食則嘔胃脘痛腹脹善噫得後與氣則快然

如衰身体皆重是主脾

所生病　舌本痛体不能動搖食不下煩心心下急痛溏瘕泄

水蓄於内大小便皆閉黄疸不能卧强立股膝内腫

厥足大指不用盛者寸口大三倍於人迎虚者寸口

小三倍於人迎也

補　用午時　大都　為榮火火生土虚則補其母

瀉　用巳時　商丘　為經金土生金實則瀉其子

手少陰心經屬丁火起極泉終少冲多氣少血午時注此

是動病　咽乾心痛渴而欲飲是為臂厥主心

所生病　目黄脇痛臑臂内後廉痛厥掌中熱　盛者寸口大

再倍於人迎　虛者寸口反小於人迎也

補　用未時　少冲　為井木木生火虛則補其母

瀉　用午時　神門　為俞土火生土實則瀉其子

手太陽小腸經屬丙火起少澤終聽宮多血少氣未時注此

是動病　嗌痛頷腫不可回顧肩似拔臑似折是主心液不足

所生病　耳聾目黃頰腫頸頷肩臑肘臂外後廉痛　盛者人迎大再倍於寸口　虛者人迎反小於寸口也

補　用申時　後谿　為俞木木生火虛則補其母

瀉　用未時　小海　為合土火生土實則瀉其子

足太陽膀胱經屬壬水起睛明終至陰多血少氣申時注此

是動病　頭痛目似脫項似拔脊痛腰似折髀不可以曲膕如結腨似裂是為踝厥是主筋

所生病　痔瘧狂癲頭顖項痛目黃淚出鼽衄項背腰尻膕腨脚皆痛小指不用　盛者人迎大再倍於氣口　虛者人迎反小於氣口也

補　用酉時　至陰　為井金金生水虛則補其母

瀉　用申時　束骨　為俞木水生木實則瀉其子

足少陰腎經屬癸水起湧泉終俞府多氣少血酉時注此

是動病　飢不欲食面黑如炭色欬唾則有血喝喝而喘坐而欲起目䀮䀮然如無所見心懸如飢狀氣不足則善恐心惕然如人將捕之是謂骨厥是主腎

所生病　口熱舌乾咽腫上氣嗌乾及痛煩心心痛黃疸腸澼脊股內後廉痛痿厥嗜卧足下熱而痛　盛者寸口大再倍於人迎　虛者寸口反小於人迎也

補　用戌時　復溜　為經金金生水虛則補其母
瀉　用酉時　湧泉　為井木水生木實則瀉其子
手厥陰心包絡經　配腎屬相火起天池終中冲多血少氣戌時
注此
是動病　手心熱肘臂攣痛腋下腫甚則胸脇支滿心中憺憺
或大動面赤目黄善笑不休是主心包絡
所生病　煩心心痛掌中熱　盛者寸口大三倍於人迎　虛
者寸口反小於人迎也
補　用亥時　中冲　為井木木生火虛則補其母
瀉　用戌時　大陵　為俞土火生土實則瀉其子
手少陽三焦經　配心包絡屬相火起關冲終耳門多氣少血亥
時注此

是動病　耳聾渾渾焞焞咽腫喉痺是主氣　焞吞
所生病　汗出目鋭眥痛頰痛耳後肩臑肘臂外皆痛小指次
指不用　盛者人迎大一倍於寸口　虛者人迎反
小於寸口也
補　用子時　中渚　為俞木木生火虛則補其母
瀉　用亥時　天井　為合土火生土實則瀉其子
足少陽膽經屬甲木起童子髎終竅陰多氣少血子時注此
是動病　口苦善太息心脇痛不能轉側甚則面微有塵体無
膏澤足外反熱是為陽厥是主骨因少陽屬腎也
所生病　頭角頷痛目鋭眥痛缺盆中腫痛腋下腫馬刀挾癭
肝出振寒瘧胸中脇肋髀膝外至脛絕骨外踝前及
諸節皆痛小指次指不用　盛者人迎大三倍於寸

口　虛者人迎反小於寸口也

補　用丑時　俠谿　為荥水水生木虛則補其母

丘墟　為原皆取之

瀉　用子時　陽輔　為經火木生火實則瀉其子

足厥陰肝經屬乙木起大敦終期門多血少氣丑時注此

是動病　腰痛不可俛仰丈夫㿉疝婦人小腹腫甚則咽乾面塵脫色是主肝

所生病　胸滿嘔逆洞泄狐疝遺溺癃閉　盛者寸口脈大一倍於人迎　虛者寸口脈反小於人迎也

補　用寅時　曲泉　為合水水生木虛則補其母

瀉　用丑時　行間　為荥火木生火實則瀉其子

十二經氣血多少歌

多氣多血經須記大腸手經足經胃少血多氣有六經三焦膽腎心脾肺多血少氣心包絡膀胱小腸肝所異

續前流注圖兼用各穴法

六甲日甲戌時開穴膽井竅陰或合脾井隱白相生膀胱井至陰腎井湧泉小腸井少澤心井中衝相尅肺大腸胃井及屬穴乙亥時不錄後倣此　丙子時開穴小腸滎前谷或合肺滎魚際相生膽滎俠谿肝滎行間胃滎內庭脾滎大都　戊寅時開穴胃俞陷谷或合腎俞大谿相生小腸俞後谿心俞神門大腸俞三間肺俞太淵又木原生在寅可取胆原穴坵墟　庚辰時開穴大腸經陽谿或合肝經中封相生胃經解谿脾經商丘膀胱經崑崙腎經復溜　壬午時開穴膀胱合委中或合心合少海相生大腸合曲池肺合尺澤胃合三里脾合陰陵泉　甲申時乃三焦引氣歸元可

取液門榮穴水生木也返本還元　六乙日乙酉時開穴肝井大敦或合大腸井商陽相生腎井湧泉膀胱井至陰心井少衝小腸井少澤　丁亥時開穴心榮少府或合膀胱榮通谷相生肝榮行間胆榮俠谿脾榮大都胃榮内庭　己丑時開穴脾俞太白或合胆俞臨泣相生心俞神門小腸俞後谿肺俞太淵大腸俞三間又丑時可刺肝原穴太衝　辛卯時開穴肺經經渠或合小腸經陽谷相生脾經商丘胃經解谿腎經復溜膀胱經崑崙　癸巳時開穴腎合陰谷或合胃合三里相生肺合尺澤大腸合曲池肝合曲泉膽合陽陵泉　乙未時乃包絡引血歸元可刺勞宮榮穴木能生火也俱以子母相生後皆做此

六丙日丙申時開穴小腸井少澤或合肺井少商相生胆井竅陰肝井大敦脾井隐白胃井屬兑　戊戌時開穴胃榮内庭或合腎

滎然谷相生小腸滎前谷心滎少府大腸滎二間肺滎魚際　庚子時開穴大腸俞三間或合肝俞太衝相生胃俞陷谷脾俞太白膀胱俞束骨腎俞太谿又子時刺小腸原穴腕骨　壬寅時開穴膀胱經崑崙或合心經靈道相生大腸經陽谿肺經經渠胆經陽輔肝經中封　甲辰時開穴胆合陽陵泉或合脾合陰陵泉相生膀胱合委中腎合陰谷小腸合小海心合少海　丙午時三焦引氣归元可取中渚俞穴木生火也　六丁日丁未時開穴心井少衝或合膀胱井至陰相生肝井大敦胆井竅陰脾井隱白胃井厲兌　乙酉時開穴脾滎大都或合胆滎俠谿相生心滎少府小腸滎前谷肺滎魚際大腸滎二間　辛亥時開穴肺俞太淵或合小腸俞後谿相生脾俞太白胃俞陷谷腎俞太谿膀胱俞束骨又亥時刺心原穴神門　癸丑時開穴腎經復溜或合胃經解谿相生

肺經經渠大腸經陽谿肝經中封胆經陽輔　乙卯時開穴肝合曲泉或合大腸合曲池相生腎合陰谷膀胱合委中心合少海小腸合小海　丁巳時包絡引血歸元取可大陵俞穴火生土也

六戊日戊午時開穴胃井厲兌或合腎井湧泉相生小腸井少澤心井少衝大腸井商陽肺井少商　庚申時開穴大腸滎二間或合肝滎行間相生脾滎大都胃滎内庭膀胱滎通谷腎滎然谷壬戌時開穴膀胱俞束骨或合心俞神門相生大腸俞三間肺俞太淵胆俞臨泣肝俞太衝又戌時刺胃原穴衝陽　甲子時開穴胆經陽輔或合脾經商丘相生膀胱經崑崙腎經復溜小腸經陽谷心經靈道　丙寅時開穴小腸合小海或合肺合尺澤相生胆合陽陵泉肝合曲泉胃合三里脾合陰陵泉

六己日己巳時開穴脾井隱白或合胆井竅陰相生心井少衝小

腸井少澤肺井少商大腸井商陽　辛未時開穴肺榮魚際或合小腸榮前谷相生脾榮大都胃榮內庭腎榮然谷膀胱榮通谷　癸酉時開穴腎俞太谿或合胃俞陷谷相生肺俞太淵大腸俞三間肝俞太衝胆俞臨泣又酉時刺脾原穴太白　乙亥時開穴肝經中封或合大腸經陽谿相生腎經復溜膀胱經崑崙心經靈道小腸經陽谷　丁丑時開穴心合少海或合膀胱合委中相生胆合陽陵泉肝合曲泉脾合陰陵泉胃合三里　己卯時包絡引血歸元取可間使經穴土生金也

六庚日庚辰時開穴大腸井商陽或合肝井大敦相生胃井厲兑脾井隱白膀胱井至陰腎井湧泉　壬午時開穴膀胱榮通谷或合心榮少府相生大腸榮二間肺榮魚際胆榮俠谿肝榮行間

甲申時開穴胆俞臨泣或合脾俞太白相生膀胱俞束骨腎俞太

谿小腸俞後谿心俞神門又申時刺大腸原穴合谷　丙戌時開穴小腸經陽谷或合肺經經渠相生膽經坵墟肝經中封胃經解谿脾經商丘　戊子時開穴胃合三里或合腎合陰谷相生小腸合小海心合少海大腸合曲池肺合尺澤　庚寅時三焦引氣歸元可取天井合穴主生金也

六辛日辛卯時開穴肺井少商或合小腸井少澤相生脾井隱白胃井厲兌膀胱井至陰腎井湧泉　癸巳時開穴腎荥然谷或合胃荥內庭相生肺荥魚際大腸荥二間肝荥行間胆荥俠谿　乙未時開穴肝俞太衝或合大腸俞三間相生腎俞太谿膀胱俞束骨心俞神門小腸俞後谿又未時刺肺原穴太淵　丁酉時開穴心經灵道或合膀胱經崑崙相生肝經中封膽經坵墟脾經商丘胃經解谿　乙亥時開穴脾合陰陵泉或合胆合陽陵泉相生心

合少海小腸合小海肺合尺澤大腸合曲池　辛丑時包絡引血歸元可取曲澤合穴金生水也

六壬日壬寅時開穴膀胱井至陰或合心井少衝相生大腸井商陽肺井少商胆井竅陰肝井大敦　甲辰時開穴胆荣俠谿或合脾荣大都相生腎荣然谷膀胱荣通谷心荣少府小腸荣前谷丙午時開穴小腸俞後谿或合肺俞太淵相生胆俞臨泣肝俞太衝胃俞陷谷脾俞太白又午時可刺膀胱原穴京骨乃水原在午水入火鄉故壬丙子午相交也熱刺三焦原穴陽池　戊申時開穴胃經解谿或合腎經復溜相生小腸經陽谷心經靈道大腸經陽谿肺經經渠　庚戌時開穴大腸合曲池或合肝合曲泉相生胃合三里脾合陰陵泉膀胱合委中腎合陰谷　壬子時三焦引氣歸元可取關衝井穴金生水也

六癸日癸亥時開穴腎井湧泉或合胃井厲兌相生肺井少商大腸井商陽肝井大敦胆井竅陰　乙丑時開穴肝滎行間或合大腸滎二間相生腎滎然谷膀胱滎通谷心滎少府小腸滎前谷　丁卯時開穴心俞神門或合膀胱俞束骨相生肝俞太衝胆俞臨泣脾俞太白胃俞陷谷又卯時可刺腎原穴太谿及包絡原穴大陵　己巳時開穴脾經商丘或合胆經陽輔相生心經靈道小腸經陽谷肺經經渠大腸經陽谿　辛未時開穴肺合尺澤或合小腸合小海相生脾合陰陵泉胃合三里腎合陰谷膀胱合委中　癸酉時包絡引血歸元可取中衝井穴水生木也

第四節　馬丹陽十二神鍼治症歌

三里內庭穴曲池合谷接委中配承山太衝崑崙穴環跳與陽陵通里并列缺合擔用法擔合截用法截三百六十穴不出十二訣

治病如神靈渾如湯潑雪北斗降真機金鎖教開徹至人可傳授
匪人莫浪說

其一

三里膝眼下三寸兩筋閒能通心腹脹善治胃中寒腸鳴并泄瀉
腿腫膝胻痠傷寒羸瘦損氣蠱及諸般年過三旬後針灸眼便寬
取穴當審的八分三壯安

其二

内庭次指外本屬足陽明能治四肢厥喜靜惡聞聲癮疹咽喉痛
數欠及牙疼瘧疾不能食針着便惺惺針三分灸三壯

其三

曲池拱手取屈肘骨邊求善治肘中痛偏風手不收挽弓開不得
筋緩莫梳頭喉閉促欲死發熱更無休遍身風癬癩針着即時瘳

針五分 灸三壮

其四

合谷在虎口两指岐骨間頭疼并面腫瘧病熱還寒齒齲鼻衄血

口噤不開言針入五分深令人即便安 灸三壮

其五

委中曲脷裏横紋脉中央腰痛不能举沉沉引脊梁痠疼筋莫展

風痺復無常膝頭难伸屈針入即安康 針五分 禁灸

其六

承山名魚腹腨腸分肉間善治腰疼痛痔疾大便難脚氣并膝腫

展轉戰疼痠霍乱及轉筋穴中刺便安 針七分 灸五壮

其七

太衝足大趾節後二寸中動脉知生死能醫驚癇風咽喉并心脹

两足不能行七疝偏墜腫眼目似雲朦亦能療腰痛針下有神功
針三分 灸三壯

其八

崑崙足外踝跟骨上邊尋轉筋腰尻痛暴喘滿中心擧步行不得
一動即呻吟若欲求安樂須於此穴針 針五分 灸三壯

其九

環跳在髀樞側卧屈足取折腰莫能顧冷風并湿痺腿胯連腨痛
轉側腫欷歔若人針灸後頃刻病消除 針二寸 灸五壯

其十

陽陵居膝下外臁一寸中膝腫并麻木冷痺及偏風擧足不能起
坐卧似衰翁針入六分止神功妙不同 灸三壯

其十一

通里腕側後去腕一寸中欲言聲不出懊憹及怔忡實則四肢重頭腮面頰紅虛則不能食暴瘖面無容毫針微微刺方信有神功針三分灸五壯

其十二

列缺腕側上次指手交叉善療偏頭患遍身風痺麻痰涎頻壅上口噤不開牙若能明補瀉應手即如拏針三分灸七壯

四總穴歌

肚腹三里留腰背委中求頭項尋列缺面口合谷收

第五節　玉龍歌

扁鵲授我玉龍歌玉龍一試絕沉痾玉龍之歌真罕得流傳千載無差訛我今歌此玉龍訣玉龍一百二十穴看者行針殊妙絕但恐時人自差別補瀉分明指下施金針一刺顯明醫傴者立伸僂

者起從此名揚天下知
凡患偃者補曲池瀉中人患僂者補風池瀉絕骨
中風不語最难醫髮際頂門穴要知更向百明會補瀉即時甦醒
免災危
頂門即顖會也禁針灸五壯百會先補後瀉灸七壯艾如麥大
鼻流清涕名鼻淵先瀉後補疾可痊若是頭風并眼痛上星穴内
刺無偏
上星穴流涕并不聞香臭者瀉偶得氣補
頭風嘔吐眼昏花穴取神庭始不差孩子慢驚何可治印堂刺入
艾還加
神庭入三分先補後瀉印堂入一分沿皮透左右攢竹大哭效
不哭难急驚瀉慢驚補

頭項强痛难回顧牙疼并作一般看先向承漿明補瀉後針風府即時安

承漿宜瀉風府針不可深

偏正頭風痛難醫絲竹金針亦可施沿皮向後透率谷一針兩穴世間稀

偏正頭風有兩般有無痰飲細推观若然痰飲風池刺倘無痰飲合谷安

風池刺一寸半透風府穴此必横刺方透也宜先補後瀉灸十一壮合谷穴針至劳宫灸二七壮

口眼喎斜最可嗟地倉妙穴連頰車喎左瀉右依歸正喎右瀉左莫令斜

灸地倉之艾如菉豆針向頰車頰車之針向透地倉

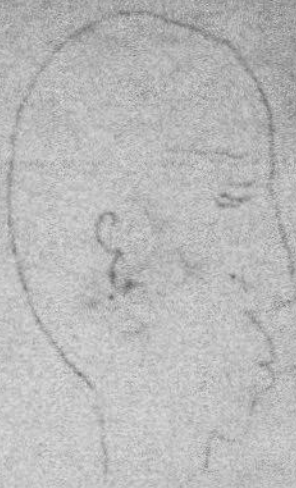

不聞香臭從何治迎香兩穴可堪攻先補後瀉分明效一針未出
氣先通
耳聾氣閉痛难言須知翳風穴始痊亦治項上生瘰癧下針瀉動
即安然
耳聾之症不聞聲痛痒蟬鳴不快情紅腫生瘡須用瀉宜從聽會
用針行
偶爾失音言語难啞門一穴兩筋間若知淺針莫深刺言語音和
照舊安
眉間疼痛苦难當攢竹沿皮刺不妨若是眼昏皆可治更針頭維
即安康
攢竹宜瀉頭維入一分沿皮透兩額角疼瀉眩暈補
兩睛紅腫痛难熬怕日羞明心自焦只刺睛明魚尾穴太陽出血

自然消
睛明針五分後略 向鼻中魚尾針通魚腰即童子髎俱禁灸如
虛腫不宜出血
眼痛忽然血貫睛羞明更澁最難睜須得太陽針血出不用金刀
疾自平
心火炎上兩眼紅迎香穴內刺為通若將毒血搐出後目內清涼
始見功
內迎香二穴在鼻孔中用蘆葉或竹葉搐入鼻內出血為妙不
愈再針合谷
強痛脊背瀉中人挫閃腰疼亦可攻更有委中之一穴腰間諸疾
任君攻
委中禁灸四畔紫脉上皆可出血弱者慎之

腎弱腰痛不可當施為行止甚非常若知腎俞二穴處艾火頻加体自康

環跳能治腿股風居髎二穴認真攻委中毒血更出盡愈見醫科神聖功

居髎灸則筋縮

膝腿無力身立難原因風湿致傷殘倘知二市穴能灸步履悠然漸自安

俱先補後瀉二市者風市陰市也

髖骨能醫兩腿疼膝頭紅腫不能行必針膝眼膝関穴功效須臾病不生

膝関在膝蓋下犢鼻內横針透膝眼

寒湿脚氣不可熬針灸三里及陰交再将絶骨穴兼刺腫痛登時

立見消
即三陰交
腫紅腿足草鞋風須把崑崙二穴攻申脉太谿如再刺神醫妙訣
起痠癱
外崑針透内吕
脚背疼起丘墟穴斜針出血即時輕解谿再與商丘識補瀉行針
要辨明
行步艰难疾轉加太衝二穴效堪誇更針三里中封穴去病如同
用手抓
膝蓋紅腫鶴膝風陽陵二穴亦堪攻陰陵針透尤收效紅腫全消
見異攻
腕中無力痛艰难握物难移体不安腕骨一針雖見效莫将補瀉

等閑看
急疼两臂氣攻胸肩井分明穴可攻此穴原來真氣聚補多瀉少
應其中
此二穴針二寸效乃五臟真氣所聚之處倘或体弱針暈補足
三里
肩背風氣連臂疼背縫二穴用針明五樞亦治腰間痛得穴方知
病頓輕
背縫二穴在背肩端骨下直腋縫尖針二寸灸七壮
两肘拘攣筋骨連艰难動作欠安然尺将曲池針瀉動尺澤兼行
見聖傳
尺澤宜瀉不灸
肩端紅腫痛难當寒湿相争氣血狂若向肩顒明補瀉管君多灸

自安康

筋急不開手难伸尺澤從來要認真頭面縱有諸樣症一針合谷

效通神

腹中氣塊痛难當穴法宜向內關防八法有名陰維穴腹中之疾

永安康

先補後瀉不灸如大便不通瀉之即通

腹中疼痛亦难當大陵外關可消詳若是脇疼并閉結支溝奇妙

效非常

脾家之症最可憐有寒有熱兩相煎間使二穴針瀉動熱瀉寒補

病俱痊

間使透針支溝如脾寒可灸

九種心痛及脾疼中腕穴內用神針若還脾敗中腕補兩針神效

免災侵

痔漏之疾亦可憎表裏急重最难禁或痛或痒或下血二白穴在掌中尋

二白四穴在掌後去横紋四寸两穴相對一穴在大筋内一穴大筋外針五分取穴用稲心從項後圍至結喉取草摺齊當掌中大指虎口紋雙圍轉两筋頭點到掌後臂草盡處是即間使後一寸郄門穴也灸二七壮針宜瀉如不愈灸騎竹馬

三焦熱氣壅上焦口苦舌乾豈易調針刺関衝出毒血口生津液病俱消

手臂紅腫連腕疼液門穴内用針明更將一穴名中渚多瀉中間疾自輕

液門沿皮針向後透陽池

中風之症症非輕中衝二穴可安寧先補後瀉如無應再刺人中立便輕

中衝禁灸驚風灸之

胆寒心虚病如何少衝二穴最功多刺入三分不著艾金針用後自平和

時行瘧疾最难禁穴法由來未審明若把後谿穴尋得多加艾火即時輕

熱瀉寒補

牙疼陣陣苦相煎穴在二間要得傳若患翻胃并吐食中魁奇穴莫教偏

乳鵞之症少人醫必用金針疾始除若如少商出血後即時安穩免災危

三稜針刺之

如今癮疹疾多般好手醫人治亦难天井二穴多著艾縱生瘰癧

灸皆安

宜瀉七壯

寒痰咳嗽更兼風列缺二穴最可攻先把太淵一穴瀉多加艾火即收功

列缺刺透太淵擔穴也

痴呆之症不堪親不識尊卑枉罵人神門獨治痴呆病轉手骨開得穴真

宜瀉灸

連日虛煩面赤粧心中驚悸亦难當若須通里穴尋得一用金針体便康

驚恐補虛煩瀉針五分不灸

風眩目爛最堪憐淚出汪汪不可言大小骨穴皆刻穴多加艾火

疾應痊
大小骨空不針俱灸七壮吹之
婦人吹乳痛難消吐血風痰稠似膠少澤穴內明補瀉應時神效
氣能調
刺沿皮向後三分
滿身發熱痛為虛盜汗淋淋漸損軀須得百劳椎骨穴金針一刺
疾俱除
忽然咳嗽腰背疼身柱由來灸便輕至陽亦治黃疸病先補後瀉
叙分明
針俱沿皮三分灸二七壮
腎敗腰虛小便頻夜間起止苦劳神命門若得金針助腎俞艾灸
起邅迍

多灸不瀉
九般痔漏最難人必刺承山效若神更有長强一穴是呻吟大痛
穴為真
傷風不解嗽頻頻久不醫時勞便成咳嗽須鍼肺俞穴痰多宜向
豐隆尋
灸方效
膏肓二穴治病强此穴原來難度量斯穴禁鍼多著艾二十一壯
亦無妨
腠理不密咳嗽頻鼻流清涕昏氣沉須知噴嚏風門穴咳嗽宜加
艾火深
鍼沿皮向外
胆寒由是怕驚心遺精白濁實難禁夜夢鬼交心俞治白環俞治

一般針
灸加臍下氣海兩旁效

肝家血少目昏花宜補肝俞力便加更把三里頻瀉動還光益血
自無差
多補少瀉灸

脾家之症有多般致成翻胃吐食難黃疸亦須尋腕骨金針必定
奪中脘

無汗傷寒瀉復溜汗多宜將合谷收若然六脉皆微細金針一補
脉還浮
針復溜入三分沿皮向骨下一寸

大便閉結不能通照海分明在足中更把支溝來瀉動方知妙穴
有神功

小腹脹滿氣攻心内庭二穴要先針兩足有水臨泣瀉無水方能
病不侵

針口用油不閉其孔

七般疝氣取大敦穴法由來指側間諸經具載三毛處不遇師傳
隔萬山

傳屍劳病最难醫湧泉出血免災危痰多須向豐隆瀉氣喘丹田亦
可施

渾身疼痛疾非常不定穴中細審詳有筋有骨須淺刺灼艾臨時
要度量

不定穴即痛處

劳宮穴在掌中尋滿手生瘡痛不禁心胸之病大陵瀉氣攻胸腹
一般針

哮喘之症最难當夜間不睡氣遑遑天定妙穴宜尋得膻中著艾便安康

鳩尾獨治五般癇此穴須當仔細觀若然著艾宜七壯多則傷人針亦难

非高手毋輕下針

氣喘急急不可眠何當日夜苦憂煎若得璇璣針瀉動更取氣海自然安

氣海先補後瀉

腎強疝(氣)發甚頻氣上攻心似死人関元兼(刺)大敦穴此法親傳始得真

水病之氣最难熬腹滿虛脹不肯消先灸水分并水道後針三里及陰交

腎氣冲心得幾時須用金針疾自除若得關元并帶脉四海誰不仰明醫

赤白婦人帶下難只因虛敗不能安中極補多宜瀉少灼艾還須着意看

赤瀉白補

吼喘之症以痰多若用金針疾自和俞府乳根一樣刺氣喘風痰漸漸磨

傷寒过經猶未解須向期門穴上針忽然氣喘攻胸膈三里瀉多須用心

期門先補後瀉

脾泄之症別無他天樞二穴刺休差此是五臟脾虛疾艾火多添病不加

多灸宜補

口臭之疾最可憎勞心只為苦多情大陵穴內人中瀉心得清涼氣自平

穴法深淺在指中治病須臾顯妙功勸君要治諸般疾何不當初記玉龍

第六節　勝玉歌

勝玉歌兮不虛言此是楊家真秘傳或針或灸法依語補瀉迎隨隨手撚頭痛眩暈百會好心疼脾痛上脘先後谿鳩尾及門神治療五癇立便痊

鳩尾穴禁灸針三分家傳灸七壯

髀疼要針肩井穴耳閉聽會莫遲延

針一寸半不宜停經言禁灸家傳灸七壯

胃冷下脘却為良眼痛須覔清冷淵
霍亂心疼吐痰涎巨闕著灸便安然痺疼背痛中渚瀉頭風眼痛
上星專
頭項强急承漿保牙腮疼緊大迎全行間可治膝腫病尺澤能醫
筋拘攣
若人行步苦艱難中封太衝針便痊脚背痛時商丘刺瘰癧少海
天井邊筋疼閉結支溝穴頷腫喉閉少商前脾心痛急尋公孫委
中驅療脚風纏
瀉却人中及頰車治療中風口吐沫五瘧寒多熱多更間使大杼
真妙穴經年或變勞怯者痞滿臍旁章門決噎氣吞酸食不投膻
中七壯除膈熱目內紅痛苦皺眉絲竹攢竹亦堪醫若是痰涎并
咳嗽治却須當灸肺俞更有天突與筋縮小兒吼閉自然疎兩手

痠痛难執物曲池合谷共肩顒臂痛背痛尉三里頭風頭痛炙風池腸鳴大便時泄瀉臍旁兩寸灸天枢諸般氣症從何治氣海尉之灸亦宜小腸氣痛歸來治腰痛中空穴最奇

中空穴從肺俞穴量下三寸各開三寸是穴灸十四壯向外尉一寸半此即膀胱經之中髎也

腿股轉痠难移步妙穴説與後人知環跳風市及陰市瀉却金尉病自除

陰市雖云禁灸家傳亦灸七壯

熱痠膝內年年發血海尋來可治之兩膝無端腫如斗膝眼三里艾當施兩股轉筋承山刺脚氣復溜不須疑踝跟骨痛灸崑崙更有絶骨共邱墟灸罷大敦除疝氣陰交尉入下胎衣遺精白濁心俞治心熱口臭大陵驅腹脹水分多得力黄疸至陽

便能離肝血盛兮肝俞瀉痔疾腸風長强欺腎敗腰疼小便頻督脉兩旁腎俞除六十六穴施應驗故成歌訣顯針奇

第七節　雜歌穴法歌　入門

雜病隨症選雜穴仍兼原合與八法經絡原會別論詳臟腑俞募當謹始根結標本理玄微四關三部識其處

傷寒一曰刺風府陰陽分經次第取

傷寒一曰太陽風府二曰陽明之滎三曰少陽之俞四曰太陰之井五曰少陰之俞六曰厥陰之經在表刺三陽經穴在裏刺三陰經穴六曰过經未解刺期門三里古法也惟陰症灸關元穴為妙

汗吐下法非有他合谷內關陰交杵

汗針合谷入二分行九九數搓數十次男左搓女右搓得汗行

瀉法汗止身温出針如汗不止針陰市補合谷　吐針内関入三分先補六次瀉三次行子午搗臼法三次提氣上行又推戰一次病人多呼幾次即吐如吐不止補九陽數調匀呼吸三十六度吐止徐出針急捫穴吐不止補足三里　下針三陰交入三分男左女右以針盤旋右轉六陰數畢用口鼻閉氣呑鼓腹中将瀉插一下其人即泄鼻吸手瀉三十六遍方開口鼻之氣插針即泄如泄不止針合谷升九陽數凡汗吐下仍分陽陰補瀉就流注穴行之尤妙

一切風寒暑濕邪頭痛發熱外関起頭面耳目口鼻病曲池合谷為之主偏正頭痛左右針（左痛針右）列缺太淵不用補頭風目眩項捩强申脉金門手三里赤眼迎香出血奇臨泣太衝合谷侶（眼腫血爛瀉足）臨泣耳聾臨泣（補足）共金門合谷（俱瀉）針後聽人語鼻塞鼻痔及鼻淵

合谷太衝俱瀉隨手取口噤喎斜流涎多地倉頰車仍可舉口舌生
瘡舌下竅三稜刺血非粗鹵舌下兩边紫筋舌裂出血尋內關太衝陰
交走上部舌上生胎合谷當手三里治舌風舞牙風面腫頰車神
合谷瀉足臨泣瀉不數二陵二蹻與二交頭項手足互相與兩井兩
商二三間手上諸風得其所手指連背相引疼合谷太衝能救苦
手三里治肩連臍脊間心後稱中渚冷嗽只宜補合谷三陰交瀉
即時住霍乱中脘可入深三里內庭瀉幾許心痛翻胃刺勞宮熱
寒者少澤細手指補心痛手戰少海求若要除根陰市覩太淵列
缺穴相連能祛氣痛刺兩乳脇痛只須陽陵泉腹痛公孫內關爾

瘧疾素問分各經危氏刺指舌紅紫

足太陽瘧先寒後熱汗出不已刺金門足少陽瘧寒熱心惕汗
多刺俠谿足陽明瘧寒久乃熱汗出喜見火光刺衝陽足太陰

瘧寒熱善嘔嘔已乃衰刺公孫足少陰瘧嘔吐甚欲閉戶刺大鍾足厥陰瘧少腹滿小便不利刺太衝心瘧刺神門肝瘧中封脾瘧商邱肺瘧列缺腎瘧太谿胃瘧厲兌危氏刺手十指及舌下紫脉筋出血

痢疾合谷三里宜甚者必須兼中脘（白痢合谷赤痢小腸俞赤白足三里中脘）心胸痞滿陰陵泉針到承山飲食美泄瀉肚腹諸般疾足三里內庭功無比水腫水分與復溜

俱瀉水分先用小針次用大針以雞翎管透之水出濁者死清者生急服緊皮丸斂之此鄉村無藥粗人體實者針之若高人則禁針　取血法先用針補入地部少停瀉出人部少停復補入地部少停瀉出針其瘀血自出虛者只有黃水出若脚上腫大欲放水者仍用此法於復溜穴上取之

脹滿中脘三里揣
內經針腹以布纏繳針家傷有盤法先針入二寸五分退出二寸只留五分在內盤之如要取上焦包絡之病用針頭迎向上剌入二分補之使氣攻上若臍下有病針頭向下退出二分瀉之此特備古法初學不可輕用
腰痛環跳委中神若連背痛崑崙武腰連腿痛腕骨升三里降下隨拜跪補腕骨瀉足三里 腰連脚痛怎生醫補環跳瀉行間與風市脚膝諸痛羨行間三里申脉金門侈脚若轉筋眼發花然谷承山法自古兩足难移先懸鍾條口後針能步履兩足痠麻補太谿僕參內庭盤跟禁脚盤痛瀉內庭脚跟痛瀉僕參脚連脇腋痛难當環跳陽陵泉內杵冷風濕痹針環跳陽陵三里燒針尾燒三五壯知痛即止七疝大敦與太衝五淋血海通男女大便虛秘補支溝瀉足三里效可擬熱秘氣秘先

長强大敦陽陵堪調護小便不通陰陵泉三里瀉下溺如注内傷食積針手足三里璇璣相應塊亦消脾病氣血先合谷後刺三陰針用燒一切内傷内關穴痰火積塊退煩潮吐血尺澤功無比衄血上星與禾髎喘急列缺足三里嘔噎陰交不可饒勞宫能治五般癇更刺湧泉疾若挑神門專治心痴呆人中間使祛癲妖尸厥百會一穴美更針隱白效昭昭外用筆管吹耳婦人通經瀉合谷三里至陰催孕姙合谷虚補死胎陰交不可緩胞衣照海内關尋俱瀉小兒驚風少商穴人中湧泉瀉莫深癰疽初起審其穴只利陽經不刺陰陽經謂癰從背出者當從太陽經至陰通骨束骨崑崙委中五穴選用從鬢出者當從少陽經竅陰俠谿臨泣陽輔陽陵泉五穴選用從髭出者當從陽明經厲兑内庭陷谷衝陽解谿五穴選用從胸出者則以絶骨一穴治之凡癰疽已破尻神朔望不

忌
傷寒流注分手足太衝内庭可浮沉熱此筌蹄手要活得後方可度金針又有一言真秘訣上補下瀉值千金

第八節　雜病十一穴歌

攢竹絲空主頭疼偏正皆宜向此針更去大都除瀉動風池針刺三分深曲池合谷先針瀉永與除痾病不侵依此下針無不應管教隨手便安寧

頭風頭痛與牙疼合谷三間兩穴尋更向大都針眼痛太淵穴内用針行牙疼三分針呂細齒痛依前指上明更推大都左之右交互相迎仔細窮

聽會兼之與聽宮七分針瀉耳中聾耳門又瀉三分許更加七壯灸聽宮大腸經内將針瀉曲池合谷七分中醫者若能明此理針

下之時便見功
肩背并和肩髃疼曲池合谷七分深未癒尺澤加一寸更於三間
次第行各入七分於穴內少風二府刺心經穴內淺深依法用當
時蠲疾兩之輕
咽喉以下至於臍胃脘之中百病危心氣痛時胸結硬傷寒嘔噦
悶涎隨列缺下針三分許三分針瀉到風池二指三間并三里中
衝還刺五分依
汗出难來刺腕骨五分針瀉要君知魚際經渠并通里一分針瀉
汗淋漓二指三間及三里大指各刺五分宜汗至如若通遍體有
人明此是良醫
四肢無力中邪風眼澁难開百病攻精神昏倦多不語風池合谷
用針通兩手之間隨後瀉三里兼之與太衝各入五分於穴內迎

隨得法有奇功
風池手足指諸間右瘓偏風左曰癱各刺五分隨後瀉更灸七壯
便身安三里陰交行氣瀉一寸三分量病看每穴又加三七壯自
然癱瘓即時安
肘痛將針刺曲池経渠合谷共相宜五分針刺於二穴瘧病纏身
便得離未愈更加三間刺五分深刺莫憂疑又兼氣痛憎寒熱間
使行針莫用遲
腿胯腰疼痞氣攻髖骨穴內七分窮更針風市兼三里一寸三分
補瀉同又去陰交瀉一寸行間仍刺五分中剛柔進退隨呼吸去
疾除根撚指功
肘膝疼時刺曲池進針一寸是相宜左病針右右針左依此三分
瀉氣奇膝痛三寸針犢鼻三里陰交要七吹但能仔細尋其理劫

病之功在片時

第九節　胸背二部及灸雜証安穴詞　金鑑

胸腹部主病針灸要穴歌

膻中穴主灸肺癰欬嗽哮喘及氣癭巨闕九種心疼病痰飲吐水息賁寧

上脘奔豚與伏梁中脘主治脾胃傷兼治脾痛瘧痰暈痞滿翻盡安康

水分脹滿臍突硬水道不利灸之良神闕百病老須虛瀉產脹溲难兒脱肛

氣海主治臍下氣關元諸虛瀉濁遺中極下元虛寒病一切痼冷總皆宜

膺腫乳癰灸乳根小兒龜胸灸亦同嘔吐吞酸灸日月大赫專治

病遺精

天枢主灸脾胃傷脾瀉痢疾甚相當兼灸鼓脹癥瘕病艾火多加病必康

章門主治痞塊病但灸左邊可拔根若灸腎積臍下氣兩邊齊灸自然平

期門主治奔豚病上氣欬逆胸背痛兼治傷寒脇硬痛熱入血室刺有功

帶脉主灸一切疝偏墜木腎盡成功兼灸婦人濁帶下丹田温煖自然停

背部主病針灸要穴歌

腰俞主治腰脊痛冷痺强急動作难腰下至足不仁冷婦人經病溺赤痊

至陽耑灸黄疸病兼灸痞滿喘促聲命門老虛腰痛證更治脫肛
痔腸風
膏肓一穴灸勞傷百損諸虛無不良此穴禁針惟宜艾千金百壯
效非常
大杼主治身發熱兼治瘧疾咳嗽痰神道惟灸背上病怯怯短氣
艾火添
風門主治易感風風寒痰嗽吐血紅兼治一切鼻中病艾火多加
嗅自通
肺俞內傷嗽吐紅兼灸肺痿與肺癰小兒龜背亦堪灸肺氣舒通
背自平
膈俞主治胸脇痛兼灸痰瘧痃癖功更治一切失血證多加艾灼
總收功

肝俞主灸積聚痛兼灸氣短語聲輕更同命門一併灸能使瞽目
復重明
胆俞主灸脇滿嘔驚悸臥睡不能安兼灸酒疸目黄色面發赤斑
等證痊
脾俞主灸傷脾胃吐瀉瘧痢疸瘕癥喘急吐血諸般証更治嬰兒
慢脾風
三焦俞治脹滿疼積塊堅硬痛不寧更治赤白休息痢刺灸此穴
自然輕
胃俞主治黄疸病食畢頭目即暈眩瘧疾善飢不能食艾火多加
自可痊
腎俞主灸下元虚令人有子效多奇兼灸吐血聾腰痛女疸婦帶
不能遺

大腸俞治腰脊痛大小便难此可通兼治泄瀉痢疾病先補後瀉要分明

膀胱俞治小便难少腹脹痛不能安更治腰脊强直痛艾火多添疾自痊

譩譆主治灸瘧病五藏瘧灸藏俞平意舍主脇治滿痛兼療嘔吐立時寧

身柱主治羊癇風欬嗽痰喘腰背痛長强惟治諸般痔百勞穴灸汗津津

灸难産穴歌

横逆难産灸奇穴婦人右脚小指尖炷如小麥灸三壯下火立産效通仙

針子户穴歌

子户能刺衣不下更治子死在腹中穴在関元右二寸下㕑一寸立時生

炙遺精穴歌

精宫十四椎之下各開三寸是其鄉左右二穴灸七壮夜夢遺精效非常

炙癆蟲穴歌

鬼眼一穴灸癆蟲墨點病人腰眼中擇用癸亥亥時灸勿令人知法最靈

炙痞根穴歌

十二椎下痞根穴各開三寸靈五分二穴左右灸七壮难消痞塊可除根

炙肘尖穴歌

肘尖端處是奇穴男女瘰癧堪灸也左患灸右右灸左並灸風池效更捷

灸鬼哭穴歌

中悪振喋鬼魅病急灸鬼哭神可定兩手大指並相縛穴在四處之騎縫

灸中悪穴歌

尸疰客忤中悪病乳後三寸量準行男左女右艾火灸邪祟驅除神自寧

灸痞氣穴歌

痞氣偏墜灸為先量口兩角折三尖一尖向上对臍中兩尖下垂是穴邊

灸翻胃穴歌

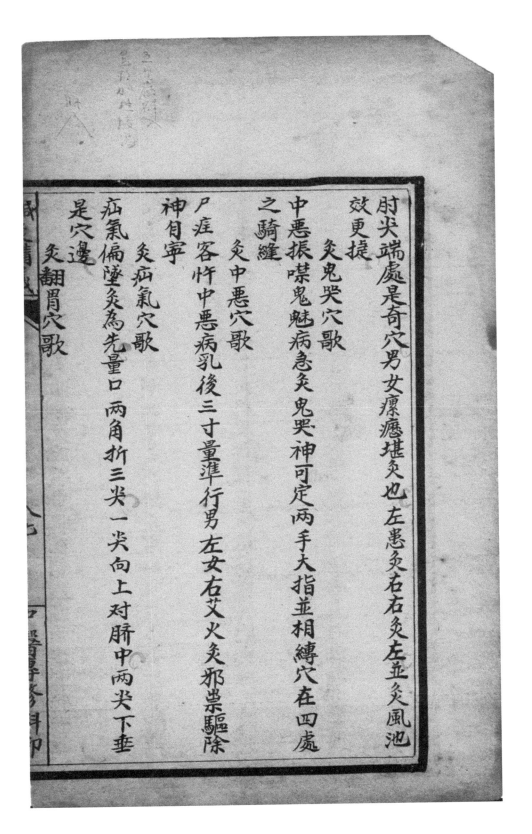

翻胃上下灸奇穴上在乳下一寸也下在内踝之下取三指稍斜向前者

灸腸風穴歌

腸風諸痔灸最良十四椎下奇穴鄉各開一寸宜多灸年深久痔效非常

灸暴絶穴歌

鬼魘暴絶最傷人急灸鬼眼可回春穴在兩足大指内去甲韮葉鬼难存

灸鬼眼穴歌

腫滿上下灸奇穴上即鬼哭不用縛下取兩足第二指指尖向後寸半符

灸贅疣穴歌

腋氣即腋下之臭病也

贅疣諸痣灸奇穴更灸紫白二癲風手之左右中指節屈節尖上宛宛中

灸瘰癧穴歌

瘰癧隔蒜灸法宜先從後發核灸起灸至初發母核止多著艾火效無匹

灸腋氣歌

腋氣除根剃腋毛再將定粉水調膏塗搽患處七日後視有黑孔用艾燒

灸瘋犬咬傷歌

瘋犬咬傷先須吮吮盡惡血不生風次於咬處灸百壯常食炙韮不須驚

灸蛇蠍蜈蚣蜘蛛咬傷歌

蛇蠍蜈蚣蜘蛛傷即時疼痛最难當急以傷處隔蒜灸五十六壯效非常

第十節　百症賦

百症俞穴再三用心顖會連於玉枕頭風療以金針懸顱頷厭之中偏頭痛止強間豐隆之際頭痛难禁原夫面腫虛浮須伏水溝前項耳聾氣閉全憑聽會翳風面上虫行有驗迎香可取耳中蟬噪有聲聽會堪攻目眩兮支正飛揚目黃兮陽綱胆俞攀睛攻少澤肝俞之所淚出刺臨泣頭維之處目中漠漠即尋攢竹三間目覺䀮䀮急取養老天柱觀其雀目汗氣睛明行間而細推審他項強傷寒溫溜期門而主之廉泉中冲舌下腫疼堪取天府合谷鼻中衄血宜追耳門絲竹空住牙痛於頃刻頰車地倉穴正口喎於片時喉痛兮液門魚際去療轉筋兮金門丘墟來醫陽谷俠谿頷

腫口噤並治少商曲澤血虛口渴同施通天去鼻內無聞之苦復溜祛舌乾口燥之悲瘂門關冲舌緩不語而要緊天鼎間使失音囁嚅而体遲太冲瀉脣喎以速愈承漿瀉牙疼而即移項強多惡風束骨相連於天柱熱病汗不出大都更接於經渠且如兩臂頑麻少海就傍於三里半身不遂陽陵遠達於曲池建里內關掃盡胸中之苦悶聽宮脾俞祛殘心下之悲淒久知脇肋疼痛氣戶華蓋有靈腹內腸鳴下脘陷谷能平胸脇支滿何療章門不用細尋膈疼飲蓄難禁膻中巨闕便針胸滿更加噎塞中府意舍所行胸膈停留瘀血腎俞巨髎宜徵胸滿項強神藏璇璣已試背連腰痛白環委中曾經脊強兮水道筋縮目眩兮顴髎大迎痓病非顱顖而不愈臍風須然谷而易醒委陽天池腋腫針而速散後谿環跳腿疼刺而即輕夢魘不寧厲兌相諧於隱白發狂奔走上脘同起

於神門驚悸怔忡取陽交解谿勿悞反張悲哭伏天衝大橫須精
癲疾必身柱本神之令發熱仗少沖曲池之津歲熱時行陶道復
求肺俞理風癇常發神道須還心俞寧濕寒濕熱下髎定厥寒厥
熱涌泉清寒慄惡寒二間疏通陰郄暗煩嘔吐幽門開徹玉堂明
行間湧泉去消渴之腎竭陰陵水分去水腫之臍盈癆瘵傳尸趨
魄户膏肓之路中邪霍亂尋陰谷三里之程治疸消黄諧後谿勞
宮而看倦言嗜臥往通里大鍾而明咳嗽連聲肺俞須迎天突穴
小便赤澁兑端獨瀉太陽經刺長强於承山善主腸風新下血針
三陰於氣海專司白濁久遺精且如盲俞橫骨瀉五淋之久積陰
郄後谿治盜汗之多出脾虚穀以不消脾俞膀胱俞覓胃冷食而
难化魂門胃俞堪責鼻痔必取齗交癭氣須求浮白大敦照海患
寒症而善蠲五里臂臑生瘰癧而能治至陰屋翳療痒疾之疼多

肩髃陽谿消隐中之热極抑又論婦人經事改常自有地机血海女子少氣漏血不無交信合陽帶下產崩衝門氣衝宜審月潮違限天樞水泉細詳肩井乳癰而極效商丘痔瘤而最良脫肛趋百會尾翳之所無子搜陰交石関之鄉中脘主乎積痢外丘收乎大腸寒瘧兮商陽太谿驗痃癖兮衝門血海强夫醫乃人之司命非志立而莫為針乃理之淵微須至人之指教先究其病源後攻其穴道隨手見功應針取效方知玄裏之玄始達妙中之妙此篇不盡畧舉其要

第十一部　蘭江賦

楊繼洲著

擔截之中數幾何有擔有截起沉疴我今詠此蘭江賦何用三車五輻歌先將此法為定例流注之中分次第胸中之病內関擔臍下公孫用法攔頭部須還尋列缺痰涎壅塞及咽乾噤口咽風針

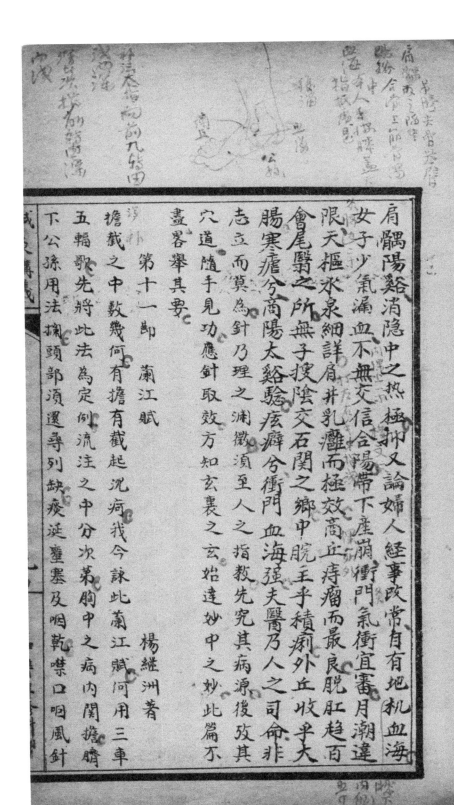

照沙三稜出血刹時安傷寒在表昇頭痛外関瀉動自然安眼目
之症諸疾苦更須臨泣用針攜後谿專治督脉病癲狂此穴治還
輕申脉能除寒與熱頭風偏正及心驚耳鳴鼻衄胸中懷好把金
針此穴尋但遇痒麻虛即補如逢疼痛瀉而迎更有傷寒真妙訣
三陰須要刺陽經無汗更將合谷補復溜穴瀉好施針倘若汗多
流不絶合谷收補效如神四日太陰宜細辨公孫照海一同行再
用内関施絶法七日朞門妙用針但治傷寒皆用瀉要知素問坦
然明流注之中分造化常將水火土金平水素虧兮宜補肺水之
泛濫土能平春夏井滎刺宜淺秋冬經合更宜深天地四時同此
類三才常用記心胸天部人部次第入仍調各部一般勻夫弱婦
強亦有尅婦弱夫強亦有刑皆在夲經擔與截瀉南補北亦須明
經絡明時知造化不得師傳枉費心不遇聖人應莫度天寶豈可

付非人按定氣血病人呼撞搓數十把針扶戰退搖起向上使氣自流行病自無

第十二節　標幽賦

楊継洲註解

拯救之法妙用者針

劫病之功莫捷於針灸故素問諸書為之首載緩和扁華俱以此稱神醫蓋一針中穴病者應手而起誠家醫之所見也近世此科幾於絕傳良為可嘆經云拘於鬼神者不可與言至德惡於砭石者不可與言至巧此之謂也又語云一針二灸三服藥則針灸為妙用可知業醫者奈之何不亟講乎

察歲時於天道

夫人身十二經三百六十節以應一歲十二月三百六十日歲時者春暖夏熱秋涼冬寒此四時之正氣苟或春應暖而反寒

夏應热而反凉秋應凉而反热冬應寒而反暖是故冬傷於寒春必温病春傷於風夏必飧泄夏傷於暑秋必痎瘧秋傷於溼上逆而欬岐伯曰凡刺之法必候日月之寒温二十八宿之分星辰四時之氣八正之風氣定乃刺焉是故天温日陽則人血淖液而衛氣浮故血易瀉氣易行天寒日陰則人血凝泣而衛氣沉月始生則氣血始清衛氣始行月廓滿則氣血實肌肉堅月廓空則肌肉減經絡虛衛氣去形獨居是以因天時而調血氣也天寒無刺天寒無刺天温無灸月生無瀉月滿無補月廓空無治是謂得天時而調之若月生而瀉是謂藏虛月滿而補血氣洋溢絡有留血名曰重實月廓空而治是謂乱經陰陽相錯真邪不别沉以留止外虛内乱淫邪乃起又曰天有五運金水木火土也地有六氣風寒暑濕燥熱也

定形氣於手心

經云凡用針者必先度其形之肥瘦以調其氣之虛實實則瀉之虛則補之必先定其血脈而後調之形盛脈細少氣不足以息者危形瘦脈大胸中多氣者死形氣相得者生不調者病相失者死是故色脈不順而莫針戒之戒之

春夏瘦而刺淺秋冬肥而刺深

經云病有沉浮刺有深淺各至其理無过其道过之則內傷不及則外壅壅則賊邪從之淺深不得反為大賊內傷五臟後生大病故曰春病在毫毛腠理夏病在皮膚故春夏之人陽氣輕浮肌肉瘦薄血氣未盛宜刺之淺秋病在血脈冬病在筋骨秋冬則陽氣收藏肌肉厚肥血氣充滿刺宜之深又云春刺十二井夏刺十二榮季夏刺十二俞秋刺十二經冬刺十二合以配

木火土金水理見子午流注
不窮經絡陰陽多逢刺禁
經有十二手太陰肺少陰心厥陰心包絡太陽小腸少陽三焦陽明大腸足太陰脾少陰腎厥陰肝太陽膀胱少陽胆陽明胃也絡有十五肺絡列缺心絡通里心包絡內關小腸絡支正三焦絡外關大腸絡偏歷脾絡公孫腎絡大鍾肝絡蠡溝膀胱絡飛揚胆絡光明胃絡豐隆陰蹻絡照海陽蹻絡申脉脾之大絡大包督脉絡長强任脉絡屏翳也陰陽者天之陰陽平旦至日中天之陽陽中之陽也日中至黄昏天之陽陽中之陰也合夜至雞鳴天之陰陰中之陰也雞鳴至平旦天之陰陰中之陽也故人亦應之至於人身外為陽內為陰背為陽腹為陰手足皆以赤白肉分之五臟為陰六腑為陽春夏之病在陽秋冬之病

在陰背固為陽陽中之陽心也陽中之陰肺也腹固為陰陰中之陰腎也陰中之陽肝也陰中之至陰脾也此皆陰陽之表裏內外雌雄相輸應也是以應天之陰陽學者苟不明此經絡陰陽升降左右不同之理如病在陽明反攻厥陰病在太陽反攻太陰遂致賊邪未除本氣受敝則有勞無功反犯禁刺

既論臟腑虛實須向經尋

欲知臟腑之虛實必先診其脉之盛衰既知脉之盛衰又必辨其經脉之上下臟者心肝脾肺腎也腑者胆胃大小腸三焦膀胱也如脉之衰弱者其氣多虛為痒為麻也脉之盛大者其血多實為腫為痛也然臟腑居位乎內而經絡播行乎外虛則補其母也實則瀉其子也若心病虛則補肝木也實則瀉土脾也至於本經之中而亦有子母焉假如心之虛者取本經少衝以補

之少衝者井木也木能生火也實取神門以瀉之神門者俞土也火能生土也諸經莫不皆然要之不離乎五行相生之理當細思之

原夫起自中焦水初下漏太陰為始至厥陰而方終穴出雲門抵期門而最後

此言人之氣脈行於十二經為一周除任督之外計三百九十三穴一日一夜有百刻分於十二時每一時有八刻二分每一刻計六十分一時共計五百分每日寅時手太陰肺經生自中焦中府穴出於雲門起至少商穴止卯時手陽明大腸經自商陽起至迎香止辰時足陽明胃經自頭維至厲兌巳時足太陰脾經自隱白至大包午時手少陰心經自極泉至少沖未時手太陽小腸經自少澤至聽宮申時足太陽膀胱經自睛明至至

陰酉時足少陰腎經自湧泉至俞府戌時手厥陰心包絡經自天池至中冲亥時手少陽三焦經自関冲至耳門子時足少陽胆經自童子髎至竅陰丑時足厥陰肝經自大敦至期門而終周而復始與滴漏無差也

正經十二別絡走三百餘支

十二經者即手足三陰三陽之正經也別絡者除十五絡又有横孫絡不知其紀散走於三百餘支脉也

正側仰伏氣血有六百餘候

此言經絡或正或側或仰或伏而氣血循行孔穴一周於身榮行脉中三百餘候衛行脉外三百餘候

手足三陽手走頭而頭走足手足三陰足走腹而胸走手

此言經絡陰升陽降氣血出入之機男女無以異

要識迎隨須明逆順

迎隨者要知榮衛之流注經脉之往來也明其陰陽之經逆順而取之迎者以鍼頭朝其源而逆之隨者以鍼頭從其流而順之是故逆之者為瀉為迎順之者為補為隨若能知迎知隨令氣必和和氣之方必在陰陽升降上下源流往來逆順之道明矣

況夫陰陽氣血多少為最厥陰太陽少氣多血太陰少陰少血多氣而又氣多血少者少陽之分氣盛血多者陽明之位

此言三陰三陽氣血多少之不同取之必記為最要也

先詳多少之宜次察應至之氣

凡用鍼者先明上文氣血之多少次觀鍼氣之來應

輕滑慢而未來沉澁緊而已至

輕浮滑虛慢遲入針之後值此三者乃真氣之未到沉重澁滯緊實入針之後值此三者是正氣之已来

既至也量寒熱而留疾

留住也疾速也此言正氣既至必審寒熱而施之故經云刺熱須至寒者必留針陰氣隆至乃呼之去徐其穴不閉刺寒須至熱者陽氣隆至針氣必熱乃吁之去疾其穴急捫之

未至也據虛實而候氣

氣之未至或進或退或按或提導之引之候氣至穴而方行補瀉經曰虛則推內進槎以補其氣實則循捫彈努以引其氣氣之至也如魚吞鉤餌之沉浮氣未至也如閑處幽室之深邃氣既至則針有澁緊似魚吞鉤或沉或浮而動其氣不来針自輕滑如閑居靜室之中寂然無所聞也

氣速至而速效氣遲至而不治

言下針若得氣来速則病易痊而效亦速也氣若来遲則病难愈而有不治之憂故賦云氣速效速氣遲效遲候之不至必死無疑矣

观夫九針之法毫針最微七星上應衆穴主持

言九針之妙毫針最精上應七星又為三百六十穴之針

本形金也有蠲邪扶正之道

本形言針也針本出於金古人以砭石今人以鉄代之蠲除也邪氣盛針能除之扶輔也正氣衰針能輔之

短長水也有決凝開滞之機

此言針有長短猶水之長短人之氣血凝滞而不通猶水之凝滞而不通也水之不通決之使流於湖海氣血不通針之使周

於經脉故言針應水也

定刺象木或斜或正

此言木有斜正而用針亦有或斜或正之不同刺陽經者必斜卧其針無傷其衛刺陰分者必正立其斜無傷其荣故言針應木也

口藏比火進陽補羸

口藏以針含於口也氣之温如火之温也羸瘦也凡下針之時必口内温針暖使荣衛相接進己之陽氣補彼之瘦弱故言針應火也

循機捫而可塞以象土

循者用手上下循之使氣血往來也機捫者針畢以手捫閉其穴如用土塡塞之義故言針應土也

實應五行而可知

五行者金水木火土也此結上文針能應五行之理也

然是三寸六分包含妙理

言針雖但長三寸六分能巧運神機之妙中含水火回倒陰陽其理最玄妙也

雖細楨於毫髮同貫多歧

楨針之幹也歧氣血往来之路也言針之幹雖如毫髮之微小能貫通諸經血氣之道路也

可平五臟之寒熱能調六腑之虚實

平治也調理也言針能調臟腑之疾有寒則淺之熱則清之虚則補之實則瀉之

拘攣閉塞遣八邪而去矣寒熱痺痛開四關而已之

拘攣者筋脉之拘束閉塞者氣血之不通八邪者所以候八風之虛邪言疾有挛閉必驅散八風之邪也寒者身作顫而發寒也熱者身作潮而發熱也四關者　六臟有十二原出於四關太衝合谷是也故太乙移宮之日主八風之邪令人寒熱疼痛若能開四關者兩手兩足刺之而已立春一日起艮名曰天留宮風從東北來為順令春分一日起震名曰倉門宮風從正東來為順令立夏一日起巽名曰陰洛宮風從東南來為順令立秋一日起坤名曰玄委宮風從西南來為順令秋分一日起兑名曰倉果宮風從正西來為順令立冬一日起乾名曰新洛宮風從西北來為順令冬至一日起坎名曰叶蛰宮風從正北来為順令其風着人爽神氣去沉痾背逆謂之悪風毒氣吹形骸即病名曰時氣留伏流入肌骨臟腑雖不即患後因風寒暑

湿之重感内缘飢飽勞慾之染着發患曰内外兩感之痼疾非刺針以調經絡湯液引其榮衛不能已也中宮名曰招揺宮共九宮焉此八風之邪得其正令則人無疾逆之則有病也

凡刺者使本神朝而後入既刺也使本神定而氣隨神不朝而勿刺神已定而可施

凡用針者必使患者精神已朝而後方可入針既刺之必使患者精神纔定而後施針行氣若氣不朝其針為輕滑不知疼痛如插豆腐者莫與進之必使之候如神氣既至針自緊澁可與依法察虛實而施之

定脚處取氣血為主意

言欲下針之時必取陰陽氣血多少為主詳見上文

下手處認水木是根基

下手亦言用針也水者母也木者子也是水能生木也是故濟母裨其不足奪子平其有餘此言用針必先認子母相生之義舉水木而不及土金火者省文也

天地人三才也湧泉同璇璣百會

百會一穴在頭以應乎天璇璣一穴在胸以應乎人湧泉一穴在足心以應乎地是謂三才也

上中下三部也大包與天樞地機

大包二穴在乳後為上部天樞二穴在臍旁為中部地機二穴在足胻為下部是謂三部也

陽蹻陽維并督帶主肩背腰腿在表之病

陽蹻脉起於足跟中循外踝上入風池通足太陽膀胱經申脉是也陽維脉者維持諸陽之會通手少陽三焦經外関是也督

脉者起於下極之腧並於脊裏上行風府过腦循額至鼻入斷交通手太陽小腸經後谿是也帶脉起於季脇回身一周如繫帶然通足少陽胆經臨泣是也言此奇經四脉属陽主治肩背腰腿在表之病

陰蹻陰維任衝脉去心腹脇肋在裏之疑疑者疾也

陰蹻脉亦起於足跟中循内踝上行至咽喉交貫衝脉通足少陰腎經照海是也陰維脉者維持諸陰之交通手厥陰心包絡經内関是也任脉起於中極之下循腹上至咽喉通手太陰肺經列缺是也衝脉起於氣衝並足少陰之經侠臍上行至胸中而散通足太陰脾經公孫是也言此奇經四脉属陰能治心腹脇肋在裏之疑

二陵二蹻二交似續而交五大

二陵者陰陵泉陽陵泉也二蹻者陰蹻陽蹻也二交者陰交陽交也續接續也五大者五体也言此六穴遞相交接於兩手兩足井頭也

兩間兩商兩井相依而別兩支

兩間者二間三間也兩商者少商商陽也兩井者天井肩井也言六穴相依而分別於手之兩支也

大抵取穴之法必有分寸先審自意次观分肉

此言取量穴法必以男左女右中指與大指相屈如環取內側紋兩角為一寸各隨長短大小取之此乃同身之寸先審病者是何病屬何經用何穴審於我意次察病者瘦肥長短大小內分骨節髮際之間量度以取之

或伸屈而得之或平直而安定

伸屈者如取環跳之穴必須伸下足屈上足以取之乃得其穴直平者或平卧而取之或正坐而取之或正立而取之自然安定如承漿在唇下宛々中之類也

在陽部筋骨之側陷下為真在陰分郄膕之間動脉相應

陽部者諸陽之經也如合谷三里陽陵泉等穴必取俠骨側指陷中為真也陰分者諸陰之經也如手心脚内肚腹等穴必以筋骨郄膕動脉應手指乃為真穴也

取五穴用一穴而必端取三經用一經而可正

此言取穴之法必須點取五穴之中而用一穴則可為端的矣若用一經必須取三經而正一經之是非矣

頭部與肩部詳分督脉與任脉易定

頭部與肩部則穴繁多但醫者以自意詳審大小肥瘦而分之

督任二脉直行背腹中而有分寸則易定也
明標與本論刺深刺淺之經
標本者非止一端也有六經之標本有天地陰陽之標本有傳病之標本以人身論之則外為標内為本陽為標陰為本腑陽為標臟陰為本臟腑在内為本經絡在外為標也六經之標本者足太陽之本在足跟上五寸標在目足少陽之本在竅陰標在耳之類是也更有人身之臟腑陽氣陰血經絡各有標本以病論之先受病為本後傳流為標凡治病者先治其本後治其標餘病皆除矣謂如先生輕病後滋生重病亦先治其輕病也若有中滿無問標本先治中滿為急若中滿大小便不利亦無標本先利大小便治中滿尤急也除此三者之外皆治其本不可不慎也從前来者實邪從後来者虚邪此子能令母實母

能令子虚也治法虚則補其母實則瀉其子令假肝受心之邪是從前来者為實邪也當瀉其火然直瀉火十二經絡中各有金木水火土也當木之本分其火也故標本論云本而標之先治其本後治其標既肝受火之邪先於肝經五穴瀉滎火行間也以藥論入肝經藥為引用瀉心藥為君也是治實邪病矣又假令肝受腎邪是為從後来者為虚邪當補其母故標本論云標而本之先治其標後治其本肝木既受水邪當先於腎經湧泉穴補水是先治其標後於肝經曲泉穴瀉水是後治其本此先治其標者推其至理亦是先治其本也以藥論之入腎經藥為引用補肝經藥為君是也以得病之日為本傳病之日為標亦是

住痛移疼取相交相貫之逕

此言用針之法有住痛移疼之功者也先以針左行左轉而得九數復以針右行右轉而得六數此乃陰陽交貫之道也經脉亦有交貫如手太陰肺之列缺交於陽明之路足陽明胃之豐隆走於太陰之逕此之類也

豈不聞臟腑病而求門海俞募之微

門海者如章門氣海之類俞者五臟六腑之俞也俱在背部二行募者臟腑之募肺募中府心募巨闕肝募期門脾募章門腎募京門胃募中脘胆募日月大腸募天枢小腸募関元三焦募石門膀胱募中極此言五臟六腑之有病必取此門海俞募之最微妙矣

經絡滯而求原別交會之道

原者十二經之原也別々陽也交陰交也會八會也夫十二原

者胆原坵墟肝原太冲小腸原腕骨心原神門胃原冲陽脾原太白大腸原合谷肺原太渊膀胱原京骨腎原太谿三焦原陽池包絡原大陵八會者血會膈俞氣會膻中脉會太渊筋會陽陵泉骨會大杼髓會絶骨臟會章門腑會中脘也此言經絡血氣凝結不通者必取此原别交會之穴而刺之

更窮四根三結依標本而刺無不痊

根結者十二經之根結也灵樞經云太陰根於隱白結於大包也少陰根於湧泉結於廉泉也厥陰根於大敦結於玉堂也太陽根於至陰結於目也陽明根於厲兑結於鉗耳也少陽根於竅陰結於耳也手太陽根於少澤結於天窻支正也手少陽根於関冲結於天牖外関也手陽明根於商陽結於扶突偏歷也手三陰之經不載不敢强註又云四根者耳根鼻根乳根脚根

也三結者胸結肢結便結也此言能究根結之理依上文標本之法刺之則疾無不愈也

但用八法五門分主客而針無不效

針之八法一迎隨二轉針三手指四針投五虛實六動搖七提按八呼吸身之八法奇經八脈公孫衝脈胃心胸八句是也五門者天干配合分於五也甲與己合乙與庚合之類是也主客者公孫主內關客之類是也或以井滎俞經合為五門以邪氣為賓客正氣為主人先用八法必以五門推時取穴先主後客而無不效之理

八脈始終連八會本是紀綱十二經絡十二原是為樞要

八脈者奇經八脈也督脈任脈衝脈帶脈陰維陽維陰蹻陽蹻也八會者即上文血會膈俞等是也此八穴通八脈起止連及

八會本是人之綱領也如綱之有綱也十二經十五絡十二原已註上文樞要者門户之樞紐也言原出入十二經也

一日取六十六穴之法方見幽微

六十六穴者即子午流注井滎俞原經合也陽干注腑三十六穴陰干注臟三十穴共成六十六穴具載五卷子午流注圖中此言經絡一日一周於身歷行十二經穴當此之時酌取流注之中一穴用之以見幽微之理

一時取一十二經之原始知要妙

十二經原俱註上文此言一時之中當審此日是何經所主當此之時該取本日此經之原穴而刺之則流注之法玄妙始可知矣

原夫補瀉之法非呼吸而在手指

此言補瀉之法非但呼吸而在乎手之指法也法分十四者循捫提按彈撚搓盤推内動搖爪切進退出攝者是也法則如斯巧拙在人詳備金針賦内

連效之功要交正而識本經

交正者如大腸與肺為傳送之府心與小腸為受盛之官脾與胃為消化之官肝與胆為清凈之位膀胱合腎陰陽相通表裏相應也本經者受病之經如心之病必取小腸之穴兼之餘倣此言能識本經之病又要認交經正經之理則針之功必速矣故曰寧失其穴勿失其經寧失其時勿失其氣

交經繆刺左有病而右畔取

繆刺者刺絡脉也右痛而刺左左痛而刺右此乃交經繆刺之理也

瀉絡遠針頭有病而脚上針

三陽之經從頭下足故言頭有病必取足穴而刺之

巨刺與繆刺各異

巨刺者刺經脉也痛在於左而右脉病者則巨刺之左痛刺右右痛刺左中其經也繆刺者刺絡脉也身形有痛九候無病則繆刺之右痛刺左左痛刺右中其絡也此刺法之相同但一中經一中絡之異耳

微針與妙刺相通

微針者刺之巧也妙刺者針之妙也言二者之相通也

覌部分而知經絡之虛實

言針入肉分以天人地三部而進必察其得氣則内外虛實可知矣又云察脉之三部則知何經虛何經實也

視沉浮而辨臟腑之寒温
言下針之後看針氣緩急可決臟腑之寒熱也
且夫先令針耀而慮針損次藏口内而欲針温
言欲下針之時必先令針光耀看針莫有損壞次將針含於口内令針温暖與榮衛相接無相觸犯也
目無外視手如握虎心無内慕如待貴人
此戒用針之士貴乎專心誠意而自重也令目無他視手如握虎恐有傷也心無他想如待貴人恐有責也
左手重而多按欲令氣散右手輕而徐入不痛之因
下針之時必先以左手大指爪甲於穴上切之則令其氣散以右手持針輕輕徐入此乃不痛之因也
空心恐怯直立側而多暈

空心者未食之前此言無刺飢人其氣血未定則令人恐懼有怕怯之心或直立或側卧必有眩暈之咎也

背目沉掐坐卧平而没昏

此言欲下針之時必令患人莫視所鍼之處以手爪甲重切其穴或卧或坐而無昏悶之患也

推于十干十变知孔穴之開闔

十干者甲乙丙丁戊己庚辛壬癸也十变者逐日臨時之变也備載灵龜八法中故得時謂之開失時謂之闔

論其五行五臟察日時之旺衰

五行五臟俱註上文此言病於本日時之下得五行生者旺受五行尅者衰知心之病得甲乙之日時者生旺遇壬癸之日時者尅衰餘倣此

伏如横弩應若發机

此言用鍼刺穴如弩之視正而發牙取其捷效如射之中的也

陰交陽别而定血暈陰蹻陽維而下胎衣

陰交穴有二一在臍下一寸一在足内踝上三寸名三陰交也此言二穴能定婦人之血暈又言照海外關二穴能下産婦之胎衣也

痺厥偏枯迎隨俾經絡接續

痺厥者四肢厥冷麻痺偏枯者中風半身不遂也言治此症必須接氣通經更以迎隨之法使血氣貫通經絡接續也

漏崩帶下温補使氣血依歸

漏崩帶下者女子之疾也言有此症必須温鍼待暖以補之使榮衛調和而歸依也

静以久留停針待之

此言下針之後必須静而久停之

必准者取照海治喉中之閉塞端的處用大鍾治心内之呆痴大抵疼痛實瀉痒麻虛補

此言疼痛者热宜瀉之以凉痒麻者冷宜補之以暖

体重節痛而俞居心下痞滿而井主

俞者十二經中之俞井者十二經中之井也

心脹咽痛針太冲而必除脾冷胃疼瀉公孫而立愈胸滿腹痛刺内關脇痛肋疼針飛虎

飛虎穴即支溝穴以手於虎口一飛中指盡處是穴也

筋攣骨痛而補魂門体热劳嗽而瀉魄户頭風頭痛刺申脉與金門眼痒眼疼瀉光明於地五瀉陰郄止盗汗治小兒骨蒸刺偏歷

利小便醫大人水蠱中風環跳而宜刺虛損天樞而可取

地五者即地五會也

由是午前卯後太陰生而疾温離左酉南月朔死而速冷

此以月生死為期午前卯後者辰巳二時也當此之時太陰月之生也是故月廓空無瀉宜疾温之離左酉南者未申二時也當此時分太陰月之死也是故月廓盈無補宜速冷之將一月而比一日也經云月生一日一痏二日二痏至十五日十五痏十六日十四痏十七日十三痏漸退至三十日二痏月望已前謂之生月望已後謂之死午前謂之生午後謂之死也

循捫彈努留吸母而堅長

循者用針之後以手上下循之使血氣往来也捫者出針之後以手捫閉其穴使氣不泄也彈努者以手輕彈而補虛也留吸

母者虛則補其母須待熱至之後留吸而堅長也

爪下伸提疾呼子而噓短

爪下者切而下針也伸提者施針輕浮豆許曰提疾呼子者實則瀉其子務待寒至之後去之速而噓且短矣

動退空歇迎奪右而瀉凉推內進搓隨濟左而補煖

動退以針搖動而退如氣不行將針伸提而已空歇撒手而停針迎以針逆而迎奪即瀉其子也如心之病必瀉脾子此言欲瀉必施此法也推內進者用針推內而入也搓者猶如搓線之狀慢々轉針勿令大緊隨以針順而隨之濟則濟其母也如心之病必補肝母此言欲補必用此法也此乃遠刺寒熱之法故凡病熱者先使氣至病所次微々提退豆許以右旋奪之得針下寒而止凡病寒者先使氣至病所次徐々進針以左旋搓撞

和之得針下熱而止

慎之大患危疾色脉不順而莫針

慎之者戒之也此言有危篤之疾必观其形色更察其脉若相反者莫與用針恐劳而無功反獲罪也

寒熱風陰飢飽醉劳而切忌

此言勿針大寒大熱大風大陰雨大飢大飽大醉大劳凡此之類決不可用針實大忌也

望不補而晦不瀉弦不奪而朔不濟

望每月十五也晦每月三十日也弦有上下弦上弦或初七或初八下弦或二十二二十三也朔每月初一日也凡值此日不可用針施治也如暴急之疾則不拘矣

精其心而窮其法無灸艾而壞其皮

此言灸也勉醫者宜專心究其穴法無悮於著艾之功庶免干
犯於禁忌而壞人之皮肉矣

正其理而求其原勉投鍼而失其位

此言鍼也勉學者要明鍼道之理察病之原則用鍼不失其所
也

避灸處而加四肢四十有九禁刺處而除六腧二十有二

禁灸之穴四十五更加四肢之井共四十九也禁鍼之穴二十
二外除六腑之腧也

抑又聞高皇抱疾未瘥李氏刺巨闕而後甦太子暴死為厥越人
鍼維會而復醒肩井曲池甄權刺臂痛而復射懸鍾環跳華陀刺
躄足而立行秋夫鍼腰俞而鬼免沉痾王纂鍼交俞而妖精立出
取肝俞與命門使瞽士視秋毫之末刺少陽與交別俾聾夫聽夏蚋

之聲

此引先師用針有此立效之功以勵學者用心之誠

嗟夫去聖逾遠此道漸墜或不得意而散其學或愆其能而犯禁忌愚庸智淺难契於玄言至道淵深得之者有幾偶述斯言不敢示諸明達者焉庶幾乎量蒙之心啟

按此賦為針家切當不易之標準學者苟能熟讀而精思之則頭々是道矣

第十三節 金針賦 楊繼洲註解

觀夫針道捷法最奇須要明於補瀉方可起於傾危先分病之上下次定穴之高低頭有病而足取之左有病而右取之男子之氣早在上而晚在下取之必明其理女子之氣早在下而晚在上用之必識其時午前為早屬陽午後為晚屬陰男女上下憑腰分之

手足三陽手走頭而頭走足手足三陰足走腹而胸走手陰升陽降出入之機逆之者為瀉為迎順之者為補為隨春夏刺淺者以瘦秋冬刺深者以肥更觀元氣厚薄淺深之刺猶宜

經曰榮氣行於脉中周身五十度無分晝夜至平旦與衛氣會於手太陰衛氣行於脉外晝行陽二十五度夜行陰二十五度平旦與榮氣會於手太陰是則衛氣之行但分晝夜未聞分上下男女臟腑經絡氣血往來未嘗不同也今分早晚何所據依但此賦今人所尚故錄此以參其見

原夫補瀉之法妙在呼吸手指男子者大指進前左轉呼之為補退後右轉吸之為瀉提針為熱插針為寒女子者大指退後右轉吸之為補進前呼之為瀉插針為熱提針為寒左與右各異胸與背不同午前者如此午後者反之是故爪而切之下針之法搖而

退之出針之法動而進之催針之法循而攝之行氣之法搓而去病弾則補虛肚腹盤旋捫為穴閉重沉豆許曰按輕浮豆許曰提一十四法針要所備補者一退三飛真氣自歸瀉者一飛三退邪氣自避補則補其不足瀉則瀉其有餘有餘者為腫為痛曰實不足者為痒為麻曰虛氣速效速氣遲效遲死生貴賤針下皆知賤者硬而貴者脆生者澁而死者虛候之不至必死無疑

此一段手法詳註四卷

且夫下針之先須爪按重而切之次令咳嗽一聲隨咳下針凡補者呼氣初針刺至皮內乃曰天才少停進針刺入肉內是曰人才又停進針刺至筋骨之間名曰地才此為極處就當補之再停良久却須退針至人之分待氣沉緊倒針朝病進退往来飛經走氣盡其中矣凡瀉者吸氣初針至天少停進針直至於地得氣瀉之

再停良久即湏退針復至於人待氣沉緊倒針朝病法同前矣其或暈針者神氣虛也以針補之口鼻氣回熱湯與之略停少頃依前再施

如刺肝經之穴暈即補肝之合穴針入即甦餘倣此或有投針氣暈者即補足三里或補人中大抵暈從心生心不懼怕暈從何生如閔聖刮骨療毒而色不變可知

及夫調氣之法下針至地之後復人之分欲氣上行將針右撚欲氣下行將針左撚欲補先呼後吸欲瀉先吸後呼氣不至者以手循攝以爪切掐以針摇動進撚搓弾直待氣至以龍虎升騰之法按之在前使氣在後按之在後使氣在前運氣走至疼痛之時以納氣之法扶針直插復向下納使氣不回若關節阻澁氣不过者以龍虎龜鳳通經接氣大段之法驅而運之仍以循攝爪切無不

應矣此通仙之妙

龍虎龜鳳等法亦詿四卷

況夫針出之法病熱既退針氣微鬆病未退者針氣始根推之不動轉之不移此為邪氣吸拔其針乃至氣真至不可出之出之者其病即復再須補瀉停以待之直候微鬆方可出針豆許搖而停之補者吸之去疾其穴急捫瀉者呼之去徐其穴不閉欲令湊密然後吸氣故曰下針貴遲太急傷血出針貴緩太急傷氣以上總要於斯盡矣

醫經小學云出針不可猛出必須作三四次徐轉出之則無血若猛出必見血也素問補遺篇註云動氣至而即出針此猛出也然與此不同大抵經絡有凝血欲大瀉者當猛出若尋常補瀉當依此可也亦不可不辨

考夫治病其法有八一曰燒山火治頑麻冷痺先淺後深九凡陽而三進三退慢提緊按熱至緊閉插針除寒之有準二曰透天涼治肌熱骨蒸先深後淺用六陰而三出三入緊提慢按徐徐舉針退熱之可憑皆細細搓之去病準繩三曰陽中隱陰先寒後熱淺而深以九六之法則先補後瀉也四曰陰中隱陽先熱後寒深而淺以六九之方則先瀉後補也補者直須熱至瀉者務待寒侵猶如搓線慢々轉針法淺則用淺法深則用深二者不可兼而紊之也五曰子午搗臼水蠱膈氣落穴之後調氣均勻針行上下九入六出左右轉之千遭自平六曰進氣之訣腰背肘膝痛渾身走注疼刺九分行九補卧針五七吸待氣上行亦可龍虎交戰左撚九而右撚六是亦住痛之針七曰留氣之交痃癖癥瘕刺七分用純陽然後乃直插針氣來深刺提針再停八曰抽添之訣癱瘓瘡癩

取其要穴使九陽得氣提按搜尋大要運氣週遍扶針直插復向下納回陽倒陰指下玄微胸中活法一有未應反復再施

若夫过關过節催運氣以飛經走氣其法有四一曰青龍擺尾如扶舡舵不進不退一左一右慢慢撥動二曰白虎搖頭似手搖鈴退方進圓兼之左右搖而振之三曰蒼龜探穴如入土之象一退三進鑽剔四方四曰赤鳳迎源展翅之儀入針至地提針至天候針自搖復進其元上下左右四圍飛旋病在上吸而退之病在下呼而進之

以上手法乃大略也其始末當參考四卷

按龍　以兩指扳倒針頭朝病如扶舡舵执之不轉一左一右慢々撥動九數或三九二十七數其氣遍体交流

以兩指扶起針尾直立以插內內針頭輕轉如下水船

虎中之艚振摇六数量病增加欲氣前行按後欲後按前
陽日先龍後虎陰日反之

龜 以兩指扳倒針頭一退三進向上鑽剔一下向下鑽剔一下向右一下向左一下自上而下如入土之儀

鳳 以兩手扶起針插入地部復提至天候針自搖復進至人上下左右四圍飛旋如展翅之儀

至夫久患偏枯通經接氣之法有定息寸数手足三陽上九而下十四过經四寸手足三陰上七而下十二过経五寸在乎摇動出納呼吸同法駆運氣穴頃刻周流上下通接可使寒者煖而熱者涼痛者止而脹者消若開渠之決水立時見功何傾危之不起哉雖然病有三因皆從氣穴針分八法不離陰陽盖經脉晝夜之循環呼吸往来之不息和則身体康健否則疾病競生譬如天下國

家地方山海田園江河谿谷值歲時風雨均調則水道疏利物安阜其或一方一所風雨不均遺以旱潦便水道湧竭不通災憂遂至人之氣血受病三因亦猶方所之於旱潦也盖針砭所以通經脉均氣血蠲邪扶正故曰捷法最奇者哉嗟夫軒岐古遠盧扁久亡此道幽深非一言而可盡斯文細密在久習而能通豈世上之常辭庸流之泛術得之者若科之及第而悦於心用之者如射之發中而應於目術自先聖傳之後學用針之士有志於斯果能勤造玄微而盡其精妙則世之伏枕之疴有緣者遇針其病皆隨手而愈矣

第十四節　通玄指要賦　　楊繼洲註解

必欲治病莫如用針

夫治病之法有針灸有藥餌然藥餌或出於幽遠之方有時缺

少而又有新陳之不等真偽之不同其何以奏膚功起沉疴哉惟精於鍼可以隨身帶用以備緩急

巧運神機之妙

巧者功之善也運者变之理也神者望而知之机者事之微也妙者治之應也

工開聖理之深

工者治病之体聖者妙用之端故难經云問而知之謂之工聞而知之謂之聖夫醫者意也黙識心通貫融神會外感内傷自然覺悟豈不謂聖理之深也

按此二節言用鍼之神妙以聞望問切為解恐未免失於支離當闕疑

外取砭之鍼能蠲邪而扶正

砭針者砭石是也此針出東海中有一山名曰高峯其山有石形如玉簪生自圓長磨之有鋒尖可以為針治病療邪無不愈

中含水火善回陽而倒陰

水火者寒熱也惟針之中有寒熱補瀉之法是進退水火之功也回陽者謂陽盛則極熱故瀉其邪氣其病自得清涼矣倒陰者謂陰盛則極寒故補其虛寒其病自得温和矣此回陽倒陰之理補瀉盛衰之功

原夫絡別支殊

別者辨也支者絡之分派也素問云絡穴有一十五於十二經中每經各有一絡外有三絡陽蹻絡在足太陽經陰蹻絡在足少陰經脾之大絡在足太陰經此是十五絡也各有支殊之處有積絡有浮絡故言絡別支殊

按别者分走也言每經正走必有一絡分走於所合之經如肺絡走於大腸經大腸絡走於肺經之類是也支殊者亦分離之意也當闕疑

經交錯綜

交經者十二經也錯者交錯也綜者總聚也言足厥陰肝經交出足太陰脾經之後太足陰脾經交出厥陰肝經之前此是經絡交錯總聚之理也

或溝池谿谷以歧異

歧者路也其脉穴之中有呼為溝池谿谷之名者如歧路之名異也若水溝風池後谿合谷之類是也一云銅人經乃分四穴溝者水溝穴池者天池穴谿者太谿穴谷者陽谷穴所謂四穴同治而分三路皆皈於一原

或山海丘陵而隙共

隙者孔穴或取山海丘陵而為名者其孔穴之同共也如承山照海商丘陰陵之類是也一云銅人經亦分四穴山者承山穴海者氣海穴丘者丘墟穴陵者陰陵穴四經相應包含萬化之象也

按隙者下陷也如白駒过隙之隙共同也言穴名雖有山海丘陵之異而皆在陷處則一也故有陽取陷中陰取脉應之訓

斯流派以难揆在條綱而有統

此言經絡貫通如水流之分派雖然难以揆度在條目綱領之提絜亦有統緒也故書云若綱有條而不紊一云經言井荥俞原經合甲日起甲戌時乃胆受病竅陰所出為井金俠谿所溜

為滎水臨泣所注為俞木丘墟所过為原陽輔所行為經火陽陵泉所入為合土凡此流注之道須看月脚陰日刺五穴陽日刺六穴

按此節言人身皮膚經絡縱横至难揆度雖然若能將十二經之起止經絡别明晰必能提其綱領而得其統系也當闕疑

理繁而昧縱補瀉以何功

蓋聖人立意垂法於後世使其自曉也若心無主持則義理繁乱而不能明解縱依補瀉之法亦有何效或云假如小腸實則瀉小海虛則補後谿大腸實則瀉二間虛則補曲池胆實則瀉陽輔虛則補俠谿此之謂也中工治病已成之後惟不知此理不明虛實妄投鍼藥此乃醫之誤也

法捷而明白迎隨而得用

夫用針之法要在識其通变捷而能明自然於迎隨之間而得施為之妙也

按此二節言針灸之理奥妙繁雜若心不了解雖能補瀉难免虚々實々之弊有何功哉若能将針法明晰遇痒麻虚症則補之隨之遇疼痛寔症則瀉之迎之沉痾無不立起豈不得其用哉

且如行步难移太衝最奇人中除脊膂之强痛神門去心性之呆痴風傷項急始求於風府頭暈目眩要覓於風池耳閉須聽會而治也眼痛則合谷以推之胸結身黄取湧泉而即可腦昏目赤瀉攢竹以偏宜但見兩肘之拘攣伏曲池而平掃四肢之懈惰憑照海以消除牙齒痛呂細堪治頭項强承漿可保太白宣通於氣衝

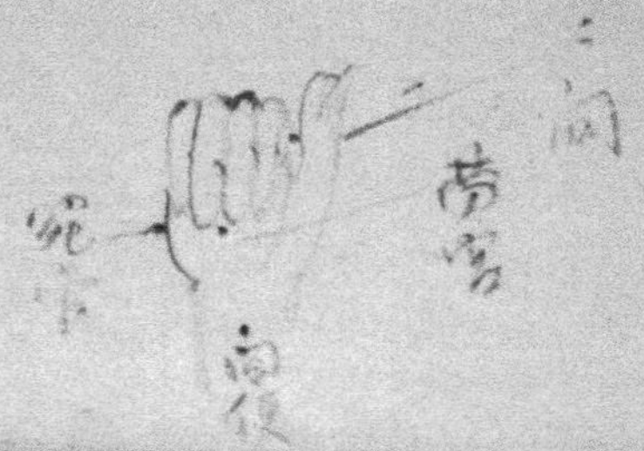

太白脾家真土也能生肺金陰陵開通於水道陰陵穴真水也淋济萬物腹膨而脹奪內庭兮休遲筋轉而疼瀉承山而在早抵大脚腕痛崑崙解愈股膝疼陰市能醫癇發癲狂兮憑後谿而療理瘧生寒熱兮伏間使以扶持期門擺胸滿血膨而可已劳宫退胃翻心痛亦何疑稽夫大敦去七疝之偏墜王公謂此三里却五劳之羸瘦華陀言斯固知腕骨祛黄然骨瀉腎行間治膝腫目疾尺澤去肘疼筋緊目昏不見二間宜取鼻窒無聞迎香可引肩井除兩臂难任絲竹療頭疼不忍咳嗽寒痰列缺堪治眵䁾冷淚臨泣尤準

髋骨將腿痛以祛殘

髋骨二穴在委中上三寸髀樞中垂手取之治腿足疼痛針三分一云跨骨在膝臏上一寸兩筋空處是穴刺入五分先補後瀉其病自除此即梁丘穴也更治乳癰按此兩穴俱異經外奇

穴不同並存以俟知者

腎腧犯腰疼而瀉盡

以見越人治屍厥於維會隨手而甦

維會二穴在足外踝上三寸內應足少陽胆經屍厥者卒喪之症其病口噤氣絕狀如死不識人昔越人过虢々太子死未半日越人診太子脉曰太子之病為屍厥也脉乱故形如死太子實未死也乃使弟子子陽礪鍼砥石以取外三陽五會有間太子甦二旬而復故天下盡以扁鵲能生死人鵲聞之曰此自當生者吾能使之生耳又云乃玉泉穴在臍下四寸是穴手之三陽脉維於玉泉是足三陽脉會治卒中屍厥恍惚不省人事血淋小便赤澁失精夢遺臍腹疼痛結如盆盂男子陽氣虛憊疝氣水腫奔豚搶心氣急而喘經云太子屍厥越人刺維會而復

甦此即玉泉穴真起死回生奇術婦人血氣癥瘕堅積臍下冷痛子宮斷緒四度刺有孕使胞和煖或產後惡露不止月事不調而結成塊盡能治之針八分留五呼得氣即瀉更宜多灸為妙

按此二解當以後解為是 愚常針此穴治縮陽症下焦一切虛寒男女下元虛寒多灸更得奇效

文伯瀉死胎於陰交應針而隕

灸三壯針三分昔宋太子善醫術出苑遊逢一懷娠女人太子診之曰是女一子令徐文伯診之文伯曰是一男一女太子性暴欲剖腹視之文伯止曰臣請針之於是瀉足三陰交補手陽明合谷其胎應針而落果如文伯之言故今言姙婦不可針此穴昔文伯見一婦人臨產症危視之乃子死腹中刺足三陰交

二穴又瀉足太衝二穴其子隨手而下此說與銅人之文又不相同

聖人於是察麻與痛分實與虛

雖云諸疼痛皆以為實諸痒麻皆以為虛此大略也未盡其善其中有豐肥堅硬而得其疼痛之疾者亦有虛羸氣弱而感其疼痛之病者非执而斷之仍要推其得病之原别其内外之感然後真知其虛實也實者瀉之虛者補之

實則自外而入也虛則自內而出歟

夫冒風寒中暑濕此四時者或因一時所感而受病者謂實邪此疾蓋是自外而入於內也多憂慮少心血因內傷而致病者謂虛邪此疾蓋是自內而出於外也此分虛實內外之理也一云夫療病之法全在識見痒麻為虛々當補其母疼痛為實々

當瀉其子且如肝實瀉行間二穴火乃肝木之子肝虛補曲泉二穴水乃肝木之母胃實瀉厲兑二穴金乃胃土之子胃虛補解谿二穴火乃胃土之母三焦實瀉天井二穴三焦虛補中渚二穴膀胱實瀉束骨二穴膀胱虛補至陰二穴故經云虛羸痒麻氣弱者補之豐肥堅硬疼痛腫滿者瀉之凡刺之要只就本經取井荥俞原經合行子母補瀉之法乃為樞要深知血氣往來多少之道取穴之法各明其部分即依本經而刺無不效也

故泲母而裨其不足奪子而平其有餘

裨者補也泲母者盖補其不足也奪子者奪去其有餘也此補母瀉子之法按補瀉經云只非刺一經而已假令肝木之病實則瀉心火之子虛則補腎水之母其肝經自得安矣五臟倣此

一云虛當補其母實當瀉其子故知肝勝脾肝有病必傳於脾

聖人治未病當先實脾不使受肝之賊邪子母不許相傳大概當實其母正氣以增邪氣去必氣血往来無偏傷々則痾疾蜂起矣

观二十七之經絡一一明辨

經者十二經也絡者十五絡也共計二十七之經絡相隨上下流行观之者一一明辨也

據四百四之疾症件件皆除

岐伯云凡人禀乾坤而立身隨陰陽而造化按八節而榮順四時而易調神養氣習性咽津故得安和四大舒緩或一脉不調則衆疾俱動四大不和百病皆生凡人之一身總計四百四病不能一一具載然病症雖多但依經用法件々皆除也

故得夭枉都無跡斯民於壽域

跻者登也夭者短也枉者悮傷其命也夫醫之道若能明此用針之理除疼痛迅若手拈破欝結渙如氷釋既得如此之妙自此之後並無夭枉之病故斯民皆使登長壽之域矣

幾微已判彰往古之玄書

幾微者奥妙之理也判開也彰明也玄妙也今奥妙之理已煥然明著於前使後學易曉

抑又聞心胸病求掌後之大陵肩背患責肘前之三里冷痺腎敗取足陽明之土連臍腹痛瀉足少陰之水脊間心後者針中渚而立痊脇下肋邊者刺陽陵而即止頭項痛擬後谿以安腰脚疼在委中而已矣夫用針之士於此理苟能明焉收袪邪之功而在手撚指

夫用針之士先要明其針法次知形氣所在經絡左右所起血

氣所行逆順所會補虛瀉實之法袪邪安正之道方能除疼痛於目前療疾病於指下也

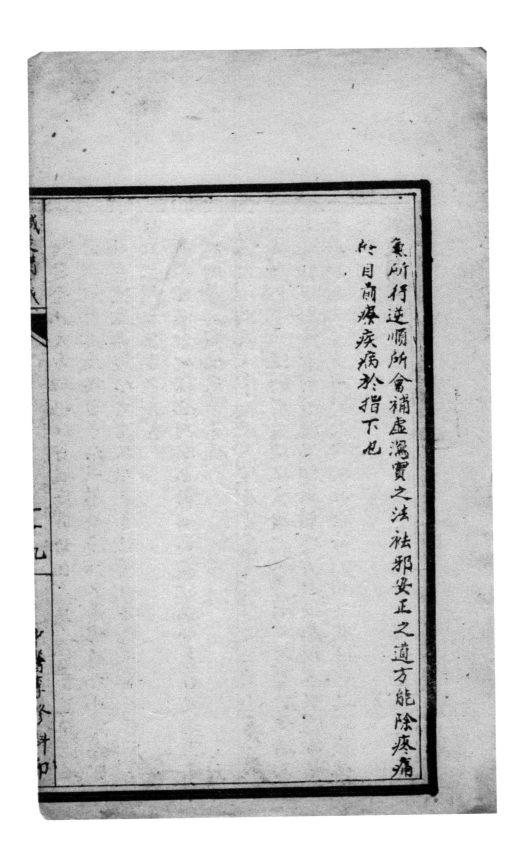

鍼灸講義卷上終

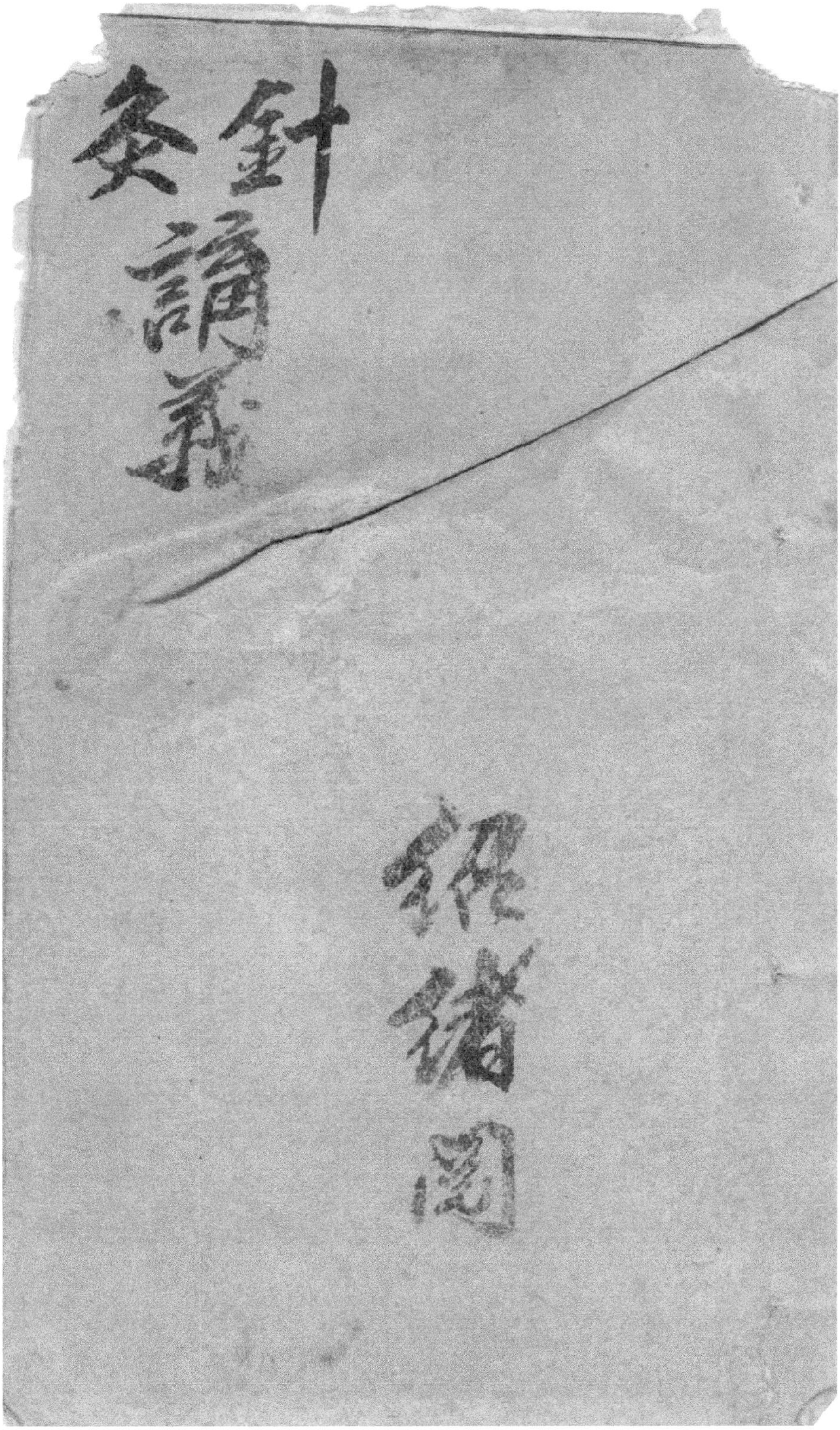
針灸講義

针灸目次 下卷

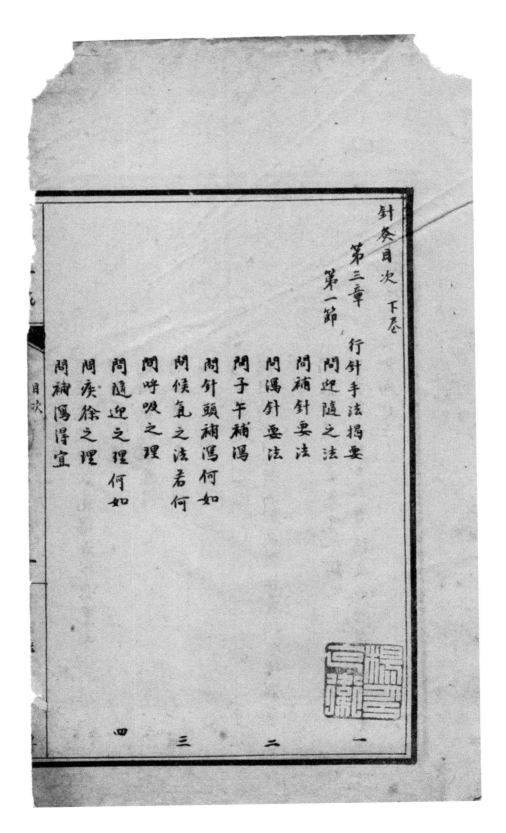

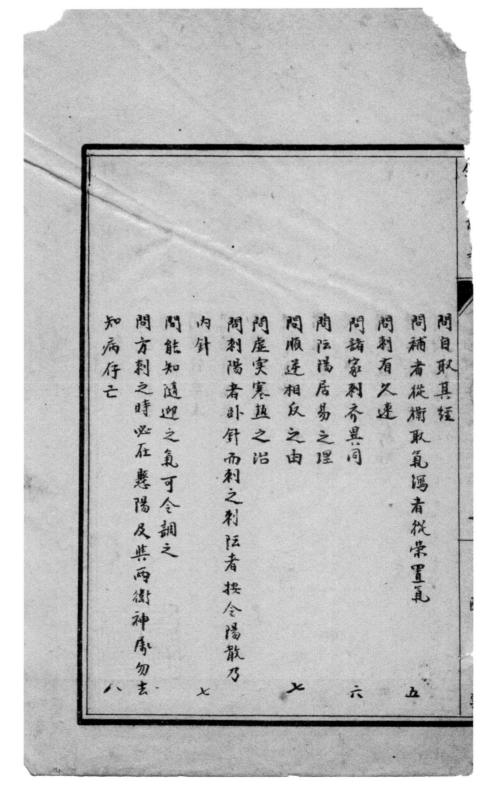

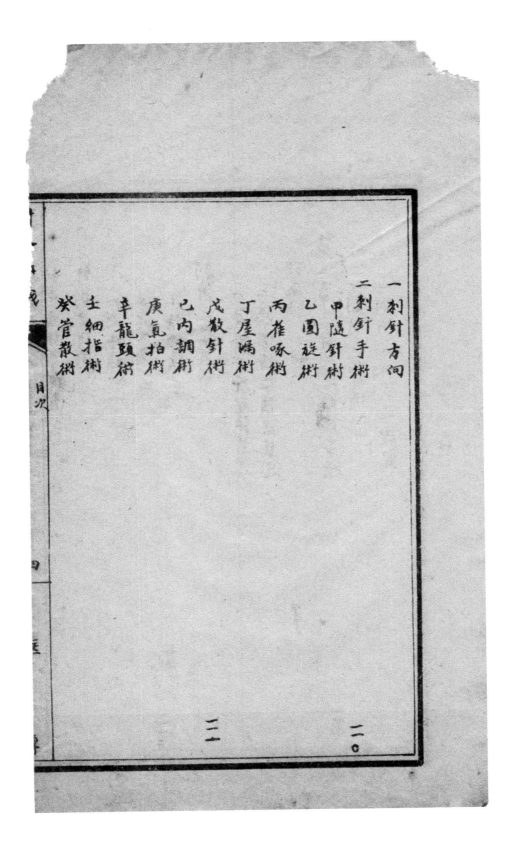

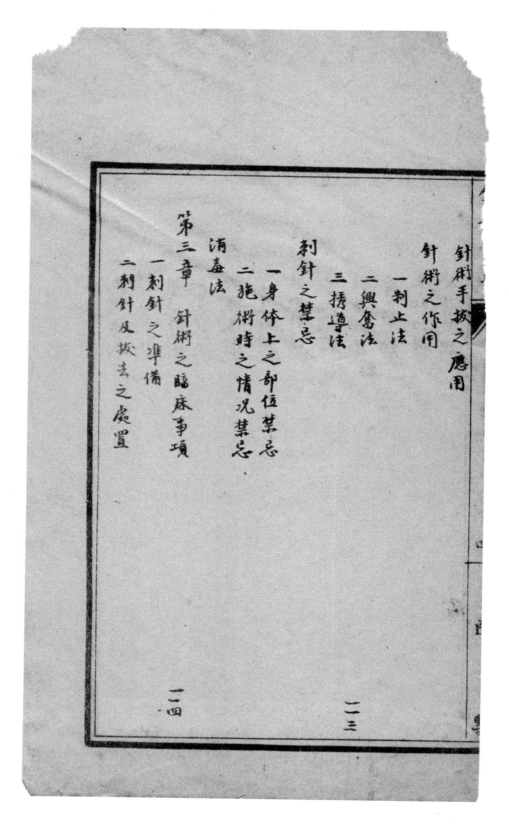

三刺针前後所發障碍之處置

甲

乙

丙

丁

戊

下卷目錄終

第三章　行針手法撮要

第一節　問迎隨之法

経曰隨而濟之是為補迎而奪之是為瀉夫行針者当刺之時用皮錢擦熱針復以口温針使熱先以左手按其所刺榮俞之穴彈而努之爪而下之捫而循之通而取之令病人咳嗽一声右手持針而刺之春夏二十四息先深後淺（其淺深之故註標幽賦内）秋冬三十六息先淺後深徐徐而入氣来如動脈之狀針下輕滑和得氣者若魚之来吞鉤既吞得氣宜用補瀉補隨其经脈推而按之停針一二時稍久凡起針左手閉針穴徐出針而疾按之瀉迎其经络提而動伸之停針稍久凡起針左手開針穴疾出針而徐按之補針左轉大指努出瀉針右轉大指收入補者先呼後吸瀉者先吸後呼疼痛即瀉痒麻即補

問補針要法

答曰補針之法左手重切十字縫紋右手持針於穴上次令病人咳嗽一声隨咳進針長呼氣一口刺入針三分針手經絡者效春夏停二十四息針足經絡者效秋冬停三十六息催氣針沉行九陽之數撚九撅九號曰天才少停呼氣二口徐徐刺入肉三分如前息數足又覺針沉緊以生數行之號曰人才少停呼氣三口徐徐又插至筋骨之間三分又如前息數足復覺針下沉澁再以生數行之號曰地才再推進一豆謂之按為截為隨也此為極處靜以久留却須退針至人部又待氣沉緊時轉針頭向病所自覺針下熱虛羸痒麻病勢各散針下微沉後轉針向上插進一豆許動而停之吸之乃疾去入傢出其穴急捫之岐伯曰下針貴遲太急傷血出針貴緩太急傷氣正謂針之不傷於榮衛也是則進退往

来。飛経走氣尽於斯矣。

問瀉針要法

凡瀉針之法。左手重切十字縫紋三次。右手持針於穴上。次令病人咳嗽一声。隨咳進針。插入三分。刺入天部。少停。直入地部。提退一豆。得氣沉緊。搓撚不動。如前息数足。行六陰之数。撚六撅。吸氣三口。回針提出至人部。號曰地才。又待氣至針沉。如前息数足。以成数行之。吸氣二口。回針提出至天部。號曰人才。又待氣至針沉。如前息数足。以成数行之。吸氣回針。提出至皮間。號曰天才。退針一豆。謂之提。為坦為迎也。此為極處。静以久留。仍推進人部。待針沉緊氣至。轉針頭向病所。自覺針下冷寒熱痛疼病勢各退。針下微鬆。提針一豆許。搖而停之。呼之乃去。徐入疾出。其穴不閉也。

問子午補瀉

答曰此乃宣行榮衛之法也故左轉從子能外行諸陽右轉從午能內行諸陰人身則陽氣受於四末陰氣受於五臟亦外陽而內陰也左轉從外則象天右轉從內則象地中提從中則象人一左一右一提則能使陰陽內外之氣出入其上下相參往來而榮衛自流通矣

問針頭補瀉何如

答曰此補瀉之常法也非呼吸而在手指當刺之時必先以左手壓按其所針榮俞之處彈而努之爪而下之其氣之來如動脈之狀順針而刺之得氣推而內之是謂補動而伸之是謂瀉夫實者氣入也虛者氣出也以陽生於外故入陰生於內故出此乃陰陽水火出入之氣所不同也宜詳察之此外有補針導氣之法所謂捫而循之者是於所刺經絡部分上下循之故令氣血舒緩是得往來

也。切而散之者。是用大指爪甲左右於穴切之。腠理開舒。然後針
也。推而按之者。是用右指捻針。按住近氣不失。則遠氣乃来也。彈
彈而努之者。是用指甲彈針。令脈氣填滿。而得疾行至於病所也。
爪而下之。是用左手指爪連甲。按定針穴。乃使氣散而刺榮。使血
散而刺衛。則置針各有準也。通而取之者。蓋持針進退。或轉或停。
以使血氣往来遠近相通。而後病可取也。外引其门以閉其神者。
是先用左指收合針孔。乃放針則經氣不泄也。故曰知為針者。信
其左。不知為針者信其右也。

問候氣之法若何

答曰用針之法候氣為先須用左指按其穴門心無内慕如待貴
人伏如横弩起若發機若氣不至或雖至如慢然後轉針取之轉
針之法令患人吸氣先左轉針不至左右一提也更不至者用男

内女外之法男即经手按穴謹守勿内女即重手按穴堅拒勿出所以然者持針居内是陰部持針居外是陽部淺深不同左手按穴是要分明只以得氣為度如此而終不至者不可治也若針下氣至当察其邪正分其虛实经言邪氣來者緊而疾穀氣來者徐和但瀉盡者即是虛但牢实者即是实此其訣也

問呼吸之理

答曰此乃調和陰陽法也故经言呼者因陽出吸者隨陽入雖此呼吸分陰陽实由一氣而為倚其氣内應於五臟外隨於三焦周布一身循环经絡流注孔穴順其氣之方圓然後為用不同耳是故五臟之出入以應四時三焦之升降而為榮衛经脉之循环以合天度然則呼吸出入乃造化之枢紐人身之関鍵針家所必用也諸陽淺在经絡諸陰深在臟腑補瀉皆取呼吸出内其針蓋呼

則出其氣吸則入其氣欲補之時氣出針入氣入針出欲瀉之時氣入入針氣出出針呼而不过三口是外隨三焦之陽吸而不过五口是内迎五臟之陰先呼而後吸者為陽中之陰先吸而後呼者為陰中之陽乃各隨其病陰陽寒熱而用之是為活法不可誤用也

問隨迎之理何如

答曰此乃針下予奪之机也第一要知荣衛之流行所謂諸陽之经行於脉外諸陽之络行於脉内諸陰之经行於脉内諸陰之络行於脉外各有淺深立針以一分為荣二針為衛交互停針以候其氣見氣方至速使退針引之即是迎見氣已过然後進針追之即是隨故刺法云動退空歇迎奪右而瀉凉推内進搓隨濟左而補煖第二要知经脉往来所謂足之三陽從頭走足足之三陰從足

走腹手之三陰從胸走手手之三陽從手走頭得氣以針頭逆其
经脉之所来動而伸之即是迎以針頭順其经脉之所往推而内
之即是隨故经云实者絶而止之虚者引而起之

問疾徐之理

答曰此乃持針出入之法也故经言刺虚实者徐而疾則实疾而
徐則虚然此经有兩解所謂徐而疾者一作徐内而疾出一作徐
出針而疾按之所謂疾而徐者一作疾内而徐出一作疾出針而
徐按之（兩說皆通）蓋疾徐二字一解作缓急之義一解作久速之義若
夫不虚不实出針入針之法則亦不疾不徐配乎其中可也

問補瀉得宜

答曰大略補瀉無逾三法一則診其脉之動静假令脉急者深内
而久留之脉缓者淺内而疾發針脉大者微出其氣脉滑者疾發針

而淺內之脉澁者必得其脉隨其順逆久留之必先按而循之已發針疾按其穴勿出其血脉小者飲之以藥二則隨其病之寒熱假令患寒者先令得陽氣入陰之多次乃轉針退到陽分令患人鼻吸口呼謹按生成息數足陰氣將至針下覺寒其人自清涼矣又有病道远者必先使氣直到病所寒即進針少許熱即退針少許然後却用生成息數治之三則隨其診之虛實假令形有肥有瘦身有痛有痒麻病有作戲有衰穴下有牢有濡皆虛實之診也若在病所別法取之轉針向上氣自上轉針向下氣自下轉針向左氣自左轉針向右氣自右徐推其針氣自往微引其針氣自来所謂推之則前引之則止徐往微来以除之是皆欲攻其邪而已矣

問自取其经

答曰刺虛刺实当用隨迎補其母而瀉其子若不虛不实者則当以经取謂其正经自得病不中他邪故自取其经也其法右手存意持針左手候其穴中之氣若氣来如動脉狀乃内針要續々而入徐々而撞入榮至衛至若得氣如鮪魚之食鉤即是病之氣也則隨本经氣血多少酌量取之略待少許見氣尽乃出針如未尽留針在門然後出針经曰有見如入有見如出此之謂也

問補者從衛取氣瀉者從置榮氣

答曰十二经脉皆以榮為根本衛為枝葉故欲治经脉須調榮衛欲調榮衛須假呼吸经曰衛者陽也榮者陰也呼者陽也吸者陰也呼尽内針靜以久留以氣至為故者即是取氣於衛吸則内針以得氣為故者即是置氣於榮也

問刺有久速

答曰此乃量病輕重而行㮤者一補一瀉足矣重者至再至三也
假令得病氣而補瀉之其病未尽仍復停針候氣再至又行補瀉
经言刺虚須其實刺实須其虚也

問諸家刺齐異同

答曰灵枢所言始淺刺之以逐邪氣而來血氣謂絶皮以出陽穴也後刺深之以致陰氣之邪謂陰邪出者少益深絶皮致肌肉未入分肉間也最後取刺極深之以下穀氣謂已入分肉之間則穀氣出矣此其旨矣余德讀难经常見針師丁德用所註乃言人之肌肉皆有厚薄之處但皮膚之上為心肺之部陽氣所行肌肉之下為肝腎之部陰氣所行也是說所以奏揮灵枢之旨抑甚詳至於孫氏千金方所言針入一分則知天地之氣亦前後刺深之亦前始刺淺之而來氣血意合針入二分則知呼吸出入上下水火之氣亦前最後極深以下以致陰氣合意針入三分則知四時五行五臟六腑順逆之氣

穀氣意合乃根本也玄珠密語言入皮三分心肺之部陽氣所行入皮五分腎肝之部陰氣所行取象三天兩地之數此所可謂詳明矣反夫後賢所著則又又自一分而累至十分之說此法益詳且密矣大抵傳約不同其理互異互相發明皆不必廢

問陰陽居易之理

答曰此陰陽相乘之意也以其陽入陰分陰出陽分相易而居成其病也推原所由或榮(因氣)衰少而衛氣內侵或因衛氣衰少而榮氣外溢故令氣血不守其位一方氣聚則為一方實一方氣散則為一方虛其實者為痛其虛者為癢痛者陰也痛而以手按之不得者亦陰也法当深刺之癢則陽也法当淺刺之病在上者陽也在下者陰也病先起於陰者法当先治其陰而後治其陽也病先起於陽者法当治先其陽而後治其陰也

問順逆相反之由

答曰此謂衛氣不得循於常道也其名曰厥為病不同刺法当别故经言刺熱厥者若留針反為寒刺寒厥者若留針反為熱盖被逆氣使然由是言之刺熱厥者宜三刺陰一刺陽刺寒厥者宜三刺陽一刺陰惟其久病之人則邪氣入深却当深而久留須間日而復刺之必先調其左右去其血脉

問虚实寒熱之治

答曰先診人迎氣口以知陰陽有餘不以審察上下经絡循其部分之寒熱切其九候之変易按其经絡之所動視其血脉之色狀無过則同有过則異脉急以行脉大以弱則欲要靜第力無勞凡氣有餘於上者導而下之不足於上者推而揚之经云稽留不到者因而迎之氣不足者積而從之大熱在上者推而下之從下上

者引而去之大寒在外者留而補之入於中者從而瀉之上寒下熱者推而上之上熱下寒者引而下之寒與熱爭者導而行之菀陳而血結者刺而去之

問刺陽者臥針而刺之刺陰者按令陽散乃內針

答曰刺陽部者從其淺也係屬心肺之分刺陰部者從其深也係屬腎肝之分凡欲行陽淺臥下針循而捫之令氣舒緩彈而努之令氣隆盛而後轉針其氣自張布矣以陽部主動故也凡欲行陰必先爪按令陽氣散直深內針得氣則深提之其氣自調暢矣以陰氣主靜故也

問能知隨迎之氣可令調之

答曰迎隨之法因其中外上下病道遥远而設也是故当知榮衛内外之出入经脉上下之往来乃可行之夫榮衛者陰陽也经言

陽受氣於四末陰受氣於五臟故瀉者先深而後淺從內引持而出之補者先淺而後深從外推內而入之乃是因其陰陽內外而進退針耳至於经脉為流行之道手之三陽從手上頭手三陰经從胸至手足三陽经從頭下足足三陰经從足入腹故手三陽瀉者針芒望外逆而迎之補者針芒望內順而追之餘皆倣之乃是同其氣血往來而順逆行針也大率言荣衛者是內外之氣出入言经脉者是上下之氣往來各隨所在順逆而為刺也故曰迎隨耳

答曰此非正推於十干之穴但凡針入皮膚間当陽氣舒放之分謂之開針至內分間当陰氣封固之分謂之闔然開中有闔々中有開一開一闔之机不離孔中交互停針察其氣以為補瀉故千经言衛外為陽部荣內為陰部

問方刺之時必在懸陽及與兩衛神屬勿去知病存亡

答曰懸陽謂當腠理間朝針之氣也兩衛謂迎隨呼吸出入之氣地神屬不去知病存亡謂左手占候以為補瀉也此古人立法言多妙處

問容針空豆許

答曰此法正為迎隨而設也是以氣至針下必先提退空歇容豆許候氣至然後迎之隨之经言近氣不失遠氣乃來

問刺有大小

答曰有平補平瀉謂其陰陽不平而後平也陽下之曰補陰上之曰瀉但得內外之氣調則已有大補大瀉惟其陰陽俱有盛衰內內針於天地部內俱補俱瀉必使经氣內外相通上下相接盛氣乃衰此名調陰換陽一名接氣通经一名從本引末審按其道以

予之徐往徐来以去之其实一義也

問穴在骨所

答曰初下針入腠理得穴之時隨吸納針乃可深之不然氣而針近不能進又凡肥人内虛要先補後瀉瘦人内实要先瀉後補

問補瀉得宜

答曰凡病在一方中外相襲用子午法補瀉左右轉針是也病在三陰三陽用流注法補瀉榮俞呼吸出納是也二者不同至彈爪提按之類無不同者要明氣血何如耳

問迎奪隨濟固言補瀉其義何如

答曰迎者迎其氣之方来如寅時氣来注於肺卯時氣来注於大腸此時肺大腸氣方盛而奪瀉之也隨者隨其氣之方去如卯時氣去注大腸辰時氣去注於胃肺與大腸此時正虛而濟補之也

餘倣此

問針入幾分留幾呼

答曰不如是之相拘盖肌肉有淺深病去有遲速若肌肉厚实處則可深淺薄處則宜深病去則速去針病滯則久留針為可耳

問補瀉有不在井荥俞经合者多何如

答曰如睛明瞳子髎治目疼聽宫絲竹空聽会治耳聾迎香治鼻地倉治口喎風池頭維治頭顶古人亦有不係井荥俞经合者如此盖以病在上取之上也

問经穴流注按時補瀉病在各经络按時能去病否

答曰病着於经其经自有虚实耳補虚瀉实亦自中病也病有一針而愈有数針始愈盖病有新痼淺深而新淺者一針可愈若深痼者必屡針可除丹溪東垣有一剂愈者有至数十剂而愈者今

人用一針不愈則不再針矣且病非独出於一经一絡者其發必有六氣之兼感標本之差殊或一針以愈其標而本未尽除或独取本而標復尚作必数針方絶其病之鄰也

問針形至微何能補瀉

答曰如氣毬然方其未有氣也則癟塌不堪蹴踏及從竅吹之則氣滿起胖此虛則補之之義也去其竅之所塞則氣從竅出復癟塌矣此実則瀉之之義也

問八法流注之要訣何如

答曰口訣固多未能悉錄今先撮其最要者而言之上古流傳真口訣八法原行只八穴口吸生数热变寒口呼成数寒变热先呼後吸補自真先吸後呼瀉自槌徐進疾退曰瀉寒疾進徐退曰補热緊提慢按似冰寒慢提緊按如火熱脈外陽行是衛氣脈内陰

行是荣血虚者徐而進之機実者疾而退之説補其母者隨而济瀉其子者迎奪絜但分迎奪與隨济実瀉虚補不妄説天部皮膚肌肉人地部筋骨分三截衛氣逆行荣順轉夏淺冬深肥瘦别毋伤筋膜用意求行針犹当辨骨節拇指前進左補虚拇指後退右瀉実牢濡得失定浮沉牢者為得濡為失瀉用方而補用圓自然荣衛相交接右瀉先吸退針呼左補先呼出針吸莫将此法作尋常弾努循捫指按切分筋離骨陥中求却将機関都漏泄行人截道欲宣揚湍水鳳林没休歇感謝三皇羲世恩闡尽針经真口訣

第二節　三衢楊氏補瀉玄机秘要（十二字分次弟手法及歌）

一爪切者凡下針用左手大指爪甲重切其針之穴令氣血宣散然後下針不伤於荣衛也

取穴先将爪切深須教毋外慕其心致令荣衛無伤礙痛者方堪

入妙針

二指持者凡下針以右手持針於穴上着力旋捻直至腠理吸氣三口提於人部依前口氣徐々而正用謂持針者手如握虎勢若擒龍心無外慕若待貴人之説也

持針之士要心雄勢如握虎而擒龍欲知机關三部奥須將此理再推窮

三口温者凡下針入口中必須温熱方可而刺使血氣調和冷熱不相爭鬥也

温針一理最為良口内調和納穴塲毋令冷熱相爭搏榮衛宣通始得祥

四進針者凡下針要病人神氣定息數匀齊者亦如之切不可太忙又須審穴在何部分如在陽部必取筋骨之間陷下為真如在

陰分郄膕之内動脉相應以爪重切經絡少待方可下針進針理法取機關失经失穴豈堪施陽经取陷陰经脉三思已定再思之

五指循者凡下針若氣不至用指於所屬部分经絡之路上下左右循之使氣血往来上下均匀針下自然氣至沉緊得氣即瀉之故也

循其部分理何明只為針頭不沉緊推則行之引則止調和氣血兩來臨

六爪攝者凡下針如針下邪氣滞澁不行者隨经上下用大指爪甲切之其氣自通行也

攝法應知氣滯经須令爪切勿數輕上下通行隨经絡故教學者要窮经

七退針者凡退針必在六陰之數分明三部之用斟酌不可不誠

心着意溷乱差訛以為瀉補以補為瀉欲退之際一部一部以針緩々而退也

退針手法理誠知三才訣内總玄機一部六陰三吸氣須臾疾病愈如飛

八指搓者凡轉針如搓線之状勿轉太緊隨其氣而用之若轉太緊令人肉纏針則有大痛之患若氣滞澁即以第六攝法切之方可施也

搓針泄氣最為奇氣至針纏莫急移渾如搓線悠々轉急轉纏針肉不離

九撚指者凡下針之際治上大指向外撚治下大指向内撚外撚者令氣向上而治病内撚者令氣至下而治病如出至人部内撚者為之補轉針頭向病所令取真氣以至病所外撚者為之瀉轉

針頭向病所令使邪氣退至針下出也此乃針中之秘旨也撚針指法不相同一般在手兩般窮內外轉移行上下邪氣逢之疾豈容

十指留者如出針至於天部之際須在皮膚之間留一豆許少時方出針也

留針取氣候沉浮出容一豆入容俟致令榮衛縱橫散巧妙玄机在指頭

十一針搖者凡出針三部欲瀉之際每一部搖二次計六搖而已以指捻針如扶人頭搖之狀庶使孔穴開大也

搖針三部六搖之依次推排指上施孔穴大開無窒礙致令邪氣出如飛

十二指拔者凡持針欲出之時待針下氣緩不沉緊便覺輕滑用

搖捻針如拔虎尾之狀也
拔針一法最為良浮沉澁滑任推詳勢猶取虎身中尾此訣誰知
蘊錦囊
口訣 燒山火能除寒三進一退熱湧々鼻吸氣一口呵五口燒山
之火能除寒一退三飛病自安始是五分終一寸三番出入慢提
看
凡用針之時須撚運入五分之中行九陽之數其一寸者即先淺
後深也若得氣便行運針之道運者男左女右漸々運入一寸之
内三出三入慢提緊按若覺針頭沉緊其揷針之時熱氣復生冷
氣自除未效依前再施也
四股似水最難禁增寒不住便来臨醫師運起燒山火患人時下
即安寧

口訣透天凉 能除熱三退一進冷冰々口吸氣一口鼻出五口凡用針之時進一寸內行六陰之數其五分者即先深後淺也若得氣便退而伸之退至五分之中三入三出緊提慢按覺針頭沉緊徐々搴之則凉氣自生熱氣自除如不效依前法再施一身渾似火來燒不住之時熱上潮若能加入清凉法須臾若毒自然消

口訣陽中隱陰 能治先寒後熱淺而深

陽中隱箇陰先寒後熱入五分陽九數一寸六陰行凡用針之時先運入五分乃行九陽之數如覺微熱便運入一寸之內却行六陰之數以得氣乃此陽中隱陰可治先寒後熱之症先補後瀉也先寒後熱身如瘧醫師不曉實和弱叮嚀針要陰陽刺祛除寒熱免災悪

口訣陰中隱陽 能治先熱後寒深而淺

凡用針之時先運入一寸乃行六陰之數如覺病微凉即退至五分之中卻行九數以得氣此乃陰中隱陽可治先熱後寒之症先瀉後補也

先熱後寒如瘧疾先陰後陽號通天針師運起雲雨澤榮衛調和病自痊

口訣留氣治　能破氣伸九提六

留氣運針先七分純陽得氣十分深伸時用九提時六癥瘕消溶氣理勻

凡用針之時先運入七分之中行純陽之數若得氣便深入一寸中微伸提之卻退至原處若未得氣依前法再行可治癥瘕氣塊之疾

痃癖癥瘕疾宜休卻在醫師志意求指頭手法為留氣身除疾痛

再無憂

口訣運氣法　能瀉先直後卧

運氣用純陰氣来便倒針令人吸五口疼痛病除根

凡用針之時先行純陰之数若覺針下氣滿便倒其針令患人吸氣五口使針力至病所此乃運氣之法可治疼痛之病

運氣行針好用工遍身疼痛忽無蹤此法密傳堪濟世論全宜值萬千鍾

口訣提氣法從陰微撚能除冷麻之症

凡用針之時先從陰数似覺氣至微撚輕提其針使針下經絡氣聚可治冷麻之症

提氣從陰六数同堪除頑痺有奇功欲知奥妙先師訣取次机関一掌中

口訣 中氣法能除積先直後卧瀉之

凡用針之時先行運氣之法或陽或陰便卧其針向外至疼痛立起其針不前内氣同也

中氣須知運氣同一般造化兩般功手中運氣叮嚀使妙理玄机起疲癃

若關節阻澁氣不通者以龍虎大段之法通經接氣驅而運之仍以循攝切摩無不應矣又按捫摩屈伸導引之法而行

口訣 蒼龍擺尾手法 補

蒼龍擺尾行關節回撥將針慢々扶一似江中船上舵周身遍体氣流蘇或用補法而就得氣則純補補法而未得氣則用瀉此亦人之活変也

凡欲下針之時飛氣至關節去處便使回撥者將針慢々扶之如船之舵左右隨其氣而撥之其氣自然交感左右慢々撥動週身

遍体奪流不失其所矣

蒼龍擺尾氣交流氣血奪来遍体週住居体有千般症一捧須教疾病休

口訣 赤鳳摇頭手法 瀉

凡下針得氣如要使之上須閉其下要下須閉其上連々進針從辰至巳退針從巳至午撥左而左點撥右而右點其实只在左右動似手摇鈴退方進圓兼之左右摇而振之

針摇船中之艪犹如赤鳳摇頭辨别隨迎逆順不可違理胡求

口訣 龍虎交戰手法三部俱一補一瀉

龍虎交戰争龍虎左右施法陽三相隐九六住疼時

凡用針時先行左龍則左撚凡得九数陽奇零也却行右虎則右撚凡得六数法偶对也乃先龍後虎而戰之以得氣補之故陽中

隐阴々中隐陽左撚九而右撚六是住痛之針乃得返復之道號曰龍虎交戰以得邪盡方知其所此乃進退阴陽也青龍左轉九陽宮白虎右旋六阴通返復玄机隨法取消息阴陽九六中

口訣 龍虎升降手法

凡用針之法先以右手大指向前撚之入穴後以左手大指前撚经络得氣行轉其針向左向右引起阴陽按而提之其氣自行如氣未滿更依前法再施龍升虎騰撚妙法氣行上下合交還依師口訣分明說自一皮君疾病痊

口訣 五藏交经

五藏交经須氣溢候他血氣散宣時蒼龍擺尾東西撚定穴五行君記之

凡下針之時氣行至溢須要候氣血宣散乃施蒼龍左右搖之可也

五行定穴分经络如船解纜自通亨必在針頭分造化須教氣血自縱横

口訣通關交经

通關交经蒼龍擺尾赤鳳搖頭補瀉得理先用蒼龍擺尾後用赤鳳搖頭運入關節之中後以補則用補中手法瀉則用瀉中手法使氣於其经使交

先用蒼龍來擺尾後用赤鳳以搖頭再行上下八指法關節宣通氣自流

口訣關節交经

關節交经氣至關節立起針來施中氣法

凡下針之時走氣至關節去處立起其針向施中氣法納之可也

関節交經莫大切必令氣走納經中手法用之三五度須知其氣自然通

口訣子午補瀉總歌

補則須彈針爪甲切宜輕瀉時甚切忌休使疾再侵

凡用針者若刺針時先用口溫針次用左手壓穴其下針之處彈而努之爪而下之捫而循之通而取之却令病人咳嗽一声右手持針而刺之春夏二十四息秋冬三十六息徐出徐入氣來如動脉之狀針下微緊留待氣至後宜用補瀉之法若前忽動其擺一例其中不一般動為補之氣搖之瀉即安

口訣子午搗臼法治水蠱膈氣

子午搗臼上下針行九入六出左右不停

下針之時調氣得勻以針行上下九入六出左右轉之不已必按

陰陽之道其症始愈
子午搗臼是神機九入六出会者稀義病自然合大数要使患者
笑嘻々

口訣子午補瀉歌

每日午前皮上揭有似滚湯煎冷雪若是寒時皮内尋不枉教君
皮破裂陰陽返復怎生知虚寒辨别臨時訣針頭如弩似発机箬
閒休向旁人説
左轉為男補之氣轉却為瀉之記女人反此不為真此是陰陽補
瀉義熱病不瘥瀉之須冷病纏身補是宜嗙吼氣来為補瀉氣不
至時莫急旋
補隨其経脈納而按之左手閉針穴徐出針而疾按之
瀉迎其経脈動而伸之左手開針穴疾出針而徐按之経曰隨而

济之是為之補迎而奪之是為之瀉

素問曰刺实須其虚者留針待陰氣至乃去針也刺虚須其实者留針待陽氣備乃去針也

口訣十二经络之病欲針之時实則瀉之虚則補之热則疾之寒則留之陷則灸之不虚不实以经取之经云虚則補其母而不足实則瀉其子而有餘当先補而後瀉假令人氣在足太陽膀胱経虚則補其陽所出為井属金下針得氣随而济之右手取針徐出而疾捫之是謂補也实則瀉其陽所注為俞属木下針得氣迎而奪之左手開針穴疾出針而徐捫之是謂之瀉也至陰足太陽经井穴在足小指外側束骨足太陽经俞穴在足小指外側本節後陷中

進火 補初進針一分呼氣一口退三退進三進令病人鼻中吸氣口中呼氣三次把針摇動自然热矣如不應依前導引

進水瀉　初進針一分吸氣一口進三進退三退令病人鼻中出氣口中吸氣三次把針搖動自然冷矣如不應依前導引之再不應依生成息數按所病藏府之數自覺冷熱應手

下手八法口訣

揣　揣而循之凡点穴以手揣摩其處在陽部筋骨之側陷者為真在陰部郄膕之間動脈相應其肉厚薄或伸或屈或平或直以法取之按而正之以大指爪切掐其穴於中庶得進退方有準也難經曰刺榮毋傷衛者乃掐按其穴令氣散以針而刺之是不傷衛氣也刺衛毋傷榮者乃撮起其穴以針斜而刺之也是不傷其榮血也此乃陰陽補瀉之大法也

爪　爪而下之此則針賊曰左手動而切按欲令氣血得以宣散是不傷於榮衛也右手輕而徐入欲不痛之因此乃下針之秘法也

搓　搓而轉之如搓線之貌勿轉太緊轉者左補右瀉以大指次指相合大指往上進為之左大指往下退為之右此則隨迎之法也故經曰迎奪右而瀉涼隨濟左而補煖此則左右補瀉之大法也

彈　彈而努之此則先彈針頭待氣至即退一豆許乃先淺而復深自外推內補針之法也

搖 搖而伸之此乃先搖動針頭待氣至却退一豆許乃先深而後淺自內外引泻針之法也故曰針頭補泻

捫 捫而閉之經曰凡補必捫而出之故補欲出針時就捫閉其穴不令氣出使氣血不泄乃為真補

循 循而通之經曰凡泻針必以手指於穴上四旁循之使令血氣宣散方可下針故出針時不閉其穴乃為真泻此提按補泻之法

撚 撚者治上大指向外撚治下大指向內撚外撚者令氣向上而治病內撚者令氣向下而治病如針出時內撚者令氣行至病所外撚者令邪氣至針下而出也此下手八法口訣也

第三節 補泻雪心歌

行針補泻分寒熱泻寒補熱須分別撚指內外泻之方撚指向內補之訣泻左須当大指前泻右大指当後拔補左次指向前搓補右大指往上拔如何補泻有兩般蓋是經從兩邊發補泻又要識迎隨々則為補迎為泻古人補泻左右分今人乃為男女別男女經脉一般生晝夜循环無暫歇兩手陽經從上頭陰經胸走手指

轂兩足陽経頭走足陰経上走腹中結隨則針頭隨経行迎則針頭迎経奪更有補瀉定呼吸吸瀉呼補真奇絕補則呼出却入針因声針用三飛法氣至出針吸氣入疾而一退急捫穴瀉則吸氣方入針因声祖氣通身達氣至出針呼氣出徐而三退穴開捺此訣出自梓桑君我今受汝心已雪正是補瀉玄中玄莫向人前輕易說

第四節　針邪秘要

凡男婦或歌或笑或哭或吟或多言或久黙或朝夕嗔怒或晝夜安行或口眼俱邪或披頭跣足或裸形露体或言見鬼神如此之類乃飛虫精灵妖孽狂鬼百邪侵害也欲治之時先要愉悅　謂病家敬信醫人醫人誠心療治兩相喜悅邪鬼方除若主惡砭石不可以言治醫貪貨財不可以言德

書符　先用硃砂書太乙灵符二道一道燒灰酒調病人服一道貼於病人房内書符時念小天罡咒

符式

太乙灵符

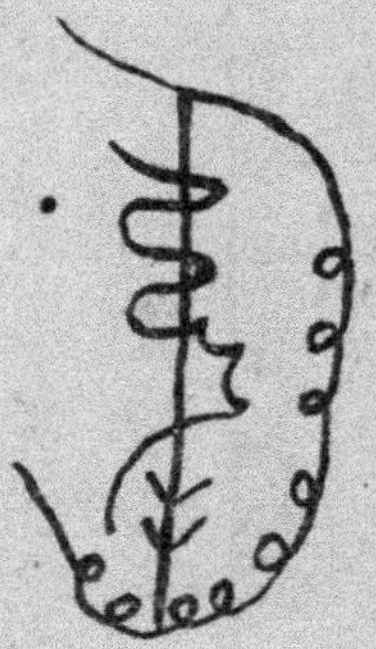

念咒

先取氣一口次念天罡太神日月常輪上朝金闕下覆崑崙貪狼巨門祿存文曲廉貞武曲破軍輔弼大同天界細入微塵玄黄正氣速赴我身所有凶神惡煞速赴我魁之下毋動毋作急急如律令

定神　謂醫與病人各正自己之神神不定勿刺神已定可施

正色　謂持針之際目無邪視心無外想手如握虎勢若擒龍

禱神　謂臨針之時閉目存想一会針法心思神農黃帝孫韋真人儼然在前密言從吾針後病不許復乃掐穴咒曰大哉乾元威統神天金針到處萬病如拈吾奉太上老君急々如律令

咒針　謂下手入針時呵氣一口於穴上默存心火燒过用力徐々捶入乃咒曰布氣玄真萬病不侵经絡接續龍降虎斗陰陽妙道捶入神針針天須要開針地定教裂針山須便崩針海还應竭針人疾即安針鬼悪馘藏吾奉太上老君急々如律令攝

又咒曰　手提金鞭倒騎牛唱得黃河水倒流一口吸尽千江水運動人身血脉流南斗六星北斗七星

太上老君急急如律令

孫真人針十三鬼穴歌

百邪顛狂所為病針有十三穴須認凡針之倖先鬼宮次針鬼信無不應一一從頭逐一求男從左起女從右一針人中鬼宮停左边下針右出針第二手大指甲下名鬼信刺三分深三針足大指甲下名鬼壘入二分四針掌上大陵穴入針五分為鬼心五針申脉為鬼路穴針三分七鋥々第六卻尋大椎上入髮一寸名鬼枕七刺耳垂下八分名曰鬼林針要溫八針承漿名鬼市從左出右君須記九針劳宮為鬼窟十針上星名鬼堂十一陰下縫三壯女玉門頭為鬼藏十二曲池名鬼腿火針仍要七鋥々十三舌頭當舌中此穴須名是鬼封手足兩边相对刺若逢孤穴只單通此是先師真妙訣狂猖惡鬼走無跡

一針鬼宮即人中入三分　二針鬼信即少商入三分
三針鬼壘即隐白入二分　四針鬼心即大陵入五分
五針鬼路即中脉火針三分　六針鬼枕即風府入二分
七針鬼林即頰車入五分　八針鬼市即承漿入三分
九針鬼窟即劳宫入二分　十針鬼堂即上星入二分
十一針鬼藏男即陰会女即玉門頭入三分
十二針鬼腿即曲池火針入五分
十三針鬼封在舌下中缝刺出血仍横安針一枚就两口吻令
舌不動此法甚效更加間使後谿二穴尤妙
男子先針左起　女人先針右起　单日為陽　双日為陰　陽
日陽時針右轉　陰日陰時針左轉　刺入十三穴尽之時醫師
即当問口病人何鬼何妖為禍病人自說来由用筆一一記録言

尽々狂止方宜退針

鬼哭穴　撮要灸法

治鬼魅狐惑恍惚振噤以患人两手大指相並縛定用艾炷於两甲角及甲後内四處騎縫着火灸之則患魔者哀告我自去為效

第四章　針灸用法撮要

第一節　十四脉各治病主穴

手太陰经治病各穴　肺屬辛金

中府一名膺俞肺之募募犹結募也言经氣聚此手足太陰二脉之会针三分留五呼灸五壮主腹脹四肢腫食不下氣喘胸满肩背痛欬逆上氣肺系急肺寒熱胸悚々胆熱嘔逆欬唾濁涕風汗出皮痛面腫少氣不得卧

雲門〇素注針七分銅人針三分灸五壯〇主傷寒四肢熱不已咳逆喘不得息胸脇短氣々上冲心胸中煩滿脇徹背痛喉痺肩痛臂不舉癭氣

天府〇禁灸針四分留七呼主暴痺口鼻衄血中風邪泣出喜忘喘息寒熱瘧目眩遠視䀮々癭氣

俠白〇針三分灸五壯主心痛短氣乾嘔逆煩滿

尺澤〇手太陰肺脉所入為合水肺實瀉之針三分留三呼灸五壯主肩臂痛汗出中風小便數善嚏悲哭寒熱風痺臑肘攣手臂不舉喉痺上氣嘔吐口乾咳嗽四肢腹腫心疼短氣肺膨脹心煩悶少氣腰脊強痛小兒慢驚風

孔最〇灸五壯針三分主熱病汗不出咳逆肘臂厥痛屈伸難手不及頭指不握吐血失音咽腫頭痛

列缺〇手太陰絡別走陽明針二分留五呼瀉五吸灸七壮主偏風口面喎斜手腕無力半身不遂掌中熱口噤不開寒熱瘧嘔沫咳嗽善笑縱唇口健忘溺血精出陰莖痛小便熱癇驚妄見面目四肢腫胸背寒慄少氣不足以息尸厥

经渠〇肺脉所行為经金針入二分留三呼禁灸灸傷神明主瘧寒熱胸背拘急胸滿膨喉痺掌中熱咳逆上氣傷寒熱病汗不出暴痺喘促心痛嘔吐

太淵一名太泉肺脉所注為俞土肺虚補之难经曰脉會太淵寸口者脉之大要會灸三壮針二分留三呼主胸痺氣逆善噦嘔飲水咳嗽煩悶不得眠肺脹膨臂內廉痛目生白翳眼痛赤乍寒乍熱缺盆中引痛掌中熱数欠肩背痛寒喘不得息噫氣上逆心痛脉澀咳血嘔血振寒咽乾狂言口噼溺色变遗矢無度

魚際○肺脉所溜為荥火針二分留二呼禁灸主酒病悪風寒虛熱舌上黄身熱頭痛欬嗽喘寒慄汗不出痺走胸背痛不得息目眩心煩少氣腹痛不下食肘攣肢滿喉中乾燥寒慄鼓頷欬引尻痛溺出嘔血心痺悲乳癰

商○肺脉所出為井木宜以三稜針刺之微出血臟泄諸熱不宜灸主頷腫喉閉煩心善噦心下滿汗出而寒欬逆痎瘧振寒腹滿唾沫唇乾引飲不下手攣指痛掌熱寒慄鼓頷喉中鳴小兒乳蛾

唐刺史成君綽忽頷腫大如斗喉中閉塞水粒不下三日甄权以三稜針刺之微出血立愈瀉臟熱也

素注留一呼明堂灸三壮甲乙灸一壮

手陽明经治病各穴　大腸屬庚金

商陽一名絶陽手陽明大腸脉所出為井金銅人針一分灸三壮留一

呼主胸中氣滿喘欬支腫目育熱病汗不出耳鳴聾寒熱痎瘧
口乾頤頷腫齒痛惡寒肩背急相引缺盆中痛灸三壯左取右
右取左如食頃立已

二間 一名間谷手陽明大腸脉所溜為滎水大腸實瀉之銅人針三分
留六呼灸三壯主喉痺頷腫肩背痛振寒鼻鼽衄血多驚齒痛
目黃口乾口喎飲食不通傷寒水結

三間 一名少谷手陽明大腸脉所注為俞木銅人針三分留三呼灸三
壯主喉痺咽中如梗下齒齲痛嗜臥胸腹滿腸鳴洞泄寒熱瘧
唇焦口乾氣喘目眥痛吐舌戾頸喜驚多唾

合谷 一名虎口手陽明大腸脉所过為原虛實皆拔之銅人針三分留
六呼灸三壯主傷寒大渴脉浮在表發熱惡寒頭痛脊強無汗
寒熱瘧鼻衄不止熱病汗不出目視不明生白翳頭痛下齒齲

耳聾喉痺面腫唇吻不收瘖不能言口噤不開偏風風疹痂疥偏正頭痛腰脊內引痛小兒單乳鵝按合谷婦人妊娠可瀉不可補々即墮胎詳見太陰脾經三陰交下

陽谿一名中魁手陽明大腸脉所行為經火銅人針三分留七呼灸七壯主狂言喜笑見鬼熱病煩心目風赤爛有翳厥逆頭痛胸滿不得息寒熱瘧疾寒嗽嘔沫喉痺耳鳴耳聾驚掣肘臂不舉痂疥

偏歷○手陽明絡別脉走太陰銅人針三分留七呼灸三壯主肩髆肘腕痠痛瞇目睆々齒痛鼻衄寒熱瘧癲疾多言咽喉乾喉痺耳鳴風汗不出利小便實則齲聾瀉虛則齒寒痺膈補之

溫溜一名逆注一名池頭銅人針三分灸三壯主腸鳴腹痛傷寒噦逆噫鬲中氣閉寒熱頭痛喜笑狂言見鬼吐涎沫風逆四肢腫吐舌口

舌痛喉痺

下廉〇銅人針針五分留五呼灸三壯主飧泄勞瘵小腹滿小便黄便血狂言偏風熱風冷痺不遂風濕痺小腸氣不足面無顏色痃癖脇腹痛滿食不化喘息不能行唇乾涎出乳癰

上廉〇銅人針針五分灸五壯主小便難赤黄腸鳴胸痛偏風半身不遂骨髓冷手足不仁喘息腦風頭痛

三里一名手三里 銅人針二分灸三壯主霍亂遺矢失音齒痛頰頷腫瘰癧手臂不仁肘攣不伸中風口噼手足不隱

曲池〇手陽明大腸脈所入為合土素注針五分留七呼銅人刺七分得氣先瀉後補灸三壯明堂日灸七壯至二百壯且停十餘日更灸至二百壯主繞踝風手臂紅腫肘風偏痛風半身不遂惡風邪氣泣出喜忘風癮疹喉痺不能言胸中煩滿臂膊疼

痛筋缓捉物不得挽弓不開屈伸难風痺肘細無力伤寒餘熱不尽皮膚乾燥瘈瘲癫疾攣痛痒如虫嚙皮脱作瘡皮膚痂疥婦人經脉不通

肘髎○灸三壮針三分主風勞嗜卧肘節風痺臂痛不舉屈伸攣急麻木不仁

五里○銅人灸三壮素問禁針主風寒驚恐吐血欬嗽肘臂痛嗜卧四肢不得動心下脹滿上氣身黄時有微熱瘰癧目視䀮䀮痎瘧

臂臑○手陽明絡手足太陽陽維之会銅人針三分灸三壮明堂宜灸不宜針日灸七壮至二百壮若針不得过三五分主寒熱臂痛不得舉瘰癧頸項拘急

肩髃一名中肩井一名偏肩 手陽明陽蹻之会銅人灸七壮至二七壮以差

為度若灸偏風灸七七壯不宜多恐手臂細若風病筋骨無力久不差灸不畏細然灸不及針以平手取其穴主中風手足不隨偏風々痹風痿風病半身不遂熱風中肩熱頭不可回顧肩臂疼々痛臂無力

巨骨〇手陽明陽蹻之会銅人針一寸半灸五壯明堂灸三壯至七壯素註禁針々則倒懸一食頃乃得下針々四分瀉之勿補針出始得正臥明堂灸三壯主驚癇破心吐血臂膊痛胸中有瘀血肩臂不得屈伸

天鼎〇素註針四分銅人灸三壯針三分明堂灸七壯主暴瘖氣硬喉痹嗌腫不得息飲食不下喉中鳴

扶突一名水穴灸三壯針三分素註針四分咳嗽多唾上氣喘息喉中如水鷄声暴瘖氣硬

禾髎一名長顪手陽明脉氣所発銅人針三分禁灸主尸厥及口不可
開鼻瘡息肉鼻塞不聞香臭鼽衄不止
迎香○手足陽明之会針三分留三呼禁灸主鼻塞不聞香臭偏
風口喎面痒浮腫状如虫行唇腫痛喘息不利鼻塞多涕鼽衄
鼻有息肉

足陽明経治病主穴 胃属戊土○是経多氣多血

頭維○足陽明少陽二脉之会銅人針三分素註針五分禁針主
頭痛如破目痛如脱目瞤目風淚出偏風視物不見
下関○足陽明少陽之会素註針三分留七呼灸三壮銅人針三
分得氣即瀉禁灸主耳有膿汁偏風口目喎牙車脱臼牙齦腫
處張口以三稜針出膿血多含塩湯即不畏風
頬車一名机関銅人針四分得氣即瀉日灸七壮止七七壮炷如
一名曲牙

灸大明堂灸三壮素註針三分主中風牙関不開口噤不語失音牙車疼痛頷頰腫牙不可嚼物頸強不得回顧口眼喎

承泣○足陽明陽蹻脉任脉之会銅人灸三壮禁針々之令人目烏色明堂針四分半不宜灸々後令人目下大如拳息肉日加如桃至三十日定不見物資生云当不針不灸主目令淚出童子痒远視𥈭々昏夜無見目瞤動與項口相引口眼喎斜

四白○素註針四分甲乙銅人針三分灸七壮凡用針穩当方可下針刺太深令人目烏色主頭痛目眩目赤痛淚流不明目痒目生翳口眼喎僻不能言

巨髎○手足陽明陽蹻脉之会銅人針三分得氣即瀉灸七壮明堂灸七七壮主瘈瘲唇腫痛口喎僻目障無見青盲無見远視𥈭々膜翳覆瞳子面風鼻頗腫癰痛脚氣膝腫

地倉○手足陽明陽蹻脉之会銅人針三分明堂針三分半留五呼得氣即瀉可灸二七壮重者七七壮炷如粗釵股脚大艾炷若大口轉喎却灸承漿七七壮即愈主偏風口喎目不得閉脚腫失音不語飲水不收水漿漏落眼瞤動不止瞳手痒远視䀮々昏夜無見病左治右病右治左宜頻針灸以取尽風氣口眼过斜以正為度

大迎○素註針三分留七呼灸三壮主風痉口噤不開唇吻瞤動頬腫牙疼瘰癧口喎齒齲痛数久氣悪寒舌強不能言風壅面浮腫目痛不能開

人迎一名五会足陽明少陽之会滑氏曰古以侠喉两旁為氣口人迎至晋王叔和直以左右手寸口為人迎氣口銅人禁針明堂針四分素註刺过深殺人主吐逆霍乱胸中滿喘呼不得息咽喉

癰腫瘰癧

水突一名水门銅人針三分灸七壯主欬逆上氣咽喉癰腫呼吸短氣喘息不得卧

氣舍○銅人針三分灸三壯主欬逆上氣頸項強不得回顧喉痺哽噎咽腫不消癭瘤

缺盆一名天蓋銅人針三分灸三壯素註針三分留七呼不宜太深々則使人逆息素問刺穴中内陷氣泄令人喘欬主息奔胸滿喘急水腫瘰癧喉痺汗出寒熱缺盆中腫外潰則生胸中熱滿傷寒胸熱不已

氣户○銅人針三分灸五壯主欬逆上氣胸背痛欬不得息不知味胸脇支滿喘急

庫房○銅人針三分灸五壯主胸脇滿咳逆上氣呼吸不至息唾

膿血濁沫

屋翳〇素註針四分銅人針三分灸五壯主欬逆上氣憂怒鬱悶脇氣消沮肝氣橫逆遂成結核如棋子不痛不痒十數年後爲瘡名曰奶岩以瘡形如嵌凹似岩穴也不可治矣若於死生之际能消息病根使心清神安然後醫治庶有可安之理

膺窗〇銅人針四分灸五壯主胸滿短氣唇腫腸鳴泄瀉乳癰寒熱臥不安

乳根乳根乳中接銅人針三分灸五壯素註針四分灸三壯主胸下滿悶胸痛高氣不下食噎痛臂痛腫乳癰欬逆霍乱轉筋四厥

不容不容乳根接銅人灸五壯明堂灸三壯針五分素註針八分主腹滿痃癖吐血肩脇痛口乾心痛肩背相引痛喘咳不嗜食腹虛鳴

承滿（承滿在梁門上）銅人針三分灸五壯明堂三壯主腸鳴腹脹上氣喘逆食飲不下肩息唾血

乳中（乳中接屋翳）禁灸々則生蝕瘡々中有濃血清汁可治瘡中有息肉若蝕瘡者死丹溪曰乳房陽明胃所經乳頭厥陰肝所屬乳子之母不知調養忿怒所逆鬱悶所遏厚味所釀以致厥陰之氣不行竅不得通汁不得出陽明之血沸騰熱甚化膿亦有所乳之子膈有滯痰口氣焮熱含乳而睡熱氣所吹遂生結核初起時便須忍痛揉令稍軟吮令汁透自可消散失此不治必成癰癤若加以艾火兩三壯其效尤捷

梁門（梁門接承滿）銅人針三分灸五壯主脇下積氣食飲不思大腸滑泄完穀不化

關門〇銅人針八分灸五壯主善滿積氣腸鳴卒痛泄利不欲食

腹中氣走俠臍急痛身腫痰瘧脹寒遺溺

太乙○銅人灸五壯針八分主癲疾狂走心煩吐舌

滑肉門○銅人灸五壯針八分主癲狂嘔逆吐舌々強

天樞一名長谿一名谷門乃大腸之募銅人灸百壯針五分留十呼千金云魂魄之舍不可針素註針五分留一呼主奔豚泄瀉赤白痢水利不止食不下水腫腹脹腸鳴上氣衝胸不能久立久積冷氣繞臍切痛煩滿嘔吐霍亂傷寒飲水過多腹脹氣喘婦人女子癥瘕血結成塊漏下赤白月事不時

外陵○銅人灸五壯針三分主腹痛心下如懸下引臍痛

大巨○銅人針五分灸五壯素註針八分主小腹脹滿煩渴小便難癀疝偏枯股不收驚悸不眠

水道○銅人灸五壯針三分半素註針二分半主腰背強急膀胱

有寒三焦結熱婦人小腹脹滿痛引陰中胞中瘕子門寒大小便不通

歸來○銅人灸五壯針五分素註針八分主小腹奔豚卵上入腹引莖中痛七疝婦人血臟積冷

氣冲一名氣街衝脉所起銅人灸七壯炷如大麦禁針明堂針三分留七呼氣至即瀉灸三炷主腹滿不得正卧㿗疝大腸中熱身熱腹痛大氣石水陰莖痿痛兩丸騫痛小腹奔豚腹有逆氣上攻心腹脹滿上搶心痛不得息腰痛不得俛仰吐血多不愈以三稜針氣冲血出立愈

髀關○銅人針六分禁灸主腰痛足麻木膝寒不仁痿痺股内筋絡急不屈伸小腹引喉痛

伏兔○脉絡所会也主治膝冷不得温風勞痺手攣縮身癮疹腹

痛少氣頭重腳氣婦人下部諸疾銅人針五分禁灸
陰市一名陰鼎銅人針三分禁灸主腳腰如冷水膝寒痿痺不仁不屈
伸卒寒疝力痿少氣小腹痛脹滿
梁邱○銅人灸三壯針三分明堂針五分主腳膝腰痛冷痺不仁
難屈伸足寒大驚乳腫痛
犢鼻○素註針六分銅人針三分灸三壯素問刺犢鼻出液為跛
主膝中痛不仁難跪起腳氣膝臏腫潰者不可治不潰者可治
若犢鼻堅硬勿便攻先洗熨微刺之愈
三里○足陽明胃脈所入為合土素註刺一寸灸三壯銅人灸三
壯針五分明堂針八分留十呼瀉七吸日灸七壯止百壯千金
灸五百壯少亦一二百壯主胃中寒心腹脹滿腸鳴臟氣虛敗
真氣不足腹痛食不下大便不通心悶不已卒心痛腹有逆氣

上攻腰痛不得俯仰小氣腸四肢滿膝胻痠痛目不明產婦血暈華陀云主五勞羸瘦七傷虛乏胸中疾血乳癰千金翼云主腹中寒脹滿腸中雷鳴氣上衝胸又氣逆霍亂者取三里氣乃下止不下復治

上廉一名上巨虛　銅人灸三壯針三分明堂針八分得氣即瀉灸七壯主臟氣不足偏風脚氣腰腿手足不仁脚脛痠痛屈伸難不久立風水膝腫骨髓冷疼大腸冷食不化飧泄夾臍腹兩脇痛腸中切痛雷鳴氣上衝胸喘息不能行

條口○銅人針五分明堂針八分灸三壯主足麻木風氣足下熱不能久立足寒膝痛脛寒濕痺脚痛胻腫轉筋足緩不收

下廉一名下巨虛　銅人針八分灸三壯素註針三分明堂針六分得氣即瀉甲乙灸七七壯主小腸氣不足面無顏色偏風腿痿足不

癁 地热風冷痺不遂風湿痺喉痺胃中热不嗜食泄膿血胸脇小腹控睪而痛女子乳癰足附不收跟痛

丰隆〇足陽明经别走太陰銅人針三分灸三壮明堂灸七壮主厥逆大小便难怠惰腿膝痠屈伸难胸痛如刺腹若刀切痛風痰頭痛四肢腫足冷身寒湿氣逆則喉痺卒瘖寔則癲狂瀉之虚則足不收胫枯補之

解谿〇足陽明胃脉所行為经火銅人灸三壮針五分留三呼主風面浮腫顏黑厥氣上衝腹脹大便下重瘈驚膝股胻腫轉筋目眩頭痛癲疾煩心悲泣霍乱頭風面赤目赤眉攢痛不可忍

冲陽〇足附上五寸去陷骨二寸骨間動脉足陽明所过為原胃虚实皆拔之素註針三分留十呼素問刺足跗上動脉血出不止死銅人針三分灸五壮主偏風口眼喎跗腫齒齲發热寒腹

堅大不嗜食伤寒病振寒而欠

陷谷○足陽明胃脉所注為俞木銅人針三分素註針五分留七呼灸三壮主面目浮腫及水病善噫腸鳴腹痛熱病無度汗不出振寒瘧疾

內庭○銅人灸三壮針三分留十呼主四肢厥逆腹脹滿數欠悪聞人声振寒咽中引痛口喎上齒齲瘧不嗜食鼻衄不止伤寒手足逆冷汗不出赤白痢

厲兑○足陽明胃脉所出為井金胃実瀉之銅人針一分灸一壮主尸厥口噤氣绝狀如中悪心腹脹滿水腫熱病汗不出寒瘧不嗜食面腫足胻寒喉痺上齒齲多驚好卧狂欲登高而歌棄衣而走

足太陰经治病主穴　脾屬己土○是经少血多氣

隱白○脾脉所出為井木素註針三分留三呼銅人針三分灸三壯主腹脹喘滿不得安卧嘔吐食不下胸中熱暴泄衄血尸厥不識人足寒不能溫婦人月事过時不止小兒客忤慢驚風

大都○脾脉所溜為榮火脾虛補之銅人針三分灸三壯主熱病汗不出不得卧身重骨疼傷寒手足逆冷腹滿悶乱吐逆腰痛可俛仰胃心痛心蚘痛小兒忤客

太白○脾脉所注為俞土銅人針三分灸三壯主身熱胸滿腹脹食不化嘔吐泄瀉膿血腰痛大便難氣逆霍亂腹中切痛腸鳴膝股䯒痠轉筋身重骨痛

公孫○足大陰絡脉别走陽明胃经銅人針四分灸三壯主寒瘧不嗜食癇氣好太息多寒熱汗出病至則善嘔々已乃衰實則腸中切痛瀉之虛則鼓脹補之

商丘○脾脉所行為经金脾实瀉之銅人灸三壮針三分主腹脹腸中鳴不便脾虛令人不樂身寒善太息心悲阴股内痛狐疝走上下引小腹痛不可俛仰脾積痞氣黃疸体重節痛怠惰嗜卧婦人絶子小兒慢風

三阴交○足太阴厥阴小阴之会銅人針三分灸五壮主脾胃虛弱心腹脹滿不思飲食脾痛身重四肢不舉小便不利阴茎痛足痿不能行疝氣小便遺呵欠頰車蹉開張口不合小兒客忤婦人臨经行房羸瘦癥瘕妊娠胎動横生産後悪露不行去血过多血崩暈不省人事如经脉塞閉不通瀉之立通経脉虛耗不行者補之按宋太子出苑逢妊婦診曰女徐文伯曰一男一女太子性急欲視文伯瀉三阴交補合谷胎應針而下果如文伯之診後世遂以三阴交合谷為妊婦禁針然文伯瀉三阴交

補合谷而墮胎今獨不可補三陰交瀉合谷而安胎乎蓋三陰交腎肝脾三脉之交会主陰血々当補不当瀉合谷為大腸之原大腸為肺之腑主氣当補文伯瀉三陰交以補合谷是血衰氣旺也今補三陰交瀉合谷是血旺氣衰矣

漏谷一名太陰絡　銅人針三分禁灸主腸鳴腹脹滿急痃癖冷氣飲食不為肌膚膝痺足不能行

地机一名脾舍足太陰郄別走長一寸有空銅人灸三壯針三分主脾痛不可俛仰溏泄腹脇痛水腫腹堅不嗜食小便不利精不足女子癥瘕按之如湯沃股內至膝

陰陵泉〇足太陰脾脉所入為合水銅人針五分主腹中寒不嗜食脇下滿水脹腹堅喘逆不得臥腰痛不可俯仰霍乱疝瘕遺精尿失禁不自知小便不利氣淋寒熱不節陰痛胸中熱暴泄

飧泄

血海○銅人針五分灸三壯主氣逆腹脹女子漏下惡血月事不調

箕門○銅人灸三壯主淋小便不通遺溺鼷鼠腫痛

衝門一名上慈宮銅人針五分灸五壯主風寒氣滿腹中積聚陰疝婦人难乳妊娠子冲心不得意

府舍○足太陰厥陰陰維之会三脉上下入腹絡脾肝結心肺從脇上至肩此太陰郄三陰陽明之別銅人灸五壯針七分主疝瘕腹中急痛循脇上下搶心腹滿積聚厥氣霍亂

腹結一名腸屈銅人針七分灸五壯主中寒瀉痢心痛欬逆

大横○足太陰陰維之会銅人針七分灸五壯主大風逆氣多寒善悲四肢不可舉動多汗洞痢

腹哀○足太阴々维之会銅人針三分主寒中食不化大便濃血腹中痛

食竇○銅人針三分灸五壮主胸脇支滿膈間雷鳴常有水声

天谿○銅人針四分灸五壮主胸中滿痛欬逆上氣喉中作声婦人乳腫潰癰

胸鄉○銅人針四分灸五壮主胸脇支滿引胸背痛不得卧轉側难

周荣○銅人針四分主胸脇支滿不得俛仰食不下喜飲欬唾穢膿

大包○脾之大絡總统阴陽諸絡由脾灌溉五臟灸三壮針七分主胸脇中痛喘氣実則身尽痛泻之虚則百節皆縱補之

手少阴经治病主穴　心属丁火○是经少血多氣

極泉○銅人針三分灸七壯主臂肘厥寒四肢不收心痛乾嘔煩
渴目黃脇滿痛悲愁不樂

青灵○銅人灸七壯明堂灸三壯主目黃頭痛振寒脇痛肩臂不
擧不能帶衣

少海一名曲節手少陰心脉所入為合水銅人針三分灸三壯甄權云
不宜灸針五分甲乙針二分留三呼瀉五吸不宜灸素註灸五
壯資生云数說不同要之非大急不灸主寒熱齒齲痛目眩發
狂嘔吐涎沫項不得回顧肘攣脇腋下痛四肢不得擧腦風頭
痛氣逆噫噦瘰癧心疼手顫健忘

灵道○手少陰心脉所行為経金銅人針三分灸三壯主心痛乾
嘔悲恐瘈瘲肘攣暴瘖不能言

通里○手少陰心脉之絡別走太陽小腸経銅人針三分灸三壯

明堂灸七壯主目眩頭痛熱病先不樂數日懊憹數欠面熱無汗暴瘖不言目痛心悸肘臂痛腫少氣遺溺婦人精血過多實則支滿膈腫瀉之虛則不能言補之

陰郄○銅人針三分灸七壯主鼻衄吐血洒淅畏寒厥逆氣驚心痛霍亂胸中滿

神門一名銳冲一名中都手少陰心脉所注為俞土心實瀉之銅人針三分留七呼灸七壯主瘧心煩欲得冷飲惡寒則欲處溫中咽乾不嗜食心痛數噫恐悸少氣不足腋痛喘逆身熱狂悲狂笑嘔血吐血振寒上氣遺溺失音心性癡呆健忘心積伏梁大小人五癎

少府○手少陰心脉所溜為榮火銅人針二分灸七壯明堂灸三壯主煩滿少氣悲恐畏人掌中熱臂痠肘腋攣急胸中痛手倦

不伸瘠瘧久不愈振寒陰挺出陰癢陰痛遺尿偏墜小便不利

少冲一名經始手少陰心脉所出為井木心虛補之銅人針一分灸三壯明堂灸一壯主熱病煩滿上氣嗌乾渴目黃臑臂內後廉痛心胸痛痰氣悲驚張潔古治前陰臊臭瀉肝行間後於此穴以治其標

手太陽經治病主穴 小腸屬丙火○是經多血少氣

少澤一名小吉手太陽小腸脉所出為井金素註灸三壯銅人灸一壯針一分留三呼主瘧寒熱汗不出喉痺舌強口乾心煩臂痛瘈瘲咳嗽口中涎唾頸項急不得回顧目生膚翳覆瞳子頭痛

前谷○手太陽小腸脉所溜為荥水銅人針一分留三呼灸一壯明堂灸三壯主熱病汗不出痎瘧癲病耳鳴頸項腫喉痺頰腫引耳後鼻塞不利咳嗽吐衄臂腫不得舉婦人產後無乳

後谿○手太陽小腸脉所注為俞木小腸虛補之銅人針一分留二呼灸一壯主瘧寒熱目赤生翳鼻衄耳聾胸滿頭項強不得回顧癲疾臂肘急攣痂疥

腕骨○手太陽小腸脉所过為原小腸虛实皆拔之銅人針三分留二呼灸三壯主熱病汗不出脇下痛不得息頸頷腫寒熱耳鳴目冷淚生翳狂惕偏枯肘不得屈伸瘖瘧頭痛煩悶驚風瘛瘲五指掣頭痛

陽谷○手太陽小腸脉所行為经火素註灸三壯針二分留三呼甲乙留二呼主癲疾狂走熱病汗不出脇痛頸頷腫寒熱耳聾耳鳴齒齲痛臂外側痛不舉妄言左右顧小兒瘈瘲舌強不嗍乳

養老○手太陽郄銅人針三分灸三壯主肩臂痠疼肩欲折臂如

拔手不能自上下目視不明

支正〇手太陽絡脉别走少陰銅人針三分灸三壮明堂灸五壮主風虚驚恐悲愁癲狂五労四肢虚弱肘臂攣难伸屈手不握十指尽痛実則節弛肘癈瀉之虚則生疣小如指痂疥補之

小海〇手太陽小腸脉所入為合土小腸実瀉之素註針二分留七呼灸三壮主頸頷肩臑肘臂外後廉痛寒熱歯齦腫風眩頸項痛瘍腫振寒肘腋痛腫小腹痛癇発羊鳴戾頸瘈瘲狂走頷腫不可回顧肩似拔臑似折耳聾目黄頰腫

肩貞〇銅人針五分素註針八分灸三壮主伤寒々熱耳聾耳鳴缺盆肩中熱痛風痺手足麻木不挙

臑俞〇手太陽々維陽蹻三脉之会銅人針八分灸三壮主臂痠無力肩痛引胛寒熱氣腫脛痛

天宗○銅人灸三壯針五分留六呼主肩臂痠疼肘外後廉痛頰頷腫

秉風○手太阳々明手足少阳四脉之会銅人灸五壯針五分主肩痛不能舉

曲垣○銅人灸三壯針五分明堂針九分主肩胛熱痛氣注

肩外俞○銅人針六分灸三壯明堂灸一壯主肩胛痛周痺寒至肘

肩中俞○素註針六分灸三壯銅人針三分留七呼灸十壯主咳嗽上氣唾血寒熱目視不明

天窻一名窻籠銅人灸三壯針三分素註針六分主痔瘻頸痛肩痛引項不可回顧耳聾頰腫喉中痛暴瘖不能言齒噤中風

天容○針一寸灸三壯主喉痺寒熱咽中如梗癭氣頸癰不可回

顱不能言胸痛胸滿不得息嘔逆吐沫齒噤耳聵耳鳴

顴髎 ○ 手太陽少陽之会素註針三分銅人針二分主口喎面赤目黄眼瞤動不止䪼腫齒痛

聽宮 一名多所聞 手足少陽手太陽三脉之会銅人針三分灸三壮明堂針一分甲乙針三分主失音癲疾心腹滿耳聵如物填塞無聞耳中嘈々憹々蝉鳴

足太陽治病主穴 膀胱屬壬水 ○ 是经多血少氣

睛明 一名淚孔 手足太陽足陽明陽蹻陰蹻五脉之会針一分半留三呼雀目者可久留針然後速出針禁灸主目視遠不明悪風淚出憎寒頭痛目眩内眥赤痛䀮々無見眥痒白翳努肉侵睛瞳子生瘴小兒疳眼大人冷淚

攢竹 一名始光一名員柱一名光明 素註針二分留六呼灸三壮銅人禁灸

分留三呼瀉三吸徐徐出針宜以細三稜針刺之宣泄熱氣三度刺目大明主目𥆧𥆧視物不明淚出目眩瞳子癢眼中[illegible]痛及臉瞤動不得臥

眉冲○針三分禁灸主五癇頭痛鼻塞

曲差○銅人針二分灸三壯主目不明鼽衄鼻塞鼻瘡心煩滿汗不出頭頂痛項腫身体煩熱

五處○銅人針三分留七呼灸三壯明堂灸五壯主脊強反折瘈瘲癲疾頭風熱目眩目不明目上戴不識人

承光○銅人針三分禁灸主風眩頭痛嘔吐心煩鼻塞不聞香臭口喎鼻多涕清目生白翳

通天○銅人針三分留七呼灸三壯主頸項轉側難癭氣鼻衄鼻窒鼻瘡鼻多涕清頭旋尸厥口喎喘息頭重暫起僵仆癭瘤

絡却一名強陽一名腦盖素註針三分留五呼銅人灸三壯主頭眩耳鳴狂走瘈瘲恍惚不樂腹脹青盲内障目無所見

玉枕〇銅人灸三壯針三分留三呼主目痛如脫不能远視内連系急頭風痛不可忍鼻窒不聞

天柱〇銅人針五分得氣即瀉明堂二分留三呼瀉五吸灸不及針日七壯至百壯内经灸三壯素註針二分留六呼主足不任身体肩背痛欲折目瞑視頭風鼻塞不聞項強不可回顧

大杼〇督脉别络手足太陽少陽之会難经曰骨会大杼疏曰骨病治此袁氏曰肩能負重以骨会大杼也銅人針五分灸七壯明堂禁灸下经素註針三分留七呼灸三壯資生云非大急不灸主膝痛不可屈伸伤寒汗不出腰脊痛胸中鬱鬱熱[illegible]不已頭風振寒項強不可俛仰痎瘧頭旋咳嗽風劳臭熱[illegible]

僵仆不能久立煩滿裏急身不安筋攣癲疾

風門一名熱府針五分素註針三分留七呼明堂灸五壯若頻刺泄諸陽熱氣背永不發癰疽灸五壯主發背癰疽身熱氣喘欬逆胸背痛風勞嘔吐多嚔鼻衄傷寒頭項强目眩胸中熱臥不安

肺俞○甲乙針三分留七呼得氣即瀉甄權灸百壯明堂灸三壯素問刺中俞三日死其動為咳主癭氣黄疸勞瘵腰背强痛寒熱喘滿傳尸骨蒸肺痿咳嗽嘔吐支滿不嗜食背僂肺中風

厥陰俞○銅人針三分灸七壯主咳逆牙痛心痛胸滿嘔吐留氣結煩悶或曰臟腑皆有俞在背獨心絡包無俞何也曰厥陰俞即心包絡俞也

心俞○銅人針三分留七呼得氣即瀉不可灸明堂灸三壯資生云刺中心一日死其動為噫豈可妄針千金言中風心急灸心

俞百壮当权其缓急可也主偏風半身不遂心氣亂恍惚心中風偃卧不得傾側汗出唇赤狂走發癇語悲泣心胸悶亂欬吐血黄疸鼻衄小兒心氣不足數岁不語

膈俞○难经曰血会膈俞疏曰血病治此盖上則心俞心生血下則肝俞肝藏血故膈俞為血会又足太陽多血血乃水之象也銅人針三分留七呼灸三壮素問刺中膈皆為傷中其病难愈不过一岁必死主心痛周痺吐食翻胃骨蒸四肢怠惰嗜卧痃癖欬逆嘔吐鬲胃寒痰食飲不下热病汗不出身重常温不能食々則心痛身痛䐜脹脇腹滿自汗盗汗

肝俞○经曰東風伤於春病在肝銅人針三分留六呼灸三壮明堂灸七壮素問刺中肝五日死其動為欠主多怒黄疸鼻痠热病後目暗淚出千金云欬引兩脇急痛不得息轉側难而下

與脊相引而反折目戴上驚狂衄欬引胸中痛寒疝小[illegible]痛

唾血短氣

胆俞〇銅人針五分留七呼灸三壯明堂針三分甲經灸五壯素問刺中胆一日半死其動為嘔主頭痛振寒汗不出腋下腫脹口苦舌乾咽痛嘔吐骨蒸勞熱食不下目黃

脾俞〇銅人針三分留七呼灸三壯明堂灸五壯素問刺中脾十日死其動為吞主腹脹引胸背痛多食身瘦痃癖積聚脇下滿泄利痰瘧寒熱水腫氣脹黃疸善欠不嗜食

胃俞〇銅人針三分留七呼灸隨年為壯明堂灸三壯下經灸七壯主霍乱胃寒腹脹而鳴翻胃嘔吐不嗜食多食羸瘦目不明腹痛胸脇支滿脊痛筋攣小兒羸瘦不生肌膚

三焦俞〇銅人針五分留七呼灸三壯明堂針三分灸五壯主腰

腑積聚脹滿瘦羸不能飲食傷寒頭痛飲食吐逆肩背急腰脊強不得俯仰水穀不化腹脹腸鳴目眩頭痛

腎俞○銅人針三分留七呼灸以年為壯明堂灸三壯素問刺中腎六日死其動為嚏主虛勞羸瘦腎虛水臟久冷心腹填滿脹急引小腹急痛小便淋目視䀮䀮少氣溺血小便濁出精夢泄腎中風踞坐而腰痛消渴五勞七傷虛憊腳膝拘急腰寒如冰女人積冷氣成勞乘經交接羸瘦寒熱往來

氣海俞○主腰痛痔漏針三分灸五壯

大腸俞○銅人針三分留六呼灸五壯主脊強不得俯仰腰痛腹中氣脹繞臍切痛多食羸瘦腸鳴大小便不利洞泄食不化小腹絞痛

關元俞○主風勞腰痛泄痢虛脹小便難婦人瘕聚諸疾

小腸俞○銅人針三分留六呼灸三壯主膀胱三焦津液少小便赤不利小腹脹滿疞痛泄利膿血脚腫五痔頭痛虛乏消渴口乾不可忍婦人帶下

膀胱俞○銅人針三分留六呼灸三壯明堂灸七壯主風勞脊急強小便赤黃遺溺陰生瘡脛寒拘急不得屈伸腹滿大便難泄利腹痛脚膝無力女子瘕聚

中膂俞○一名脊内俞銅人針三分留十呼灸三壯明堂云腰痛俠脊裏痛上下按之從項至此穴痛皆宜灸主腎虛消渴腰脊不得俯仰腸痛赤白痢疝痛汗不出腹脹脇痛

白环俞○素註針五分得氣即先瀉々訖多補之不宜灸明堂云灸三壯主手足不仁腰脊痛疝痛大小便不利腰脊冷疼不得久卧勞虛損風腰背不便筋攣臂縮虛熱閉塞

上髎〇足太阳少阳之络銅人針三分灸七壯主大小便不利呕逆膝冷痛鼻衄寒熱瘧阴挺出婦人白淫絕嗣大理趙卿患偏風不能起跪甄权針上髎环跳陽陵泉巨虛下廉即能起跪八髎總治腰痛

次髎〇銅人針三分灸七壯主小便赤淋腰痛不得轉摇急引阴氣痛不可忍腰以下至足不仁心下堅脹疝氣下墜腸鳴注瀉偏風婦人赤白帶下

中髎〇足厥阴少阳之会銅人針二分留十呼灸三壯注大小便不利腹脹下利五勞七伤六極大便难小便淋瀝飧泄婦人絕子帶下月事不調

下髎〇銅人針二分留十呼灸三壯主大小便不利腸鳴注瀉寒溼内伤大便下血女子淋濁不禁腰痛引小腹急痛

會陽一名利机銅人針八分灸五壯主腹中寒氣泄瀉腸澼下血陰汗濕陽氣虛乏久痔

附分○手足太陰之会銅人針三分素註刺八分灸五壯主肘不仁肩背拘急風客於腠理頸痛不得回顧

魄户○銅人針五分得氣即瀉又宜久留針日灸七壯至百壯素註五壯主背膊痛虛勞肺痿項強急不得回顧喘息欬逆嘔吐煩滿

膏肓俞○銅人灸百壯至灸五百当覺礱々然似水流之狀亦当有所下若無停宿飲則無所下也如病人已困不能正坐当令側卧挽上臂令取穴灸之又当灸臍下氣海丹田関元中極四穴中取一穴又灸足三里以引火氣直下主無所不療羸瘦虛損傳尸骨蒸夢中失精上氣咳逆發狂健忘痰病

神堂○銅人針三分灸五壯明堂灸三壯素註針五分主腰背脊強急不可俯仰洒淅寒熱胸滿氣逆上攻時噎

譩譆○素註針七分銅人針六分留三呼瀉五吸灸二七壯止百壯明堂灸五壯主大風熱汗不出勞損不得臥溫瘧寒瘧背悶氣滿腹脹胸中痛引腰脊腋痛目眩目痛鼻衄喘逆臂髆內廉痛不得俯仰小兒食時頭痛五心熱

膈關○銅人針五分灸三壯主背痛惡寒脊強俯仰難食飲不下腹中雷鳴大便不利小便黃嘔噦多涎唾胸中噎悶

陽綱○銅人針五分灸三壯下經灸七壯主腸鳴腹痛飲食不下小便赤澁腹脹身熱大便不節泄痢赤黃不嗜食怠惰

意舍○銅人針五分灸五十壯至百壯明堂灸五十壯下經灸七壯素註灸二壯甲乙灸三壯針五分主腹滿虛脹大便滑泄小

便赤黄背痛惡風寒飲食不下嘔吐消渴身熱目黄
胃倉○銅人針五分灸五十壯甲乙灸三壯主腹滿虛脹水腫食
飲不下惡寒背脊痛不得俯仰
肓門○銅人灸三十壯針五分主心下痛大便堅婦人乳疾
志室○銅人針九分灸三壯明堂灸七壯主陰腫陰痛背痛腰乱
强直俯仰不得飲食不消夢遺失精淋瀝吐逆兩脇急痛霍乱
胞肓○銅人針五分灸五七壯明堂灸三七壯甲乙灸三壯主腰
脊急痛食不消腹堅結腸鳴大小便癃閉下腫
秩边○銅人針五分明堂灸三壯針三分主五痔發腫小便赤腰
痛
承扶一名肉郄一名陰關一名皮部銅人針七分灸三壯主腰脊相引如解久痔
尻臀腫大便難陰寒小便不利

殷門○銅人針七分主腰脊不可俛仰惡血泄注外股腫

浮郄○銅人針五分灸三壯主霍亂轉筋小腸熱大腸結脛外筋急髀樞不仁小便熱大便結

委陽○穴在足太陽之前少陽之後出於膕中外廉兩筋間三焦下輔俞足太陽之别絡素註針七分留五呼灸三壯主腋下腫痛胸滿膨々筋急身熱瘈瘲不仁小便淋瀝

委中一名血郄足太陽膀胱脉所入為合土素註針五分留七呼銅人針八分留三呼瀉不吸甲乙針五分禁灸素問刺委中大脉令人仆脫色主膝痛及拇指腰俠脊沉々然遺溺腰重不能舉小腹堅滿髀樞痛可出血痼疹皆愈傷寒四肢熱々病汗不出取其经血立愈委中者血郄也大風髮眉墮落刺之出血

合陽○銅人針六分灸三壯主腰脊强引腹痛陰股熱胻痠腫步

履难寒疝阴偏痛女子崩中带下

承筋一名端腸 一名直腸銅人灸三壯禁針主腰背拘急大便秘腋腫痔瘡痺不仁腨痠腳急跟痛腰痛鼻衄鼽霍乱轉筋

承山一名魚腹 一名肉柱銅人灸五壯針七分明堂針八分得氣即瀉速出針灸不及針止六七壯下經灸五壯主大便不通轉筋痔腫戰慄不能立腳氣腳跟痛霍乱伤寒水结

飛揚一名厥陽足太陽脈络别走少阴銅人針三分灸三壯明堂灸五壯主痔腫痛起坐不能腳腨痠腫戰慄不能久立久坐足指不能屈伸目眩痛歷節風癲疾寒瘧实則腰背痛瀉之虚則鼽血補之

附陽〇陽蹻脈郄銅人針五分灸三壯留七呼素註針六分留七呼灸三壯明堂灸五壯主霍乱轉筋腰痛不能久坐々不能起

髀枢股胻痛痿厥風痺不仁頭重顣痛時有寒熱四肢不举

崑崙○足太陽膀胱所行為経火素註針五分留十呼銅人針三分灸三壮姙婦刺之落胎主腰尻脚氣足腨腫不能履地鼽衄膕如結踝如裂頭痛肩背急拘欬喘満腰脊内引痛胠腫痛目眩痛如脱瘧汗多心中痛與背相接婦人胞衣不出小兒発癲瘈瘲

僕参一名安邪陽蹻之本銅人針三分灸七壮明堂灸三壮主足痿失履不收足跟痛不得履地霍乱轉筋吐逆尸厥癲癇狂言見鬼脚氣膝腫

申脉即陽蹻　陽蹻脉所出銅人針三分留七呼灸三壮主風痃腰脚痛胻痠不能久立腰髖冷痺脚膝屈伸難婦人血氣痛潔古曰癇病晝発灸陽蹻

金門一名梁關足太陽郄陽維別屬銅人針一分灸三壯主霍亂轉筋尸厥癲癇暴疝膝胻痠身戰不能久立小兒張口搖頭身反折炷如小麥大

京骨○足太陽脉所過為原膀胱虛實皆刺之銅人針三分留七呼灸七壯明堂五壯素註三壯主頭痛如破腰痛不可屈伸身後側痛目內眥赤爛目眩發瘧寒熱喜驚不欲食筋攣足胻髀樞痛頸項強腰背不可俛仰鼻鼽不止心痛目眩

束骨○足太陽脉所注為俞木膀胱實瀉之銅人灸三壯針三分留三呼主腰脊痛如折髀不可曲膕如結腨如裂耳聾惡風寒頭顖項痛目眩身熱目黃淚出肌肉動項強不可回顧目內眥赤爛腸澼泄痔瘧癲狂發背癰疽背生疔瘡

通谷○足太陽脉所溜為榮水銅人針二分留三呼灸三壯主頭

重目眩善驚引衄血項痛目䀮々留飲胸滿食不化失矢東垣曰胃氣下溜五臟氣亂在於頭取天柱大杼不足深取通谷束骨

至陰○足太陽脉所出為井金膀胱虛補之銅人針二分灸三壯素註針一分留五呼主目生翳鼻塞頭重風寒從足小指起脉痺上下胸脇痛無常處轉筋寒瘧汗不出煩心足下熱小便不利失精目痛大眥痛根結篇云太陽根於至陰結於命门命门者目也

足少陰经治病主穴　腎屬癸水○是经少血多氣

湧泉一名地衝 足少陰腎脉所出為井木實則瀉之針五分勿令出血灸三壯明堂灸不及針素註針三分留三呼主尸厥面黑如炭色欬吐有血渴而喘坐欲起目䀮々無所見善恐惕々如人將

捕之舌乾咽腫上氣嗌乾煩心心痛黄疸腸澼股内後廉痛痿厥嗜臥善悲欠小腹急痛泄而下重足胫寒而逆腰痛大便难心中結熱風癖風癇飢不嗜食咳嗽身熱喉痺胸脇滿悶頷痛目眩五指端盡痛足不踐地男子如蠱女子如娠婦人無子轉胞不得尿漢济北王阿母病患熱厥足熱淳於意剌足心立愈

然谷一名龍淵足少陰腎脈所溜為荥火銅人灸三壮針三分留五呼不宜見血令人立飢欲食剌足下布絡中脈血不出為腫主咽内腫不能出唾心恐懼如人將捕涎出喘呼少氣足跗腫不得履地寒疝小腹脹上搶胸脇欬唾血喉痺淋瀝白濁胻痠不能久立足一寒一熱舌縱煩滿消渴自汗盜汗出痿厥洞泄心痛如錐剌男子精泄婦人無子陰挺出月事不調陰痒初生小兒臍風口噤

太谿一名呂細足少陰腎脈所注為俞土素註針三分留七呼灸三壯
主、久瘧欬逆心痛如錐刺心脈沉手足寒至節喘息者死善噫
寒疝熱病汗不出默々嗜臥溺黃、大便難咽腫唾血痃癖寒熱
腹膝痛傷寒手足厥冷東垣曰成痿者以導濕熱引胃氣出行
陽道不令濕土尅腎水其穴在太谿
大鍾〇足少陰絡別走太陽銅人針二分灸三壯留七呼素註留
三呼主嘔吐胸脹喘息腹滿便難腰脊痛腹脊強嗜臥中、口熱
欲閉戶而處少氣不足舌乾咽中食噎不得下善驚恐不樂喉
中鳴欬唾氣逆煩悶實則閉癃瀉之虛則腰痛補之
水泉〇少陰郄銅人灸五壯針四分主目䀮々不能遠視女子月
事不來々即心下多悶痛陰挺出小便淋瀝腹中痛
照海〇陰蹻脈所生素註針四分留六呼灸三壯銅人針三分灸

針灸講義

七壮明堂灸三壮主咽乾心悲不樂四肢懈惰久瘧卒疝嘔吐嗜卧大風默々不知所痛小腹痛婦女经逆陰暴跳起或痒漉清汁小腹偏痛淋陰挺出月水不調潔古曰癇病夜发灸陰蹻照海穴也

復溜一名昌陽一名伏白 足少陰腎脉所行為经金腎虚補之素註針三分留七呼灸五壮明堂灸七壮主腸澼腰脊内引痛不得俯仰起坐目視䀮々善怒多言舌乾胃熱虫動涎出足痿不收腹脹如鼓四肢動五種水病血痔血淋骨寒熱盜汗汗注不止齒齲脉微細不見或時無脉

交信○陰蹻脉之郄銅人針四分留七呼灸三壮素註留五呼主氣淋㿉疝陰急陰汗瀉痢股樞内痛大小便难女子漏血不止陰挺出月水不来小腹偏痛四肢淫泆盜汗出

築賓〇陰維之郄銅人針三分留五呼灸五壯素註針三分灸五壯主小兒胎疝痛不得乳癲疾狂易恚言怒罵吐舌嘔吐涎沫足腨痛

陰谷〇足少陰腎脉所入為合水銅人針四分留七呼灸三壯主膝痛如錐不得屈伸舌縱涎下煩逆溺難小便急引陰痛陰痿股内廉痛婦人漏下不止腹脹滿不得息小便黄男子如蠱女子如娠

横骨〇足少陰衝脉之会銅人灸三壯禁針主五淋小便不通陰氣下縱引痛小腹滿目赤痛從内眥始五臓並端失精

大赫一名陰維一名陰關足少陰衝脉之会銅人灸五壯針三分素註針一寸灸三壯主虚帶失精男子陰器縮結茎中痛目赤痛從内眥始婦人赤帶

氣穴一名胞門一名子戶足少陰衝脈之会銅人灸五壮針三分素註針一寸灸五壮主賁豚氣引腰脊痛泄利不止目赤痛從内眥始婦人月事不調

四滿一名髓府足少陰衝脈之会銅人針三分灸五壮主積聚疝瘕腸澼大腸有水臍下切痛振寒目内眥赤痛婦人月事不調悪血疞痛奔豚上下無子

中注○足少陰衝脈之会銅人針一寸灸五壮主小腹有熱大便堅燥不利目内眥赤痛女子月事不調

肓俞○足少陰衝脈之会銅人針一寸灸五壮主腹切痛寒疝大便燥腹滿響々然不使心下有寒目赤痛從内眥始

商曲○足少陰衝脈之会銅人針一寸灸五壮主腹痛腹中積聚時切痛腸中痛不嗜食目赤痛從内眥始

石関○足少陰脈衝之会銅人針一分灸三壮主噦噫嘔逆腹痛氣
淅淅小便黄大便不通心下堅滿脊強不利多唾目赤痛從内眥
始婦人無子臓有悪血血上衝腹痛不可忍
陰都一名食宮足少陰衝脈之会銅人針三分灸三壮主身寒熱瘧病
心下煩滿逆氣腸鳴肺脹氣搶脇下熱痛目赤痛從内眥始
通谷○足少陰衝脈之会銅人針五分灸五壮明堂灸三壮主治
口喎暴瘖積聚痃癖胸滿食不化膈結嘔吐目赤痛不明清涕
項似拔不可回顧
幽門一名上门足少陰衝脈之会主治胸中引痛心下煩悶逆氣裡急
支滿不嗜食數欬乾噦嘔吐涎沫健忘洩痢膿血少腹脹滿女
子心痛逆氣善吐食不下
步廊○主治胸脇滿痛鼻塞少氣欬逆不得息嘔吐不食臂下得

攀

神封○主治胸脇滿痛欬逆不得息嘔吐不食乳癰洒淅惡寒

灵墟○主治同神封

神藏○主治同上

或中○主治欬逆喘息胸脇支滿多唾嘔吐不食神農經云治氣喘痰壅可灸十四壯、

俞府○主治欬逆上氣嘔吐不食胸中痛

一云熱嗽瀉之冷嗽補之

手厥陰經治病主穴 心包絡同臂扁癸 此是經多血少氣

天池一名天会 手足厥陰少陽之会 銅人灸三壯 針二分 甲乙針七分

主胸中有声胸膈煩滿熱病汗不出頭痛四肢不舉腋下腫上氣寒熱痎瘧臂痛目䀮々不明

天泉一名天湿銅人針六分灸三壮主目䀮䀮不明悪風寒心病胸脇
支满欬逆膺背胛間臂内廉痛
曲泽〇心包络脉所入為合水銅人灸三壮針三分留七呼主心
痛善驚身熱煩渴逆氣嘔涎血心下澹澹身熱風疹臂肘手腕
不得動揺頭清汗出不过肩伤寒逆氣嘔吐
郄門〇手厥陰心包络脉郄銅人針三分灸五壮主嘔血衄血心
痛嘔哕驚恐畏人神氣不足
間使〇心包络脉所行為经金素註針六分留七呼銅人針三分
灸五壮明堂灸七壮甲乙灸三壮主伤寒结胸心悬如飢卒狂
胸中澹澹悪風寒嘔沫怵惕寒中少氣掌中熱 腋肘挛心卒
痛多驚中風氣塞涎上昏危瘖不得語咽中如梗鬼邪霍乱乾
嘔婦人月事不調血结瘕塊小儿客忤

内關○手心主之絡别走少陽銅人針五分灸三壯主手中風熱失志心痛目赤支滿肘攣实則心暴痛瀉之虚則頭强補之

大陵○手厥陰心包絡脈所注為俞土心包絡实瀉之銅人針五分素註針六分留七呼灸三壯主熱病汗不出手心熱肘臂攣痛腋腫善笑不休心煩心懸若飢心痛掌熱善悲泣驚恐目赤目黄小便如血嘔逆無度狂言不樂喉痺口乾身熱頭痛氣短胸脇痛瘑瘡疥癬

勞宫一名五里一名掌中心包絡脈所溜為滎火素註針三分留六呼銅人灸三壯明堂針二分得氣即瀉只一度針过兩度令人虚禁灸灸令人息肉日加主中風善怒悲笑不休手痺熱病數日汗不出怵惕脇痛不可轉側大小便血衄血不止氣逆嘔噦煩渴飲食不下大小人口中腥臭口瘡胸脇支滿黄疸目黄小兒齦爛

中衝○心包絡脈所出爲井木心包絡靈補之銅人針一分留三呼明堂灸一壯主熱病煩悶汗不出掌中熱身如火心痛煩滿舌強

手少陽經治病主穴　三焦同膀胱屬壬水是經少氣多血

關衝○手少陽三焦脈所出爲井金銅人針一分留三呼灸一壯素註灸三壯主喉痺舌捲口乾頭痛霍亂胸中氣噎不嗜食臂肘痛不可舉目生翳膜視物不明

液門○手少陽三焦脈所溜爲滎水素註銅人針二分留二呼灸三壯主驚悸妄言咽外腫寒厥手臂痛不能自上下痎瘧寒熱目赤澀頭痛暴得耳聾齒齦痛

中渚○手少陽三焦脈所注爲俞木三焦靈補之素註針二分留三呼銅人灸三壯針二分明堂灸二壯主熱病汗不出目眩頭

痛耳聵目生翳膜久瘧咽腫肘臂痛手五指不得屈伸

陽池一名別陽手少陽三焦脉所过為原三焦虛実皆刺之素註針二分留六呼灸三壯銅人禁灸指微賦云針透抵大陵穴不可破皮不可搖手恐傷針轉曲主消渴煩悶寒熱瘧或折傷手腕捉物不得肩臂痛不得擧

外關○手少陽絡別走手心主銅人針三分留七呼灸二壯明堂灸三壯主耳聵渾々焞々無聞五指尽痛不能握物実則肘攣瀉之虛則不收補之又治手臂不得屈伸

支溝一名飛虎手少陽脉所行為经火銅人針二分灸二七壯明堂灸五壯素註針三分留七呼灸三壯主熱病汗不出肩臂痠腫脇腋痛四肢不擧霍乱嘔吐口禁不開暴瘖不能言心悶不已卒心痛鬼擊傷寒結胸瘍瘡疥癬婦人妊娠不通產後血暈不省

人事

会宗○銅人灸七壮明堂灸七壮禁針主五癎肌膚痛耳聾

三陽絡一名通门銅人灸七壮明堂灸五壮禁針主暴瘖瘂耳聾嗜臥

四肢不欲摇動

四瀆○銅人灸三壮針六分留七呼主暴氣耳聾下齒齲痛

天井○手少陽三焦脈所入為合土三焦実瀉之素註針一寸留七呼銅人灸三壮明堂灸五壮針三分主心胸痛欬嗽上氣短氣不得語唾膿不嗜食寒熱悽々不得臥驚悸瘈瘲癲疾五癎風痺耳聾嗌腫喉痺汗出目銳眥痛頰腫痛耳後臑臂肘痛捉物不得嗜臥撲傷腰髖疼振寒頸項痛大風默々不知所痛悲傷不樂脚氣上攻

清冷渊○銅人針二分灸三壮主肩臂痛臂臑不能舉不能帶衣

消濼○銅人針一分灸三壮明堂針六分素註針五分主風痺頸
項強急腫疼寒熱頸痛癲疾
臑会一名臑交手少陽陽維之会素註針五分灸五壮銅人針七分留
十呼得氣即瀉灸七壮主臂痛痠無力痛不能舉寒熱肩腫引
胛中痛項癭氣瘤
肩髎○銅人針七分灸三壮明堂灸五壮主臂痛肩重不能舉
天髎○手足少陽陽維之会銅人針八分灸三壮當缺盆陷上突
起肉上針之若誤針陷處傷人五臟氣令人卒死主胸中煩悶
肩臂痠痛缺盆中痛汗不出胸中煩滿頸項急寒熱
天牖○銅人針一寸留七呼不宜補不宜灸灸即令人面腫眼合
先取譩譆後取天容天池即差若不針譩譆即難療明堂針五
分得氣即瀉瀉尽更留三呼瀉三吸不宜補素註下經灸三壮資

生云宜灸一壮三壮主昏目不明耳不聰夜夢顛倒面青黄無顏色頭風面腫項強不得回顧目中痛

翳風○手足少陽之会素註針三分銅人針七分灸七壯明堂灸三壯針灸俱令人咬錢令口開主耳鳴耳聾口眼斜喎脫頷頰腫口噤不開口吃牙車急小兒喜欠

瘈脈一名資脈銅人刺出血如豆汁不宜多出針一分灸三壯主顱風耳鳴小兒驚癇瘈瘲嘔吐泄利無時驚恐目睛不明

顱息○銅人灸七壯禁針明堂灸三壯針一分不得多出血 多出血殺人主耳鳴痛喘息小兒嘔吐 涎沫瘈瘲引身熱頭痛不得臥耳腫及膿汁

角孫○手足少陽之会禁針銅人灸三壯明堂針八分主目生翳齒齦腫唇吻強牙齒不能嚼物齲齒頸項強

絲竹空一名目髎手足少陽脉氣所發素註針三分留六呼銅人禁灸
灸之不幸使人目小及盲針三分留三呼宜瀉不宜補主目眩
頭痛目赤視物䀮々不明惡風寒風癇目上戴不識人眼睫毛
倒發狂吐涎沫偏正頭痛

和髎〇手足少陽手太陽三脉之会銅人針七分灸三壮主頭重
痛牙車引急頸頷腫耳口嘈々鼻涕面風寒鼻準上腫癰痛招
搖視瞻瘈瘲口噼

耳門〇銅人針三分留三呼灸三壮下经禁灸病宜灸者不过三
壮主耳鳴如蟬声聤耳膿汁出耳生瘡重聽無所聞齒齲唇吻
強

足少陽経治病主穴　胆腑甲木是経少血多氣

瞳子髎一名太陽一名前關手太陽手足少陽三脉之会素註灸三壮針三

分主目痒翳膜白青盲無見遠視䀮䀮赤痛淚出多眵䁾內眥
痒頭痛喉閉

聽会○銅人針三分留三呼得氣即瀉不須補灸十五壯止三七壯十日後依前數灸明堂針三分灸三壯主耳鳴耳聾牙車脫臼牙車急不得嚼物齒痛惡寒物狂走瘈瘲恍惚不樂中風口喎斜手足不隨

客主人一名上關手足少陽陽明之会銅人灸七壯禁針明堂針一分得氣即瀉日灸七壯至二百壯下經灸十壯素註針三分留七呼灸三壯素問禁深刺深則令脉破為內漏耳聾久而不得呿主唇吻強口眼偏邪青盲瞇目䀮䀮惡風寒牙齒　口禁嚼物鳴痛耳鳴耳聾瘈瘲沫出寒熱痓引骨痛

頷厭○銅人灸三壯針七分留七呼深刺令人耳聾主偏頭痛頭

風目眶驚癇手蹙手腕痛耳鳴目無見外眥急好嚏頸痛歷節
風汗出
懸顱○手足少陽陽明之会銅人灸三壯針三分留三呼明堂針
二分素註針七分留七呼刺深令人耳無所聞主頭痛牙齒痛
面膚赤腫熱病煩滿汗不出偏頭痛引目外眥
懸釐○手足少陽陽明之会銅人針三分灸三壯素註針三分留
七呼主面皮赤腫偏頭痛煩心不欲食中焦客熱々病汗不出
目銳眥赤痛
曲鬢一名曲髮足少陽太陽之会銅人針三分留七呼明堂灸三壯主
頷頰痛引牙車不得開急痛口噤不能言頸項不得回顧腦兩
角痛為巔風引目眇
率谷○足少陽太陽之会銅人針三分灸三壯主痰氣膈痛腦兩

角強痛頸重醉後酒風皮膚腫胃寒飲食煩滿嘔吐不止

天衝○足少陽太陽之会銅人灸七壯素註針三分灸三壯主癲疾風痓牙齦腫善驚恐頭痛

浮白○銅人針三分灸七壯明堂灸三壯主足不得行耳聾耳鳴齒痛胸滿不得息胸痛頸癭肩臂不擧發寒熱喉痺欬逆痰沫耳鳴嘈々無所聞

竅陰一名枕骨足太陽手足少陽之会銅人針三分灸七壯甲乙針四分灸五壯素註針三分灸三壯主四肢轉筋目痛頭頸頷痛引耳嘈々耳鳴無所聞舌本出血癰疽發背手足煩熱汗不出舌強脇痛欬逆喉痺口苦

完骨○足少陽太陽之会銅人針三分灸七壯素註留七呼灸三壯明堂針二分灸以年為壯主足痿失履不收牙車急頰腫頭

面腫頸項痛頭風耳後痛煩心小便赤黃喉痺齒齲口眼喎斜

癲疾

本神〇足少陽陽維之会銅人針三分灸七壯主驚癇吐涎沫頸項強急痛胸相引不得轉側癲疾嘔吐涎沫偏風

陽白〇手足陽明少陽々維五脉之会素註針三分銅人針二分灸三壯主瞳子癢痛目上視遠視䀮々昏夜無見目痛目眵背寒慄重衣不得溫

臨泣〇足少陽太陽陽維之会銅人針三分留七呼主目眩目生白翳目淚枕骨合顱痛悪寒鼻塞驚癇反視卒中風不識人

目窗〇足少陽々維之会銅人針三分灸五壯三度刺令人目大明主目赤痛忽頭旋目䀮々頭痛寒熱無汗悪寒

正営〇足少陽々維之会銅人針三分灸五壯主目眩瞑頭項偏

痛牙齒痛唇吻急強

承灵○足少陽陽維之会主腦風頭痛惡風寒鼽衄鼻窒喘息不利灸三壮禁針

腦空一名顳顬足少陽々維之会素註針四分銅人針五分得氣即瀉灸三壮主勞疾羸瘦体熱頸項強不得回顧頭重痛不可忍目瞑心悸發即為癲風引目眇鼻痛魏武帝患頭風發即心乱目眩華陀針腦空立愈

風池○手足少陽々維之会素註針四分明堂針三分銅人針七分留七呼灸七壮甲乙針一寸二分患大風者先補後瀉少可患者以経取之留五呼瀉七吸灸不及針日七壮至百壮主洒淅寒熱傷寒温病汗不出目眩若偏正頭痛瘖瘂頸項如拔痛不得回顧目淚出欠氣鼻鼽衄目外眥赤痛氣發耳塞目不明

腰背俱痛腰伛偻引筋無力不收中風氣塞涎上不語

肩井一名膊井手足少陽足陽明々維之会連入五臟針五分灸五壯先補後瀉主中風氣塞涎上下不語婦人难産墮胎後手足厥逆針肩井立愈頭項痛五劳七伤臂痛両手不得向頭若針深悶倒急補足三里

渊液一名泉液銅人禁灸明堂針三分主胸滿無力臂不舉不宜灸々之令人生腫蝕馬力瘍内潰者死寒熱者生

輒筋一名神光一名胆募膽之募足太陽少陽之会銅人灸三壯針六分素註針七分主胸中暴滿不得卧太息善悲小腹熱欲走多唾言語不正四肢不收嘔吐宿汁吞酸

日月○足太陰少陽々維之会針七分灸五壯主太息善悲小腹熱欲走多唾言語不正四肢不收

京門一名氣俞
一名氣府胃之募銅人灸三壯針七分留七呼主腸鳴小腹
痛肩胛内廉痛腰痛不得俯仰久立寒熱腹脹水道不利溺黄
小腸髀樞引痛

帶脉○足少陽帶脉二脉之会銅人針六分灸五壯明堂灸七壯
主腰腹縱容々如囊水之壯婦人小腹痛裡急後重瘈瘲月事
不調赤白帶下

五樞○足少陽帶脉之会銅人針一寸灸五壯明堂三壯主痃癖
男子寒疝陰卵上入小腹痛婦人赤白帶下裡急瘈瘲

維道○足少陽帶脉之会銅人針八分留六呼灸三壯主嘔逆不
止水腫三焦不調不嗜食

居髎○手少陽々蹻之会銅人針八分留六呼灸三壯主腰引小
腹痛肩引胸臂攣急手臂不得舉以至肩

环跳○足少陽太陽之会銅人灸五十壮素註針一寸留二呼灸
三壮指微云已刺不可摇恐伤針主冷風湿痺不仁風疹遍身
半身不遂腰胯痛膝不得轉側伸縮仁寿宫患脚氣偏風甄权
奉勅針环跳陽陵泉陽輔巨虚下廉而能起行环跳穴痛恐生
附骨疽

風市○針五分灸五壮主中風腿膝無力脚氣渾身搔痒麻痺厥
風疼

中瀆○足少陽络别走二阳銅人灸五壮針五分留七呼主寒氣
客於分肉間攻痛上下筋痺不仁

陽関一名陽陵銅人針五分禁灸主風痺膝痛不可屈伸

陽陵泉○足少陽所入為合土難经曰筋会陽陵泉疏曰筋病治
此銅人針六分留十呼得氣即瀉又宜久留針日灸七壮至七

七壯素註灸三壯明堂灸一壯主膝伸不得屈髀樞膝骨冷痺脚氣偏風半身不遂脚冷無血色苦嗌中介然頭面腫足筋攣

陽交一名別陽一名足窌陽維之郄銅人針六分留七呼灸三壯主胸滿膝痛足不收寒厥驚狂喉痺面腫

外邱○少陽所生銅人針三分灸三壯主胸脹滿膚痛痿痺頸項痛惡寒風犬傷毒不出小兒龜胸

光明○足少陽之絡別走厥陰銅人針六分留七呼灸七壯明堂灸七壯主淋濼胻痠胻疼不能久立熱病汗不出卒狂與陽輔療法同靈樞虛則痿躄坐不能起補之實則足胻熱膝痛身體不仁瀉之

陽輔一名分肉足少陽所行為經火胆實瀉之素註針三分又曰針七分留十呼銅人灸三壯針五分留七呼主腰溶溶如坐水中膝

下浮腫筋攣諸節尽痛々無常處腋下腫喉痺口苦太息心脇痛面塵頭角痛目鋭眥痛缺盆中腫痛汗出振寒

懸鍾一名絶骨足三陽之大絡按之陽明脉絶乃取之難經曰髓会絶骨疏曰髓病治此袁氏曰足能振步以髓会絶骨也銅人針六分留七呼灸五壮指微云針八針二寸許灸七壮或五壮主心腹脹満胃中熱不嗜食脚氣膝䯒痛筋骨攣痛足不收逆氣虚勞憂恚心中欬痛喉痺頸項強腸痔瘀血鼻衄脳疽大小便澁鼻中乾煩満狂易

邱墟〇足少陽所过為原胆虚実皆刺之銅人灸三壮素註針五分留七呼主胸脇満痛不得息久瘧振寒腋下腫痿厥坐不能起髀枢中痛目生翳膜腿䯒痠轉筋卒疝小腹堅寒熱頸腫腰胯痛太息

臨泣〇足少陽所注為俞不甲乙針二分留五呼灸三壯主胸中滿缺盆中及腋下馬刀瘍瘻善嚙頰腫瘦目眩枕骨合顱痛洒淅振寒心痛周痺痛無常處厥逆氣喘不能行痎瘧日發婦人月事不利季脇支滿乳癰

地五会〇銅人針一分禁灸主腋痛內損唾血足外無膏澤乳癰

俠谿〇足少陽所溜為榮水胆実則瀉之素註針三分留三呼灸三壯主胸脇支滿傷寒熱病汗不出目外眥赤目眩頰頷腫耳聵胸中不可轉側痛無常處

竅陰〇足少陽所出為井金素註針一分留一呼甲乙留三呼灸三壯主脇痛欬逆不得息手足煩熱汗不出轉筋癰疽頭痛心煩喉痺舌強口乾肘不可擧卒聵魘夢目痛小眥痛

足厥陰經治病主穴 肝屬乙木 是經多血少氣

大敦〇足厥陰肝脈所出為井木銅人針三分留十呼灸三壯主五淋七疝小便數遺不禁陰中頭痛陰偏大腹臍中痛悒々不樂病左取右病右取左腹脹腫中熱喜　尸厥狀如死人婦人血崩不止陰挺出陰中痛

行間〇足厥陰肝脈所溜為滎火肝實則瀉之素註針三分銅人灸三壯針六分留十呼主嗌逆洞泄遺溺癃閉消渴善怒轉筋胸脇痛心腹脹欬逆嘔血腰痛疼不可俛仰小腸氣痛嗌乾煩渴瞑不欲視目中淚出肝積肥氣發痎瘧婦人小腹腫面塵脫色經血過多不止崩中小兒急驚風

太衝〇足厥陰肝脈所注為俞土素問女子二七太衝脈盛月事以時下故能有子又診病人太衝脈有無可以决死生銅人針三分留十呼灸三壯主肩腫吻傷虛勞浮腫腰引小腹痛兩丸

癃縮溏泄遺溺胸脇支滿肝心痛蒼然如死狀終日不休息大便難便血小便淋小腸疝氣痛小便不利嘔血嘔逆發寒嗌乾善渴肘腫內踝前痛腹下馬刀瘍瘻女子漏下不止小兒卒疝

中封 一名懸泉 足厥陰肝脈所行為經 金銅人針四分留三呼灸三壯 主瘧瘧色蒼蒼發振寒小腹腫痛食怏怏繞臍痛五淋身黃有微熱不嗜食身體不仁寒疝腰中痛瘻厥失精筋攣陰縮入腹相引痛

蠡溝 一名交儀 足厥陰絡別走少陽 銅人針二分留三呼灸三壯 下經灸七壯 主疝痛小腹滿痛如癃閉數噫恐悸少氣不足悒悒不樂咽中悶如有息肉背拘急不可俯仰臍下積氣如石足脛寒痠屈伸難女子赤白帶下月水不調

中都 一名中郄 銅人針三分灸五壯 主腸澼㿗疝小腹痛不能行立脛

寒婦人崩中產後惡露不絶

膝關○銅人針四分灸五壯主風痺膝內廉痛引臏不可屈伸咽喉中痛

曲泉○足厥陰肝脉所入為合水肝虛則補之銅人針六分留十呼灸三壯主㿗疝陰股痛小便難腹脇支滿泄利四肢不舉目䀮䀮膝關痛筋攣不可屈伸發狂衄血下血房勞失精身体極痛下痢膿血陰腫陰莖痛胻腫膝脛冷疼女子血瘕小腹腫陰挺出陰痒

陰包○銅人針六分灸三壯下經針七分主腰尻引小腹痛小便難遺溺婦人月水不調

五里○銅人針六分灸五壯主腸中風熱閉不得溺風勞嗜卧

陰廉○銅人針八分留七呼灸三壯主婦人絶產若未經生產者

灸三壮即有子

章門一名長平 一名脇髎 脾之募足少陽厥陰之会难经曰臓会章門疏曰臓病治此銅人針六分灸百壮明堂日灸七壮止百五壮素註針八分留六呼灸三壮主腸鳴食不化煩熱口乾不嗜食脇胸痛支滿喘息心痛而嘔逆飲食却出腰痛不得轉側腰脊冷疼溺白多濁傷飽身黄瘦賁豚積聚腹腫如鼓脊強四肢懈惰善恐少氣厥逆肩臂不挙東垣曰氣在於腸胃者取之太陰陽明不下取三里章門中脘魏士珪妻徐病疝自臍下上至於心皆脹滿又嘔逆煩悶不進飲食滑伯仁曰此寒在下焦為灸章門氣海

期門〇肝之募足厥陰太陰陰維之会銅人針四分灸五壮主胸中煩熱賁豚上下目青而嘔霍乱泄利腹堅硬大喘不得坐卧

傷寒心切痛喜唾酸飲食不下食後吐水胸脇痛支滿男子婦人血結胸滿赤面火燥口乾消渴胸中痛不可忍傷寒過經不解熱入血海男子則由陽明而傷下血譫語婦人月水適來邪乘虛而入及產後餘疾一婦人患熱入血室許學士云小柴胡已遲當刺期門針之如言而愈太陽與少陽併病頭項強痛或眩如結胸心下痞硬者當刺大椎第二行肝俞肺俞慎不可發汗發汗則譫語五六日譫語不止當刺期門

任脉治病主穴

會陰 一名屏翳 銅人灸三壯 指微針主陰汗陰頭痛陰中諸病前後相引痛不得大小便男子陰寒衝心穀道搔痒久痔相通女子經水不通陰門腫痛卒死者針一寸補之溺死者令人倒拖出水針補尿屎出則活餘不可針

曲骨○足厥陰任脈之会銅人灸七壮至七七壮針二寸素註針六分留七呼又云針一寸主失精虚冷小腹腫滿小便淋澁不通癀疝小腹痛婦人赤白帶下

中極一名玉泉一名氣原膀胱之募足三陰任脉之会銅人針八分留十呼得氣即瀉灸百壮至三百壮止明堂灸不及針日三七壮下経灸五壮主冷氣積聚時上衝心腹中熱臍下結塊賁豚搶心陰汗水腫陽氣虚憊小便頻数失精絶子疝瘕婦人産後悪露不行胞衣不下月事不調血結成塊子門腫痛小腹若寒恍惚尸厥飢不能食臨経行房羸痩寒熱轉脬不得尿婦人斷緒四度針即有子

関元○小腸之募足三陰任脈之会下紀者関元也素註針一寸二分留七呼灸七壮又云針二寸銅人針八分留三呼瀉五吸

灸百壯止三百壯明堂娠婦禁針若針而落胎久多不出針崑崙立出立積冷霊之臍下绞痛流入陰中發作無時冷氣結塊痛寒氣入腹痛失精白濁溺血七疝風眩頭痛轉脬閉塞小便不通黃赤五淋泄利賁豚搶心臍下結血状如覆杯婦人帶下月经不通绝嗣不生産後悪露不止

石门 一名利机 一名精露 一名丹田 一名命门 銅人灸二七壯止一百壯甲乙針八分留三呼得氣即瀉千金針五分下经灸七壯素註針六分留七呼婦人禁針禁灸犯之绝子主伤寒小便不利泄利小腹绞痛賁豚搶心卒绕臍氣淋血淋嘔吐血食不化谷化水腫婦人因産悪露不止结成塊崩中漏下

氣海 一名脖胦 一名下肓 男子生氣之海銅人針八分得氣瀉即瀉後宜補之可灸百壯明堂灸七壯主伤寒飲水过多腹脹氣喘心下痛

冷病面赤臟虛氣憊眞氣不足肌体羸瘦四肢力弱奔豚七疝小腸膀胱癥瘕塊狀如覆杯腹暴脹按之不下臍下冷氣痛中惡脫陽欲死陰症卵縮四肢厥冷大便不通小便赤卒心痛婦人臨經行房羸瘦崩中赤白帶下月事不調產後惡露不止繞臍疼痛閃着腰痛小兒遺尿

陰交 一名三焦之募任脈少陰衝脈之會銅人針八分得氣即瀉瀉後宜補灸百壯明堂灸下及針下日三次七壯止百主氣痛如刀攪腹堅痛下引陰中不得小便兩丸騫疝痛陰汗濕痒腰膝拘攣臍下熱鬼擊鼻出血婦人血崩月事不絕帶下產後惡露不止繞臍冷痛小兒陷顖

神闕 一名氣舍 素註禁針々之使人臍中惡瘍潰屎出者死灸三壯銅人灸百壯主中風不省人事腹中虛冷臟腑泄利不止水腫鼓

脹腸鳴狀如流水声腹痛繞臍小兒下利不絶脱肛風痫角弓反張徐平仲中風不甦桃源簿為灸灸臍中百壮始甦不起再灸百壮

水分 一名分水穴当小腸下口至是而泌别清濁水液入膀胱渣滓入大腸故曰水分素註針一寸銅人針八分留三呼瀉五吸水病灸大良又云禁針々之水尽即死明堂灸七々壮止四百壮針五分留三呼資生云不針為是主水病腹堅腫如鼓轉筋不嗜食腸胃虚脹繞臍痛衝心腰脊急強腸鳴狀如雷声鬼擊鼻出血小兒陷顖

下脘 口穴当胃下口小腸上口水谷于是入焉足太陰任脈之会銅人針八分留三呼瀉五吸灸二七壮止二百壮主臍下厥氣動堅硬胃脹羸瘦腹痛六腑氣寒谷不轉化大小便赤癖塊連

臍上厥氣動日漸瘦翻胃

建里○銅人針五分留十呼灸五壯明堂針一寸二分主腹脹身腫心痛上氣腸中疼嘔逆不嗜食

中脘 一名太倉 手太陽少陽足陽明任脉之会上紀者中脘也胃之募也难经曰腑会中脘疏曰腑病治此銅人針八分留七呼瀉五吸疾出針灸二七壯止二百壯明堂日灸二七壯止四百壯素註針一寸二分灸七壯主五膈喘息不止腹暴脹中悪脾疼飲食不進翻胃赤白痢伏梁心下如覆杯心鼓脹面色痿黄傷寒熱不已溫瘧霍乱飲食不化心痛身寒不可俯仰東垣曰氣在于腸胃者取之足太陰陽明不下取三里章门中脘又曰胃虚而致太陰無所禀者于足陽明募穴中引導之

上脘 一名上脘 胃脘 上脘中脘属胃络脾足陽明手太陽任脉之会素註銅

人針八分先補後瀉風痾熱病先瀉後補立愈日灸二七壯至百壯未愈倍之明堂灸三壯主腹中雷鳴食不化腹病刺痛霍亂吐利腹痛身熱汗不出翻胃嘔吐食不下腹脹氣滿心忪驚悸時吐血痰奔豚伏梁黃疸積聚堅大如盤虛勞吐血

巨闕〇心之募銅人針六分留七呼得氣即瀉灸七壯止七七壯主上氣欬逆胸滿短氣背痛胸痛痞塞數種心痛胸中痰飲霍亂腹脹暴痛傷寒煩心喜嘔發狂少氣腹痛黃疸咳嗽瘴疝小腹脹滿中不利五臟氣相干卒心痛尸厥娠妊子上衝心昏悶刺巨闕下針令人立甦不悶次補合谷瀉三陰交胎應針而落如子手掬心生下手有針痕頂母心向前人中有針痕向後枕骨有針痕是驗

按十四經發揮云凡人心下有膈膜前齊鳩尾後齊十一椎

周圍着脊所以遮膈濁氣不使上薰心肺是心在膈上也難産之婦若子上冲至膈則止况兒在腹中又有衣胞裹之豈能破膈衝心哉心爲一身之主神明出焉不容小有所犯豈有破冲撕而不死哉蓋以其上冲近心故云爾如胃脘痛曰心痛之類是也學者不可以辭害意

鳩尾

一名尾翳一名鶻骬曰鳩尾者言其骨垂下如鳩尾形銅人禁灸々之令人少心力大妙手方針不然針取氣多令人夭針三分留三呼瀉五吸肥人倍之明堂灸三壯素註不可針灸主息賁熱病偏頭痛引目外眥噫喘喉鳴胸滿咳嘔喉痺咽腫水漿不下癲癇狂走不擇言語心中氣悶不喜聞人語咳唾血心驚悸精神耗散少年房勞短氣少氣又灵樞经云膏之原出于鳩尾者是也

中庭○銅人灸五壯針三分明堂灸三壯主胸脇支滿噎塞飯食不下嘔吐食出小兒吐奶

膻中一名元見足太陰少陰手太陽少陽之会難経曰氣会膻中疏曰氣病治此灸五壯明堂灸七壯止二七壯禁針主上氣短氣欬逆噎氣鬲氣喉鳴喘嗽不下食胸中如塞心胸痛咳嗽肺癰唾膿嘔吐涎沫婦人乳汁少

玉堂一名玉　銅人灸五壯針三分主心膺疼痛心煩欬氣上氣胸滿不得息喘急

紫宮○銅人灸五壯針三分明堂灸七壯主胸脇支滿胸膺骨痛飲食不下嘔逆上氣煩心欬逆吐血唾如白膠

華蓋○銅人針三分灸五壯明堂灸三壯主喘急上氣欬逆哮嗽喉痹咽腫水漿不下胸脇支滿痛

璇璣○銅人灸五壯針三分主胸脇支滿痛欬逆上氣喉鳴喘不能言喉痺咽腫水漿不下胃中有積

天突一名天瞿 陰維任脉之会銅人針五分留三呼得氣即瀉灸亦得不及針若下針当直下不得低手明堂灸五壯針一分素註針一寸留七呼灸三壯主面皮熱上氣欬逆氣暴喘咽腫咽冷声破喉中生瘡喀膿血瘖不能言身寒熱頸腫哮喘喉中翕翕如水鷄声胸中氣梗心與背相控而痛五噎黄疸瘿瘤許氏曰此穴一針四效凡下針後良久先脾磨食覺針動為一效次針破病根腹中作声為二效次覺流入膀胱為三效然後覺氣行流入腰腎為四效矣

廉泉一名舌本 陰維任脉之会素註低針取之針一寸留七呼銅人灸三壯針三分得氣即瀉明堂針二分主咳嗽上氣喘息吐沫舌

下腫难言舌根缩息不食舌縦涎出口瘡

承漿　一名懸漿大腸脈胃脈督脈任脈之会素註針二分留五呼灸三壮銅人灸七壮止七七壮明堂針三分得氣即瀉留三呼徐徐引氣而出日灸七壮过七七停四日五日後若一向不灸恐足陽明脈断其病不愈停息後灸令血脈通宣其病立愈主偏風半身不遂口眼喎斜面腫消渴口齒疳蝕生瘡暴瘖不能得言語

督脈治病主穴

長強　一名氣之陰郄　一名撅骨　足少陽少陰之会督脈絡別走任脈銅人針三分轉針以大痛為度灸不及針日灸三十壮止二百壮此痔根本甲乙針二分留七呼明堂灸五壮主腸風下血灸痔漏腰脊痛狂病大小便难頭重洞泄五淋疳蝕下部小兒顖陷驚癇

癲癇嘔血驚恐失精瞻視不正慎飲食房勞

腰俞一名背解一名髓孔一名腰戶以挺身伏地舒身兩手相重支額縱四肢後乃取其穴銅人針八分留三呼瀉五吸灸七壯至七七壯慎房勞舉重強力明堂灸三壯主腰髖腰脊痛不得俛仰濕痓溫瘧汗不出足痹不仁傷寒四肢熱不已婦人月水閉溺色赤

陽關○銅人針五分灸三壯主膝外不可屈伸風痹不仁筋攣不行

命門一名屬 銅人針五分灸三壯主頭痛如破身熱如火汗不出寒熱痎瘧腰腹相引骨蒸五臟熱小兒發癇張口搖頭身反折角弓

懸樞○銅人針三分灸三壯主腰脊強不得屈伸積氣上下行水

谷不化下利腹中留疾

脊中一名神宗一名脊俞銅人針五分得氣即瀉禁灸灸之令人腰佝僂主風癇癲邪黃疸腹滿不嗜食五痔便血溫病積聚下利小兒脫肛

中樞○此穴諸書皆失之惟氣府論督脉下王氏註中有此穴及考之氣穴論曰背與心相控而痛所治天突與十椎者其穴即此刺五分禁灸灸之令人腰背佝僂一傳云此穴能退熱進飲食可灸三壯常用常效未見佝僂

筋縮○銅人針五分灸三壯明堂灸七壯主癲疾狂走脊急強目轉反戴上視癇病多言心痛

至陽○銅人針五分灸三壯明堂灸七壯主腰脊痛胃中寒氣不能食胸脇支滿身羸瘦背中氣上下行腹中鳴寒熱解㑊淫濼

脘疼四肢重痛少氣难言卒痓忤攻心胸

灵臺○銅人缺此穴治病見素問今俗灸之以治氣喘不能臥火到便愈禁針

神道○銅人灸七七壮禁針明堂灸三壮針五分千金灸五壮主伤寒發熱頭痛進退往来痎瘧悲愁健忘驚悸失欠牙車蹉張口不合小兒風癇瘈瘲可灸七壮

身柱○銅人針五分灸七七壮止百壮明堂灸五壮下经灸三壮主腰脊痛癲病狂走欲殺人身熱言見鬼小兒驚癇难经曰治設長伏二脉風癇狰狂悪人旬火灸三椎九椎

陶道○足太陽督脉之会銅人灸五壮針五分主痎瘧寒熱洒淅脊強煩滿汗不出頭重目瞑瘈瘲恍惚不樂

大椎○手足三陽督脉之会銅人針五分留三呼瀉五吸灸以年

為杜主肺脹脇滿唯逆上氣五勞七傷乏力温瘧痎瘧氣注背膊
拘急頸項不得回顧風劳食氣骨热前板齒燥仲景曰太陽與
少陽併病頸項強痛或眩冒時如結胸心下痞硬者当刺大椎

第一間

瘂門 一名舌厭一名舌横一名瘖门 督脉陽維之会入係舌本素註針四分銅人
針二分留三呼瀉五吸瀉尽更留針取之禁灸々之令人瘂主
舌急不語重舌諸陽热氣盛衂血不止寒热風痓脊強反折瘈
瘲癇疾頭重風汗不出

風府 一名舌本 足太陽督脉陽維之会銅人針三分禁灸々之使人失
音明堂針四分留三呼素註針四分主中風舌缓不語振寒汗
出身重悪寒頭痛項急不得回顧偏風半身不遂鼻衂咽喉腫
痛傷寒狂走欲自殺目妄視頭中百病黄疸瘧論曰邪客于風

府循膂而下衛氣一日夜大会于風府明日日下一節故其作晏每至于風府則腠理開腠理開則邪氣入邪氣入則病作以此日作稍益晏也其出于風府日下一節二十五日下至骶骨二十六日入于脊内故曰作益晏也昔魏武帝患偏頭急華佗治此穴得效

腦户　一名合顱　足太陽督脉之会　銅人禁灸々之令人瘂　明堂針三分　素註針四分　素問刺腦户入腦立死　主面赤目黄面痛頭重腫痛瘈瘲　此穴針灸俱不宜

强間　一名大羽　銅人針二分灸七壮　明堂灸五壮　主頭痛目瞑腦旋煩心嘔吐涎沫項强左右不得回顧狂走不休

後頂　一名交衝　銅人灸五壮針二分　明堂針四分　素註針三分　主頭項强急惡風寒目眩顴顙上痛狂走癲疾不　痛[illegible]瘈瘲頭偏風

痛

百会一名三陽一名五会一名顛上一名天満手足三陽督脉之会素註針二分銅人灸七壯止七七壯凡灸頭頂不得过七壯缘頭頂皮薄灸不宜多針二分得氣即瀉又素註針四分主頭風中風言語謇澁口噤不開半身不遂心煩悶驚悸健忘心神恍惚無心力痎瘧脫肛風癇角弓反張羊鳴多哭語言不擇發時即死吐沫汗出而啞飲酒面赤腦重鼻塞頭痛目眩食無味百病皆治號太子尸厥扁鵲取三陽五会有间太子甦唐高宗頭痛秦鳴鶴曰宜刺百会出血武后曰豈有至尊頭上出血之理已而刺之微出血立愈

前頂〇銅人針一分灸三壯止七七壯素註針四分主頭風目眩面赤腫水腫小兒驚癇瘈瘲鼻多清涕頂腫痛

顖会〇銅人灸二七壮至七七壮初灸不痛病去即痛々止灸若是鼻塞灸至四日漸退七日顿愈針二分留三呼得氣即瀉宗以下不可針缘顖门未合刺之恐伤其骨令人夭素註針四分主脳虛冷飲酒过多脳痛如破衄血面赤暴腫頭皮腫生白屑風頭眩顏青目眩鼻塞不聞香臭驚悸目戴上不識人

上星一名神堂素註針三分留六呼灸五壮銅人灸七壮以細三稜針宜瀉諸陽熱氣無令上冲頭目主面赤腫頭風頭皮腫鼻中息肉痰瘧振寒熱病汗不出目眩目睛痛不能远視口鼻出血不止不宜多灸恐伤氣上令人目不明

神庭〇足太陽督脉之会素註灸三壮銅人灸二七壮至七七壮禁針々則發狂目失精主登高而歌棄衣而走角弓反張吐舌

癲疾風癇目上視不識人頭風目眩鼻出涕清不止目淚出驚悸不得安寢嘔吐煩滿寒熱頭痛喘渴岐伯曰凡欲療風勿令人灸多緣風性輕多即傷惟宜灸七壯至三七壯止張子和曰目腫目翳針神庭上星顖会前頂翳者可使立退腫者可使立消

素髎 一名面王 外台不宜灸針一分素註針三分主鼻中息肉不消多涕生瘡鼻窒喘息不利鼻喎噼衄

水溝 一名人中 督脉手足陽明之会 素註針三分留六呼灸三壯銅人針四分留五呼得氣即瀉灸不及針日灸三壯明堂日灸三壯至二百壯下经灸五壯主消渴飲水無度水氣遍身腫癲癇語不識尊卑乍哭乍喜中風口噤牙関不開面腫唇動狀如虫行卒中惡鬼擊喘渴目不可視黄疸馬黄瘟疫通身黄口喎噼灸

喎僻炎不反針艾炷小雀糞大風水面腫針此一穴出水尽即愈

兌端○銅人針二分灸三壯主癲疾吐沫小便黃舌乾消渴衄血不止唇吻強齒齦痛鼻塞痰涎口噤鼓頷炷如大麦

齗交○任督足陽明之会銅人針三分灸三壯主鼻中息肉蝕瘡鼻塞不利額頞中痛頸項強目淚多眵牙疳腫痛內眥赤痒痛生白翳面赤心煩馬黃黃疸寒暑瘟疫小兒面瘡癬久不除点烙亦佳

第二節　經外奇穴治病各穴

楊繼洲著

耳尖二穴在耳尖上捲耳取之尖上是穴治眼生翳膜用艾炷五壯

內迎香二穴在鼻孔中治目熱暴痛用芦管子搐出血最效

鼻準二穴在鼻柱尖上專治鼻上各病生酒醉風宜用三稜針出血

聚泉一穴在舌上当舌中吐出舌中直有縫陷中是穴哮喘咳嗽久久不愈若灸則不過七壯灸法用生姜切片如錢厚搭于舌上穴中然後灸之如熱嗽用雄黃末少許和于艾柱中灸之如冷嗽用款冬花末和于艾柱中灸々畢以清茶連生姜細嚼咽下又治舌胎舌強亦可用小針出血

左金津右玉液二穴在舌下兩旁紫脉上是穴捲舌取之治舌重腫痛喉痺用白湯煮三稜針出血

魚腰二穴在眉中间治眼垂廉翳膜針入一分沿皮向兩旁是穴也

海泉一穴在舌下中央脉上是穴治消渴用三稜針出血

太陽二穴在眉後陷中太陽紫脈上是穴治眼口腫及頭疼用三稜針出血其出血之法用帛一条緊纏其頸項紫色即見刺出血立愈又法以手緊　其頸令紫脈見卻　紫脈上刺出血極效

大骨空二穴在手大指中節上屈指当骨尖陷中是穴治目久痛及生翳膜内障可灸七壮

中魁二穴在手中指第二節骨尖屈指得之治五噎反胃吐食可灸七壮宜瀉之又陽谿二穴亦名中魁　陽谿穴在腕中上側兩筋間陷中手陽明大腸脈行所

八邪八穴在手五指岐骨間左右手各四穴其一大都二穴在手大指次指虎口赤白肉際握拳取之可灸七壮針一分治頭風牙痛其二上都二穴在手食指中指本節岐骨間握拳取之治

手臂紅腫針入一分可灸五壯艾三中節二穴在手中指無名指本節岐骨又名液门也治手臂紅腫針入一分可灸五壯艾四下部二穴在手無名指小指本節後岐骨間一名中渚也中渚之穴在　门下五分治手臂紅腫針一分灸五壯兩手共八穴故名八邪　按液门本在小次指岐骨陷中此恐有误

八風八穴在足五指岐骨間兩足共八穴故名八風治腳背紅腫針一分灸五壯

十宣十穴在手十指頭上去爪甲一分每指一穴兩手共十穴故名十宣治乳蛾用三稜出血大效或用軟絲縛在本節前次節後內側中間如眼壯如灸一火兩边都著又灸五壯不可过針尤妙

五虎四穴在手食指及無名指第二節骨尖握拳取之治五指拘

宰灸五壮两手共四穴

肘尖二穴在手肘骨尖上屈肘得之如瘰疬可七灸壮

肩柱骨二穴在肩端起骨尖上是穴治瘰疬亦治手不能举動灸七壮

二白四穴即郄门也在掌後横纹中直上四寸一手有二穴一穴在筋内两筋间即间使後一寸一穴在筋外與筋内之穴相並治痔脱肛

内踝尖二穴在足内踝骨尖是穴灸七壮治下片牙疼及脚内廉轉筋

独阴二穴在足第二指下横纹中是穴治小腸疝氣又治死胎々衣不下灸五壮又治妇人乾哕呕吐红经血不調

外踝尖二穴在足外踝骨尖上是穴可灸七壮治足外廉轉筋及

治寒熱脚氣宜三稜針出血
囊底一穴在陰囊十字紋中治腎臟風瘡及治小腸疝氣腎家一
切症候悉皆治之灸七壯艾炷如鼠糞
鬼眼四穴在手大指去爪甲角如韭葉許兩指並起用帛縛之當
兩指歧縫中是穴又二穴在足大指取穴亦如之同治五癇等
症正發病時灸之甚效
髖骨四穴在兩梁邱兩旁各開寸五分兩足共四穴治腿痛灸七
壯梁邱係胃經穴在膝上二穴兩筋間
中泉二穴在手臂腕中在陽谿陽池中間陷中是穴灸二七壯治
心痛及腹中諸氣疼不可忍
四關四穴即兩合谷兩太冲穴是也
小骨空二穴在手兩小指第二節尖是穴也灸七壯治手節疼目

痛

印堂一穴在眉丶两中间陷中是穴針一分灸五壮治小兒一切驚
風

子宫二穴在中極两旁各開二寸針二寸灸二七壮治婦人久無
子嗣

龍玄二穴在两手側腕叉紫脉上灸七壮禁針治手疼

四　四穴在两手四指内中節是穴三稜針出血治小兒猢猻劳
疟

高骨二穴在掌後寸部前五分針一寸半灸七壮治手痛

蘭门二穴在曲泉两旁各開三寸脉中治膀胱七疝奔豚　曲泉
係肝经穴在膝股上内側輔骨下大筋上小筋下陷中屈膝横
纹頭取之

百虫窠二穴即血海也在膝髕上内廉白肉際二寸半灸二七壯針五分治下部生瘡

睛中二穴在黑眼珠正中取穴之法先用青布搭目外以冷水淋一刻方将三稜針于目外角離黑珠一分許刺入半分之微然後入金針約數分深旁入目上　轉撥向瞳人輕々而下斜定目角即能視物一飯頃出針輕扶偃卧仍用青布搭目外再以冷水淋三日夜止初針盤膝正坐将箸一把两手握于胸前寧心正視其穴易得治一切内障年久不能視物頃刻光明神秘穴也　凡学針人眼者先試針内障羊眼能針羊眼復明方針人眼不可造次

前神聰去前頂五分自神庭至此穴共四寸主治中風々癇灸三壯

後神聰去百会一寸主治中風久癇灸三壯

髮際平眉上三寸是穴主治頭風眩暈疼痛延久不愈灸三壯極效

陽維在耳後引耳令前弦筋上是穴治耳風聾雷鳴灸五十壯 千金翼

当陽 目瞳子直入髮際內一寸去臨泣五分是穴主治風眩不識人鼻塞症灸三壯針三分〇蝦蟆瘟針当陽及太陽多出惡血絡以細繫艾肩下臑上即針刺左右尺澤大小血絡及委中血絡盡棄如糞則不日而飲水神效

耳上穴治癭氣灸風池及耳上髮際各百壯 千金翼 千金作耳後兩髮際

神聰四穴在百会左右前後四面各相去一寸主頭風目眩風癇

狂亂針入三分

明堂在鼻直上入髮際一寸主治頭風鼻塞多涕即上星

眉冲二穴在鼻直上入髮際一寸主治頭風鼻塞多涕針入二分

一云即上星穴也

唇裡穴唇裏正當承漿边逼齒齗針三鋥主治馬黄々疸 千金翼

夾承漿穴夾承漿兩边各一寸主治馬黄急疫 千金翼

鷰口在口吻兩旁鷰口處赤白肉際主治狂瘋罵詈撾斫人名為熱暍瘋灸此穴各一壯 千金翼 ○狂邪鬼語灸十五壯 小兒大小便不通各灸一壯

鼻交頞中主治癲風角弓反張羊鳴大風青風面風如虫行卒風多睡健忘心中憒々口噤卒倒不識人黄疸急黄此一穴皆主

之針入六分行氣即瀉留三呼五吸不補亦宜灸然不及針慎
酒麵生冷醋滑猪魚蒜蕎麥漿水
魚尾在目眥外頭兼睛明太陽治目疾 玉龍
顳顬在眉尾中間上下有來去絡脈是針灸之所
机關在耳下八分近前凡卒中風口噤不開灸此二穴五壯即愈
一日隨年為壯饑者逐左右灸之 千金翼
百勞在大椎向髮際二寸点記將其二寸中摺墨記橫布于先点
上左右兩端尽處是主治瘰癧灸七壯神效〇又瘰癧聯珠瘡
灸百勞三七壯至百壯肘尖百壯又先向審知初出以核針貫
核正中即以石雄黃末和熱艾作炷灸核上針穴三七壯諸核
從此亦消矣
龍頷在鳩尾上一寸半主治心痛冷氣上攻灸百壯勿針 千金翼

乳上穴治乳癰妬乳以繩橫度口以度從乳上行灸度頭灸度頭
二七壯

通穴在乳下二寸主心痛惡氣上腦痛息灸五十壯 千金翼

腋下穴治喘噎膈中氣閉塞灸腋下聚毛下附肋宛宛中五十壯
神效 千金翼

旁庭在腋下四肋間高下正與乳相當乳後二寸陷中俗名注布
與腋取之主卒中惡飛尸遁注脇胸滿針入五分灸五十壯神
效

肋頭治痃癖患左灸左患右灸右第一屈肋頭近第二肋下即是
灸處第二肋頭近第三肋下間向前走亦是灸處初日三壯次
日五壯後七壯周而復始至十壯惟大蒜

肋罅治飛尸諸疰以繩量病人两乳間中屈之乃從乳頭向外量使当肋罅于繩頭尽處是穴灸隨年壯千金云三壯或七壯男左女右〇凡中尸壮飛尸遁尸風尸尸々疰其狀皆腹脹痛急不得息氣上冲心胸两脇或踝踊起或牽引腰脊灸乳後三寸男左女右可灸二七壯如不止多其壯數立愈

乳下正居乳下一寸主胃脘痛肝俞脾俞下三里膈俞太冲独陰

每乳下一寸各灸二十壯

長谷在夹臍相去五寸一名循脊主治下痢不嗜食々不消灸五十壯三報之千金云羸瘦食不化灸長谷胃俞夹臍傍各二寸各七壯

腸遺使中極旁相去二寸半治大便难灸隨年壯 千金

肓募以乳頭斜度至臍中乃屈其去半從乳下量至尽處是穴主

治结氣囊裏針药不及者灸隨年壯
膓堂在腋下骨间陷中举腋取之主治胸腋氣滿咪噫喘逆目黄
远視睆々可灸五壯
身交在少腹下横纹中治治崩中灸少腹横纹当臍孔直下一百
壯及治胞落癩須三報之○又治大小便不通○又治梁床者
可灸七壯
通関通関二穴在中脘穴旁各五分主治五噎左撚能進飲食右
撚能和脾胃此穴一針有四致下針良久後覺脾磨食又覺針
動為一致次覺針病根腹中作声為第二致次覺流入膀胱為
三致四覺氣流
直骨在乳下大约離一指頭看其低陷之處与乳直对不偏者是
穴也婦人按其乳直向下看乳頭所到之處正穴也主治远年

咳嗽灶如豆大小灸三壮男左女右不可差誤丈咳即愈不愈不
可治
法都左臍下一寸五分兩旁相去各三寸針五分
胞門子户氣門子藏門塞不受精娠妊不成若墮胎胞漏見赤灸
胞門五十壮関元左邊二寸是也右邊名子户若胞衣不出反
子乳腹中或腹中積聚皆針入胞門一寸○胎孕不成灸氣門
穴在関元旁三寸各五十壮又漏胎下血不禁灸百壮
臍下五寸兩旁各開一寸是穴灸三七壮内関太冲三壮獨法五
壮治冷氣冲心痛
臍旁穴以臘繩量患人口兩角為一寸作三摺成三角以一角安
臍心兩角在臍下兩旁尽處点記灸二七壮治冷心痛立差○
治奔豚氣繞臍上冲灸二七壮兩丸騫塞亦灸左取右々取左

並灸氣衝七壯

经中穴在臍下寸半兩傍各三寸治大小便不通灸百壯胞门五十壯营中三壯大腸俞三壯膀胱俞三壯丹田二七壯

腸繞二穴在挾玉泉兩旁相去各二寸主治大便閉塞灸以年為壯

魂舍在挾臍兩旁相去一寸主治小腸泄痢膿血灸百壯小兒減之

後腋下穴治頸漏背後兩边腋下後丈頭灸隨年壯

脊背五穴治大人癲癇小兒驚癇灸背第二椎上及下窮骨尖二處乃以繩度量上下中折復量至脊骨上点記之共三處畢復斷此繩取其半均為三折而三合如△字樣以上角对中央一穴其二角正夾背兩边同灸之凡五處也合百壯 千金翼

巨闕俞第四椎名巨闕主胸膈中氣灸隨年壯
督俞在第六椎下兩旁相去各二寸禁針可灸一名高蓋
氣海俞在第十五椎下兩旁相去各二寸針三分留六呼可灸
關元俞在十七椎下兩旁相去各二寸針三分留六呼可灸治瀉
痢虛脹小便難婦人瘕聚諸疾
夾脊穴治霍亂轉筋令病者合面臥伸兩手著身以繩橫牽兩肘
尖為脊間繩下兩旁相去各一寸半所灸百壯無不差者此華
佗法
下極俞在第十五椎下名下極俞主治腹中疾腰痛膀胱寒飲澼
注下灸隨年壯　千金翼
十七椎穴轉胞腰痛灸十七椎五十壯　千金翼
迴氣在脊窮骨上赤白肉下主治五痔便血失屎灸百壯○若灸

窮骨惟多為佳 千金翼

下腰一穴在八髎正中央脊上名三宗脊主治洩痢下膿血灸五十壯

环周二穴在小腸腧下二寸横紋間主大小便不通灸七壯為最效

胛縫二穴在背端骨下直腋縫尖及臂主治肩背痛連針入三分瀉二吸

精宮在背第十四椎下各開三寸專主夢遺失灸七壯神效

崇骨在大椎上第一小椎是也

肩柱在肩端起骨尖主治瘰癧及手不舉灸七壯

濁浴俠胆俞旁行相去五寸名濁浴主治胸中胆病恐畏多驚少力口苦無味灸隨年壯

腰眼灸法令病人平眠以筆于兩腰眼宛宛中點二穴各灸七壯此穴諸書所無而居家必用載三云灸累試屢驗主治諸勞瘵已深之難治者于癸亥日二更盡入三更時令病人平眠取穴灸三壯○專治一傳屍勞瘵已至滅門絕戶者有之此病因寒熱鬱作血凝氣滯有化而為蟲者內食臟腑每致傳人百方難治惟灸可攻灸法于癸亥日二更後將交夜半乃六神皆聚之時毋令人知令病者解去下衣舉手向上略轉後些則腰間兩旁自有微陷可見是名鬼眼穴即俗人所謂腰眼也正身直立用墨點記然後上床合面而臥用小艾炷灸七壯或九壯十一壯尤好灸蟲必于吐瀉中而出燒燬遠棄之此比四花等穴尤易且效○千金翼云治腰痛灸腰目窌在尻上約左右○又曰在胃俞下三寸夾脊兩旁各一寸半以指按陷中主治消渴此

二說似皆指此穴

夾脊穴量三椎下边四椎上從脊骨上兩旁各五分灸三七壯至七七壯立差神效

尾窮骨上一寸左右各一寸有三穴治腰痛不能屈伸兼腎俞委中各七壯

膝旁主治腰痛不能屈伸脚酸难久立在曲脉横纹頭四處各三壯並一時吹火使之一時自滅一處灸不到其疾不愈

脊骨旁治腰背佢僂在脊骨旁左右突起浮高處以針深刺灸五百壯至七八百壯若病歇則不必尽其數矣

拳尖在中指本節前骨尖上握拳取之主治風眼翳膜疼痛患左灸右患右灸左炷如小麦

手中指第一節穴治牙齒疼灸兩手中指背第一節前有陷處七

手中指第一節穴治牙齒疼灸兩手中指背第一節前有陷處灸七壯下火立愈

手掌後白肉際穴主治霍亂轉筋在兩臂及胸中灸手掌後白肉際七壯

唇口治小兒唇緊灸此穴男左女右七壯熏承漿三壯〇煩熱頭疼針三分〇心痛灸兩唇口白肉際七壯

手足髓孔手髓孔在腕後大骨頭宛宛中腳髓孔在足外踝後一寸俱主痿腿風半身不遂可灸百壯

兩手研子骨治腕主瘡灸兩手腕研子骨尖上三壯男左女右

河口治狂走驚癇灸河口五十壯在手腕後陷中動脈

八關八穴在手十指間治大熱眼痛睛欲出針刺出血即愈

小骨空穴在手小指二節尖上治眼疾及爛弦風眼灸九壯以口吹

火藏
龍元二穴在列缺上青脉中治主下牙痛疼灸七壯○董合谷下
三里神门列缺各三壯呂細二七壯治牙類痛
奪命在曲澤上主治目昏暈針三分禁灸
大指甲根排刺三針治變娥重者一日再刺
手大指後第一節横纹頭白肉際煎肝俞各灸一壯治大人小兒
雀目
手大指內側横纹頭治目生白翳煎小指本節尖各灸三壯○手
五指不能曲伸灸一壯神效
手掌後臂向穴治疔腫灸掌後横纹　五指許男左女右七壯即
驗已用得效○又云治風牙疼以绳量自手中頭至掌後横纹
折為四分乃後自横纹比量向後臂中尽處兩筋向是穴灸三

壮隨左右灸之兩患以灸兩臂至驗

手表腕上踝骨尖端治上下齒痛灸此処如不愈更灸七壮左痛灸右々痛灸左神效

膝眼在膝頭骨下兩旁陷中刺五分禁灸主治膝冷痛不已○患髖骨治脚腿腫痛

髖骨在膝蓋上梁丘旁外開一寸主治兩脚膝紅腫痛寒濕走注白虎歷節風痛腿風不能舉動

交儀治婦人漏下赤白月水不利灸交儀穴在内踝上五寸

营池主婦人下血漏赤白灸营池四穴三十壮在内踝前後兩边池上脉一名阴阳

漏阴治婦人漏下赤白四肢痠削灸漏阴三十壮穴在内踝下五分微動脉上

足太陰太陽穴治婦人逆産足先出刺太陰入三分足入乃出針

穴在内踝後白肉際骨陷宛宛中○胞衣不出刺足太陽入四

分在外踝後一寸宛宛中

足踝治小兒重舌灸右足踝上七壯○又云灸兩足外踝上七壯

○又治　　　踝　　骨前交脉上七壯○又治轉筋十指

拘攣灸足外踝骨上七壯○又治翻胃吐食灸内踝下稍斜向

前有穴三壯或田向前一指○又治諸惡瘡中冷瘀肉出灸足

内踝上各三壯二年六壯

踝尖在足内踝尖上主治下牙痛○又曰脚足轉筋不忍内筋急

内踝尖七壯外筋急外踝尖七壯

内崑崙在足内踝後陷中主治轉筋針入六分氣至瀉之

承命在内踝後上行三寸動脉中治狂邪驚癇灸三十壯一曰七

壯
足踵治霍亂轉筋灸湧泉三七壯如不止灸足踵聚筋上白肉際
七壯立愈
陰陽穴在足拇指下屈裏表頭白肉際治婦人下漏赤白泄瀉灸
隨年壯三報之
足第二指上穴灸足第二指上一寸隨年壯治水病
手足小指穴主治食注灸手小指尖頭男左女右隨年壯。又治
消渴症初灸兩手足小指頭及項椎隨年壯。又灸膀胱俞橫
三間寸灸之亦隨年壯五　亦報之又治癲疝灸手小指端七
壯左灸右右灸左
血郄即百蟲窠在膝內廉上膝三寸陷中主腎藏風瘡針入二寸
半灸二七壯止

氣端在足十指端主脚氣日灸三壯神效
鶴頂在膝蓋骨尖上主兩足癱瘓無力灸七壯
陰獨八穴在足四指間主婦人月經不調須待經定為度針三分
灸七壯
通里在足小指上二寸主婦人崩中及經血过多針入二分灸二
七壯
呂細二穴在足內踝尖主治上牙痛灸二七壯
營衝即營池
內太衝二穴在足太衝穴對內傍脉大衝陷中舉足取之主治疝
氣上衝呼吸不通針一分灸三壯極妙
甲根在足大拇指端指端爪甲角隙皮根左右廉內甲之隙治疝
針一分

足大指横紋穴在三毛中治卒中惡悶熱毒欲死灸足大指横紋隨年為壯〇治陰腫欲潰困憊灸大拇指本節横紋中五壯一曰隨年壯〇治癩卵疝氣灸足大指本節间三壯〇又治癩疝灸足大指内側去端一寸白肉際隨年壯甚驗各双癩灸兩處〇又治癩疝卵腫如瓜入腹欲死灸足指下横紋中隨年壯寸即腫退灸之神驗〇又治老少大便失禁兩脚大指去甲指一寸府三壯〇又治卒癲病灸聚毛中七壯〇又治鼻衄時痛灸足大指節横理三毛中壯劇者百壯並主陰癩〇又治灸魘不醒者灸兩足大指聚毛中二十一壯

手足大指爪甲穴治卒中邪魅鼻下人中及手足太陰爪甲穴艾炷半在爪上半在肉上灸七壯不止十四壯炷如雀矢

風市在膝上七寸外側兩筋间又取法令正身平立直垂兩手着

腿当中指頭尽処陷中是穴針五分灸三五壮　病輕者不可
減百壮重者灸五六百壮千金　主治腰腿痠痛足脛麻頑脚氣
起坐艱難先瀉後補風痛先補後瀉此風病冷痛之要穴○無
陰市能去腿脚之乏力玉龍　治偏風半身不遂兩腿痠痛灸二十
一壮　神農經

阿是穴即天應穴無風門肩井風池崑崙天柱風府絕骨治項強
詳其經絡治之無鍼阿是穴隨痛隨針之法能行則無不無不
神效

足大指甲根治積年胸痛足大指爪甲之本根爪甲之半当中灸
七壮男左女右太衝三壮独陰五壮章門七壮立愈若或不愈
更灸○陰症針一分灸三壮

踝下在内踝下白肉際治滿身卒腫面浮洪大灸三壮立效

足大指節治癲疾在足大指本節內紋及趾穴各七壯

横骨婦人遺尿不知時出灸横骨当陰门七壯○又治癲病在横

骨兩旁夾莖灸之

泉陰在横骨旁三寸治癲疝偏大灸泉陰百壯三报之 千金翼

陰囊下横紋治風氣眼反口噤腹中切痛灸陰囊下第一横理十

四壯 千金翼 又胸痛口噤陰囊下十字紋期门大陵神门各灸

三壯

陰莖治卒癲病灸陰莖上宛宛中三壯得小便通即瘥当 孔上

是穴○又灸陰莖頭三壯

羊矢在会陰旁三寸股内横紋中按 間有核如羊矢可灸三

亦灸七壯

勢頭治癲疝穴在陰莖頭尿孔上宛宛中灸三七壯着火衰气即

差若不同男女重者七七壮轻者五壮至七壮

針灸穴

神庭 禁針針之令人癲狂目失明

脑户 禁針灸刺中脑户入脑立死

承灵 禁針

顱息 禁針出血多則殺人

顖会 小儿八岁以前禁針盖其顖门未合針之不幸令人夭

神道 禁針

灵臺

肩井 此足陽明之会連五藏氣若針深令人悶倒速補足三里須臾平復凡針肩井必皆以三里下其氣一曰此藏所聚之処不宜補

膻中 禁针々之不幸令人夭

客主人 针之则呿不能欠甲乙经曰针太深令人耳无闻一曰

禁针一白针上关不得深

鸠尾 禁针灸

水分 禁针水肿病不可针々之水尽即死

神阙 禁针々之恶疡溃矢死不治

会阴 禁针惟卒死以针一 补之渐死以令人倒驮出水用针

补之尿屎出则活余以不可针

石门 妇人禁针灸犯之绝孕

络却 禁针

玉枕 禁针

云门 针太深令人並息

承泣　陽蹻任脉足陽明三脉之会禁不宜針灸
缺盆　為五藏六府之道針太深令人逆息孕婦禁針
合谷　孕婦不宜針々之墮胎
五里　玉板篇曰迎之五里中道而止五至而已五往而藏之氣
　　尽矣小針解曰奪陰者死皆謂此穴故禁針
氣衝　氣衝之中胆胃脉也胆之脉循脇裏出氣衝繞毛际胃之
　　脉夹臍　氣衝中禁不可針灸之不幸使人不得息　一
人迎　針過深殺人
乳中　針灸之生蝕瘡
伏兎
三陰交　妊娠不可針々之墮胎
然谷　針不宜出血

青灵
角孙
横骨
三陽絡　禁針
承筋　禁針
箕门　禁針
犢鼻　刺禁論曰刺膝臏出液為跛
肺俞　刺中肺三日死
心俞　刺中心一日死
肝俞　刺中肝五日死
胆俞　刺中胆一日半死
脾俞　刺中脾十日死

胃俞　刺中胃六日死

四白　針深令人目烏色

天樞　魂魄之舍不可針孕婦不宜灸

禁針穴歌

禁針穴道要先明腦户顖会及神庭絡却玉枕角孫穴顱息承泣隨承灵神道灵台膻中忌水分神闕并会陰橫骨氣衝手五里箕门承筋及青灵乳中上臂三陽絡一十三穴不可針孕婦不宜針合谷三陰交内亦通論石门針灸應須忌女子終身無妊娠外有云门并鳩尾缺盆客主人莫深肩井深時人悶倒三里急補人還平刺中五臟胆皆死冲阳血出投幽冥海泉顴髎乳頭上脊间中髓伛僂形手魚腹陷陰股内膝臏筋会及腎经腋股之下各三寸目眶關節皆通評

天柱　禁灸

承光　禁灸

頭維　禁灸

攢竹

睛明　禁灸

禾髎

迎香　禁灸

顴髎　禁灸

下関　禁灸

人迎　足陽明少陽之会禁針灸

天牖　不宜灸々則令人面腫

天府　禁之則令人氣逆

周荣
乳中　禁灸
腹哀
肩贞
阳池
中冲
少商
鱼际
经渠　禁灸々剧伤人神明
隐白
漏谷
条口

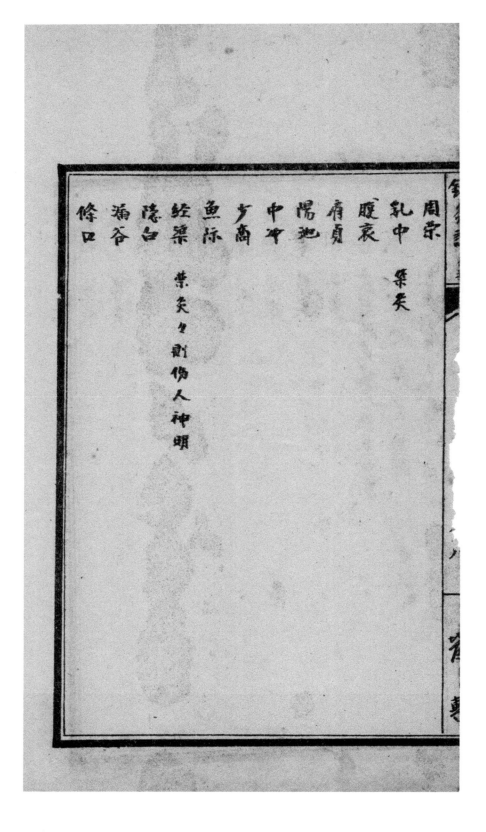

犊鼻
伏兔　禁灸
阴市　禁灸
髀关　禁灸
申脉
委中　禁灸
殷门
心俞　禁灸
承泣　禁灸
承扶
瘈脉　禁灸
耳门　禁灸

絲竹空　禁灸灸之不幸令人目小及盲

白环俞　禁灸

陰陵泉

氣冲　灸之不幸令人不得息

四白　禁灸

天枢　孕婦不宜灸

瘂门　禁灸灸之令人瘂

風府　禁灸灸則令人瘖

淵腋　禁灸灸之不幸生腫蝕馬刀瘍内潰以死

鳩尾　禁灸

脊中　禁灸灸之令人僂

陽関　足少陽経穴禁灸

石门　妇人灸之绝孕

脑户　灸之令人瘖

地五会　禁灸灸之令人瘦不出三年死

頭臨泣　禁灸

素髎　禁灸

禁灸穴歌

禁灸之穴四十七承光瘂门風府逆睛明攢竹下迎香天柱素髎上臨泣脑户耳门瘈脉通禾髎顴髎丝竹空頭維下關人迎等肩貞天牖心俞同乳中脊中白环俞鸠尾渊腋如周荣腹哀少商并魚际经渠天府及中冲陽池陽關地五会漏谷陰陵條口逢殷门申脉承扶忌伏兔髀關連委中陰市下行尋犢鼻諸穴將休艾火攻

逐日人神所在禁忌針灸歌

初一十一廿一起足拇鼻柱手小指初二十二廿二外踝髮際外踝位初三十三廿三股內牙齒足及肝初四十四又廿四腰間胃脘陽明手初五十五廿五并口內徧身足陽明初六十六廿六同手掌胸前又在胸初七十七廿七內踝氣冲及在膝初八十八廿八辰脘內股內又在沄初九十九廿九在風在足膝脛後初十二十三十日腰背內踝足跗覔

周身各位骨圖

金鑑曰凡前面曰面凡後曰背居頭之前故曰面

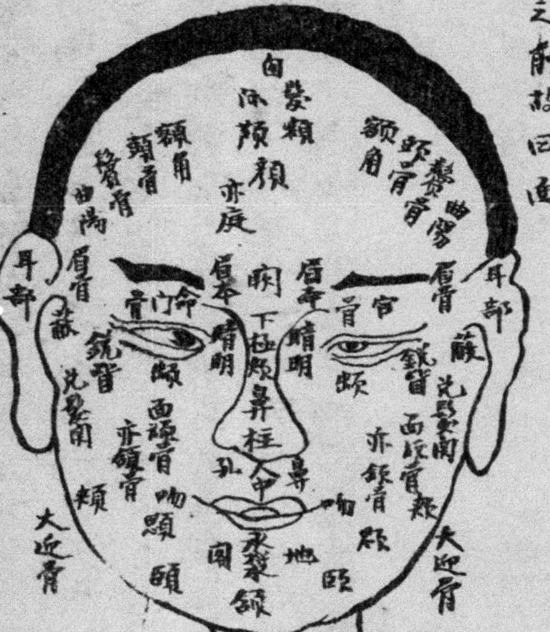

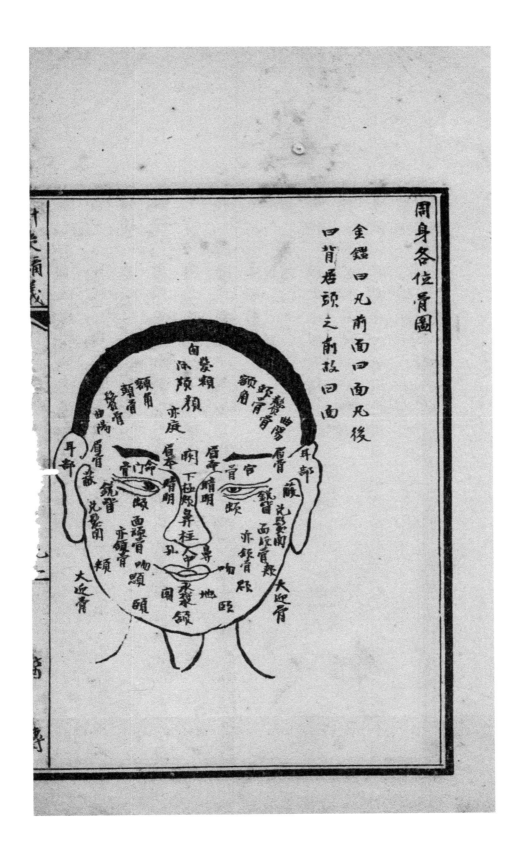

囟　金鑑曰顛前之頭骨嬰兒腦骨未合軟而跳動之処曰顖門
　人鏡經曰頂顱前為顖無寃録曰顖门在百会之前

髮际　金鑑曰囟前為髮际

額顱　金鑑曰額前髮际下無寃録曰首骨也在囟门下經　指
　掌晉書曰顛下曰額

顏　釋骨曰額之中曰顏曰庭五色篇曰明堂以鼻也闕以眉间
　也庭以額也

闕　解見上

下極　闕之下曰下極

頞　金鑑曰鼻梁即山根也

鼻柱　金鑑有曰兩孔之界骨名曰鼻柱至鼻之尽處名曰準頭

鼻孔　人鏡經曰人中上两旁為鼻孔

人中　金鑑曰鼻柱下唇上名水溝

唇　人鏡经曰口沿為唇

齒　人鏡经曰口内前小此為齒小兒方訣曰自胎系入骸中作三十二齒而齒牙有不及三十二數此变不足其常也或二十八日即至長二十八齒已下徹之但不过三十二數

牙　人鏡经曰齒旁大此為牙

齗　人鏡经曰根内為齗

舌本　金鑑曰舌本此舌根也

懸癰　医彀曰舌本上為懸癰

蒸甕　人鏡经曰地閣上端為蒸甕

舌　人鏡经曰齒内為舌

地閣　金鑑曰即兩牙車相交之骨又名頦俗名下巴骨

結喉　金鑑曰喉之當藏府指掌圖書曰十二節上三節微小下九節微大第四節乃結喉也

額角　人鏡經曰額顙前兩旁為額角

頭骨　金鑑曰額兩旁稜处之骨也

鬢骨　經元指掌圖曰耳前動处一名鬢骨

曲隅　人鏡經曰額角兩旁而上鬢际為曲隅釋骨曰形曲故曰曲隅

目眶　經絡全書曰臉也俗呼為眼胞

目綱　金鑑曰綱者上下自胞之兩臉边又名曰睫司目之開闔也

目胞　金鑑曰目胞者即上下兩目衛外之胞也

目珠

目录

宮骨　聖濟總錄曰左睛之上為宮骨

命门骨　聖濟總錄曰右睛之上為命门骨

內眥　醫鑑曰內眥以為睛明

外眥　醫鑑曰外眥以為銳骨金鑑曰內眥乃近鼻內眼角以其大而圓故又曰大眥外眥以近鬢前之眼角以其小而尖故曰銳眥

䪼　釋骨曰目下曰䪼經絡全書曰䪼音　也俗呼顴骨

關　釋骨曰耳前曰關

兌髮　人鏡經曰耳前髮脚為兌髮

蔽　金鑑曰耳门也

耳郭　金鑑曰耳輪也

金鑑曰耳前側面旁之称

大迎骨 釋骨曰曲骨前斷而若迎

顑 金鑑曰顑以俗呼為顋口旁頰前肉之空軟處

頷 金鑑曰頦下結喉上兩側肉之軟處

頤 金鑑曰口角後頷下

吻 金鑑曰口之四圍也

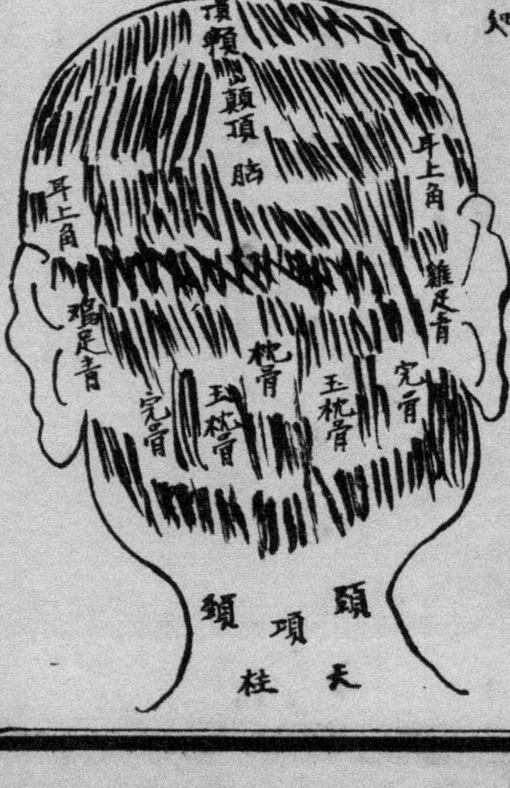

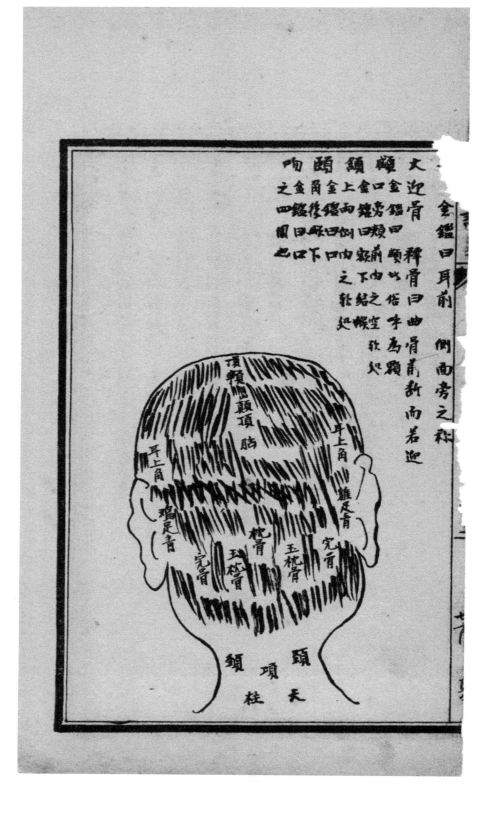

頂顖　人鏡經曰巔前為頂顖

巔　金鑑曰頭頂也

腦　金鑑曰腦者頭骨髓也

枕骨　釋骨曰巔之後橫起者曰頭橫骨曰枕骨

玉枕骨　釋骨曰枕骨之兩旁最起者曰玉枕骨

完骨　釋骨曰玉枕骨下高以長在耳後曰完骨

柱骨　釋骨曰三節植頸項者通曰柱骨

頸　金鑑曰頸之莖骨肩骨上際之骨俗名天柱骨

項　金鑑曰頸後莖骨之上三節圓骨也

雞足青　金鑑曰耳本脈中為雞足青

耳上角　釋骨曰耳之像上起者

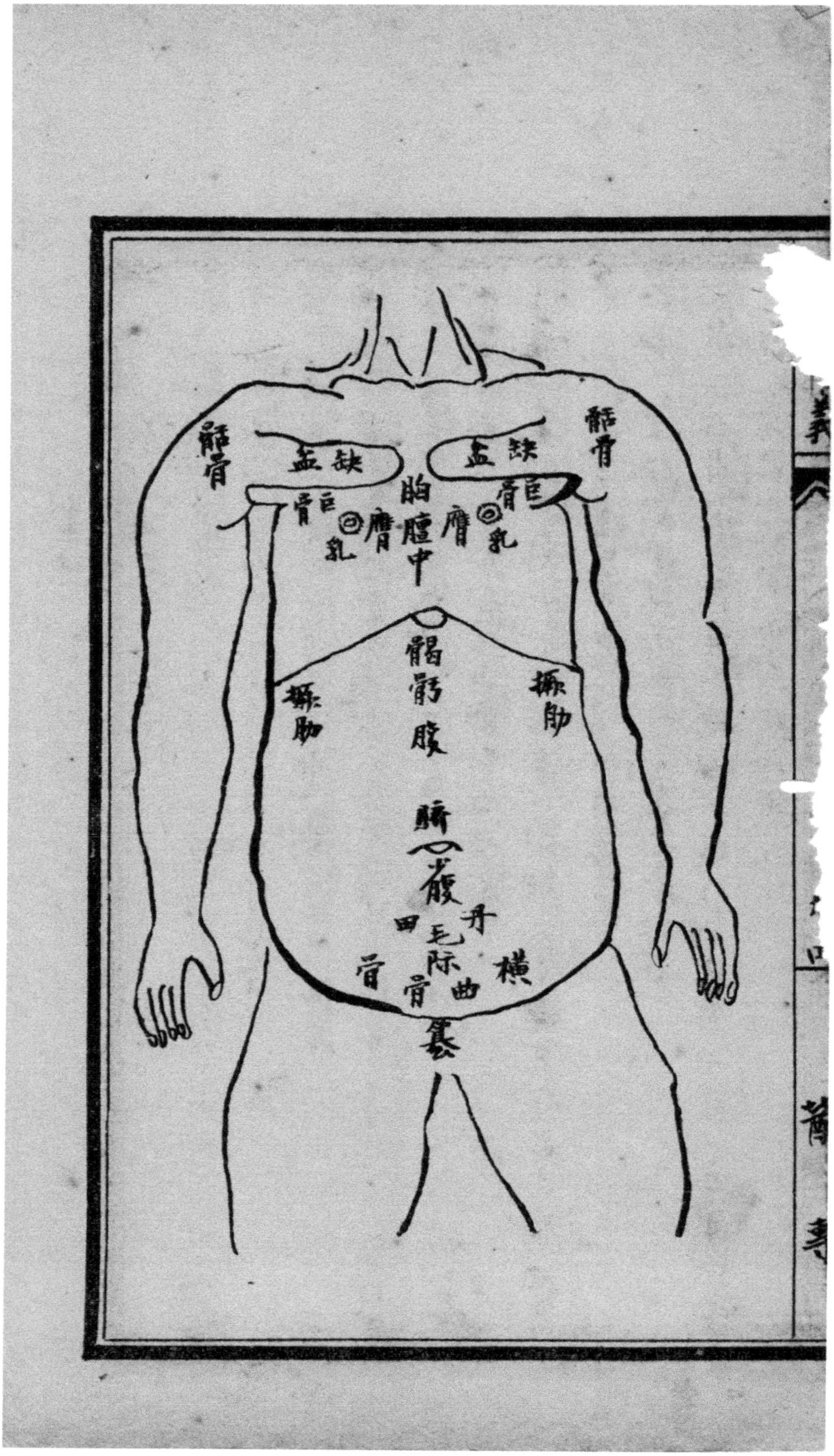
髃骨
缺盆
髃骨
缺盆
巨骨
巨骨
乳
乳
膺
膺
胸
膻中
髑骬
撅肋
撅肋
腹
脐
少腹
丹田
毛际
横骨
曲骨
骨
囊

巨骨　釋骨曰肩端前横两大圖翼曰膺上横骨

缺盆　经穴指掌圖曰結喉下巨骨上缺陷処若盆也

髃骨　釋骨曰乃缺盆两旁之端則肩端骨也

胸　金鑑曰缺盆下腹上有骨之処

膺　金鑑曰胸前两旁高処

乳　金鑑曰膺上突肉有頭

髑骬　釋骨曰蔽心者曰髑骬曰鳩尾

少腹　金鑑曰臍下　少腹亦曰小腹太平御覽曰有小腹之别

臍下曰小腹臍下旁曰少腹

毛際　金鑑曰小腹下横骨間叢毛之際也

横骨　釋骨曰髑骬直下横两股間者曰横骨曰腹際骨经穴指掌圖曰陰毛中有陷如偃月

[illegible]骨　釋骨曰横骨中央兩垂而厥陰器

篡　金鑑曰横骨下兩股之前相合共結之凹也前後兩陰之間名曰下極穴又屏翳穴会陰穴即男女陰氣之所也人經鏡曰篡内深处為下極

陰庭　人鏡經曰下極之前男為陰庭女為　漏陰庭下為陰器

庭孔　類經曰女人溺孔在前陰中横骨之下男子溺孔亦横骨之下中央為宗筋所蓋不見耳焉註曰蓋竅漏之中有溺孔其端正在陰庭乃陰孔之端也

睪丸　金鑑曰男子前陰兩丸也

莖　張氏曰陰器合太陰厥陰陽明少陰之筋及衝任督之脈皆聚于此故曰宗筋厥陰屬肝主筋故絡諸脈而一之以成健運之用說郛曰陰莖屬厥陰肝經陰囊屬厥陰肝經睪丸

属厥阴肝经阴中即阴户之口属厥足阴肝经阴户即阴门

之口属足厥阴肝经

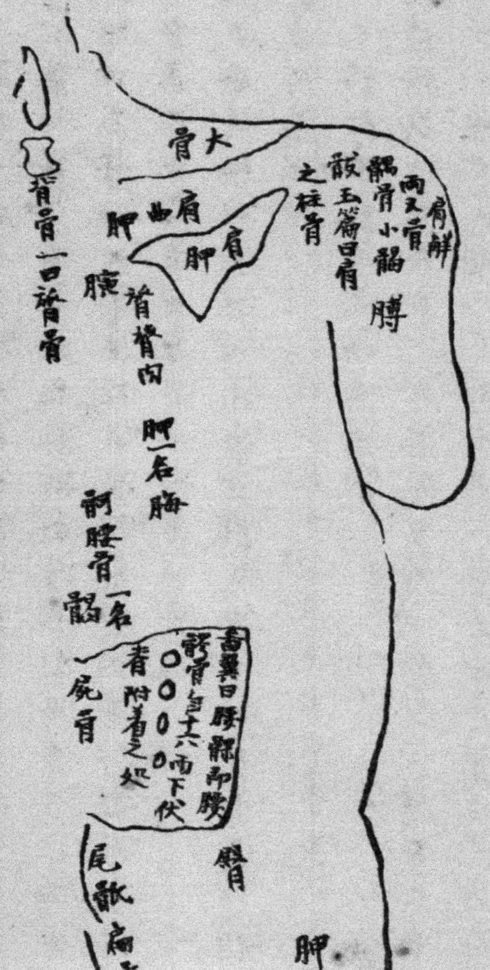

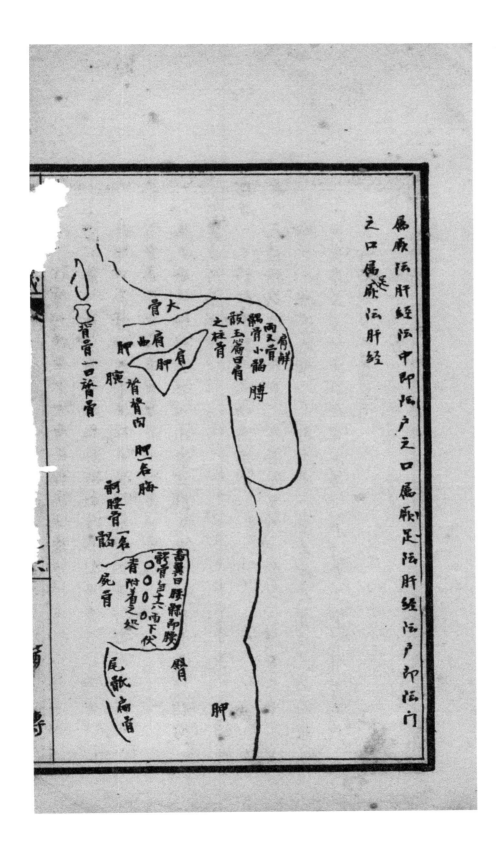

脊骨曰項大椎之下二十一節通曰脊骨曰脊椎曰膂骨曰中腒第一節曰脊大椎形如杼故亦曰杼骨第十三節至十六節曰高骨曰大骨其以上節曰背骨則第八節以下乃曰膂骨不節曰尻骨曰骶骨曰脊骶曰尾骶

生氣通天論曰王注曰高骨謂腰之高骨是高骨通謂腰向脊骨之高也

扁骨

人鏡經曰骶骨兩旁為扁肩

尻

人鏡經曰八髎尽处　処為尻金鑑曰尻骨也腰骨下十七椎十八椎十九椎二十椎二十一椎五節之骨也上四節紋之旁左右各四孔形凹為瓦長四五寸許上寬下窄末節更小如人参芦形名尾閭

腰骨

医毅曰盝骨上為腰骨一名髃

骬　醫彀曰髃上爲骬

腰踝　彙纂曰腰踝即腰胯骨也自十六椎而下伏脊附着之處也

腰盞骨　醫彀曰尻上橫者爲腰盞骨

臀　金鑑曰尻旁之大骨

胂　金鑑曰腰下兩旁髁骨上之肉也

三柱骨　醫彀曰肩胛際會處爲三柱骨

骸　醫彀曰三柱骨之上兩傍之前爲骸

肩胛　醫彀曰肩解下成片者爲肩胛一名膊

肩解　金鑑曰肩端之骨節解處

小髃　釋骨曰肩前微起者

釋骨曰缺盆骨兩傍之端肩端骨醫彀曰肩兩端骨向爲

髃骨

膴 医彀曰凡二十一節通項骨三節共二十四節脊内為膴

膂 医彀曰膴两旁為膂胂又曰膂内為胂一名脢説 背内也

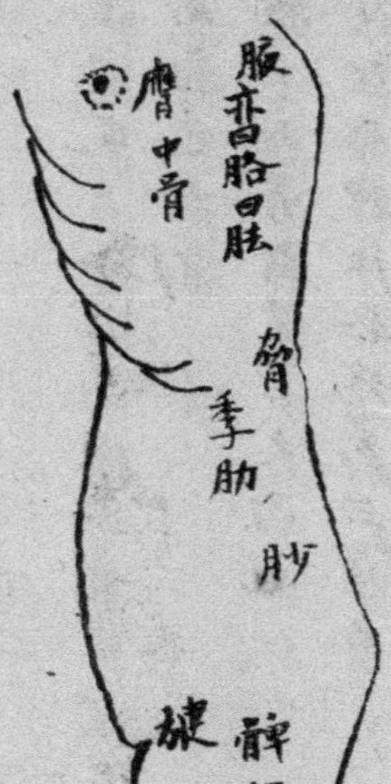

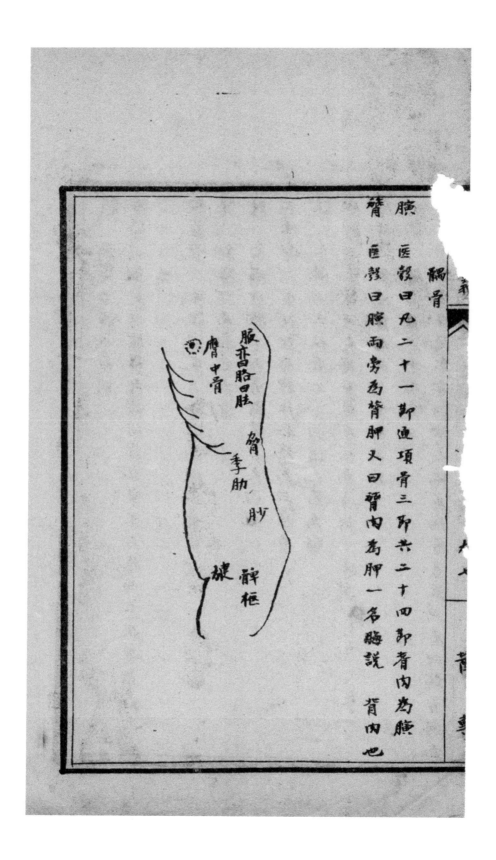

腋　釋骨曰肩之下脇之上際

胠　說文胠腋下也翕翼曰腋下脇上

膺中骨　釋骨曰乳三寸此曰胠々骨五左曰左胠右曰右胠其抱胸過乳而兩端相直此曰膺中骨

膂　釋骨曰膺中骨之下及胠外此曰脇骨

橛肋　釋骨曰脇骨之短而在下此曰橛肋

季肋　釋骨曰橛肋最短俠脊此曰季肋其橛肋之第三條曰季肋

骸　張志聰曰胸脇交分之扁骨內膈前連于胸之鳩尾旁連于脇後連于脊之十一椎釋骨曰脇支之端相交此曰骸

眇　玉機真藏論曰季脇之下俠脊兩旁空軟處也金鑑曰脇下無肋骨空軟處也

骨空論王注曰髀輔骨上橫骨下股外之半側立搖動取之

筋脉應手

髀樞

番冀曰楗骨下髀之上曰髀樞為环跳穴

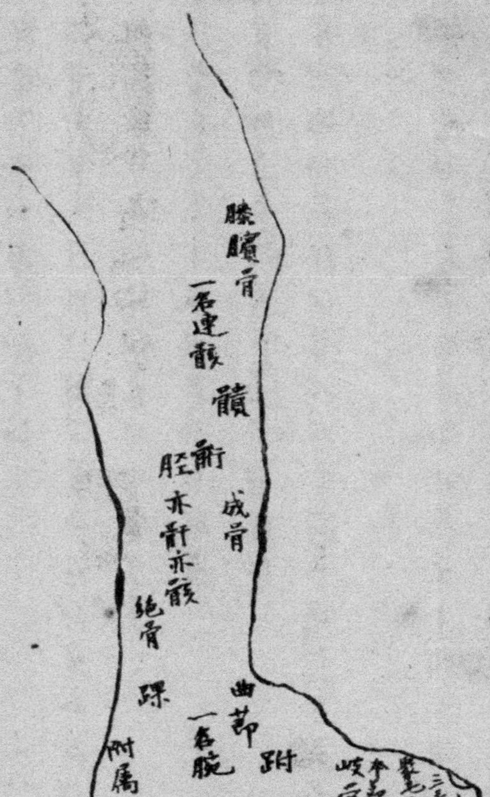

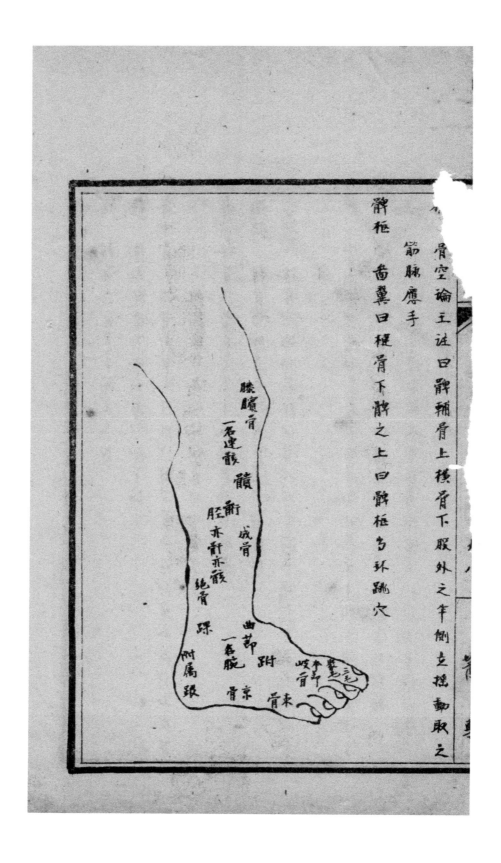

膝　釋骨曰膝伸也可屈伸金鑑曰股中節上下交接処

膝解　金鑑曰膝之節解也人鏡经曰髀関下膝解為骸関骨空論曰膝解為骸関註曰膝外為骸関集註膝後分解之処

臏骨　釋骨曰蓋骨也膝蓋之骨曰膝臏

臏　說文膝脛间骨也人鏡经曰臏下通謂臏

輔骨　人鏡经曰臏外為後輔骨釋骨曰俠膝之骨曰輔骨内曰内輔外曰外輔

骭　釋骨曰在膝以下者曰骭骨亦曰骸曰骭類经曰骭足脛骨

成骨　釋骨曰骭外廉起骨成骭者曰成骨

踝　釋骨曰骭下端起骨曰踝内曰踝外曰外踝

腕　人鏡经曰脛下尽処為曲節一名腕

…巽曰足面也人鏡经曰岐骨上為跗

岐骨　人鏡经曰本節後為岐骨

本節　人鏡经曰聚毛後為本節

京骨　释骨曰足外側　曰京骨

束骨　释骨曰小指本節後曰束骨

附屬　释骨曰外側近踝者曰附屬

跟　释骨曰兩踝後在踵者曰跟骨

三毛　人鏡经曰大指爪甲之後為三毛

聚毛　人鏡经曰三毛後横紋為聚毛

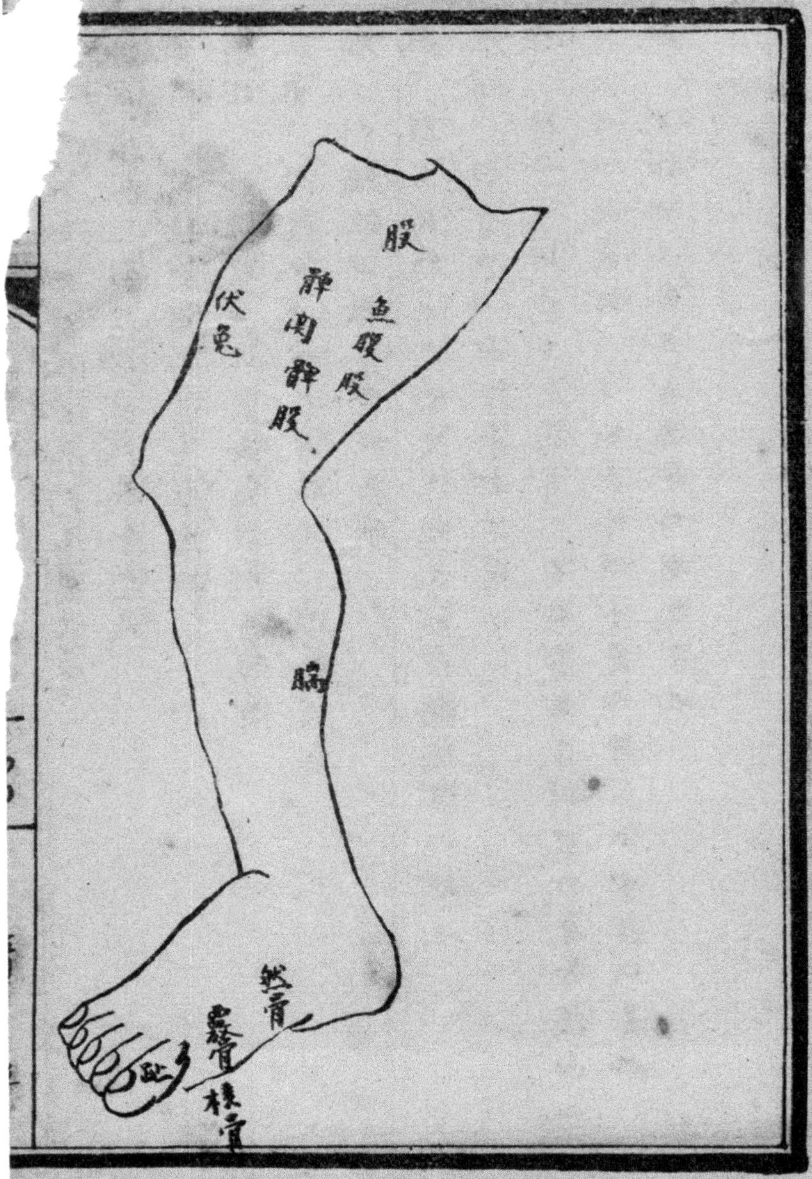
股
髀肉髀股
鱼腹股
伏兔
腨
然骨
趾
核骨

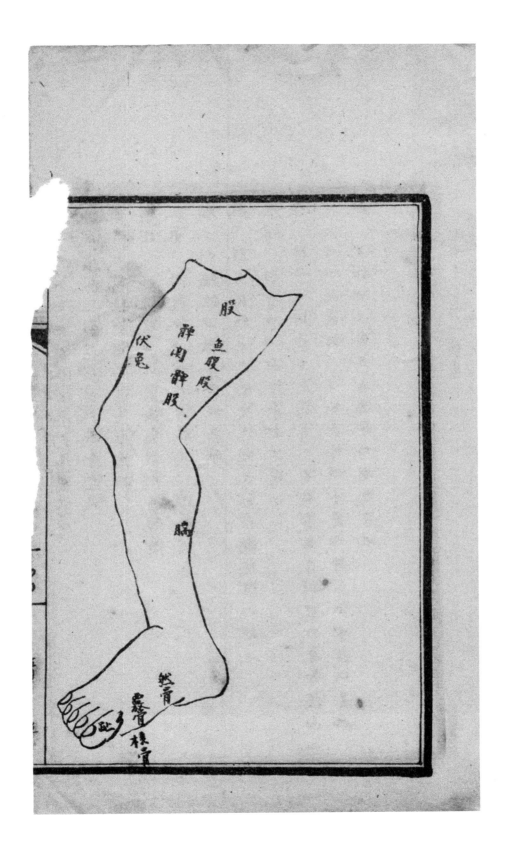

人鏡經曰脾樞下股一名髀股骨

魚腹骨　人鏡經曰股下為魚腹股

髀　人鏡經曰魚腹股外為髀關

髀關　人鏡經曰伏兔後交文中為髀關

伏兔　人鏡經曰脾之前膝上起肉為伏兔

膕　人鏡經曰膝後曲處為膕

腨　說文腓腸也至真要大論王註曰腨後軟肉處也

然骨　釋骨曰內踝下前起大骨

覈　釋骨曰跗內下為跗骨一名核骨醫學綱目曰本節後內二寸內踝前約三寸如棗核橫于足內踝赤白肉際者是也

趾　金鑑曰足數五名為趾以別于手也

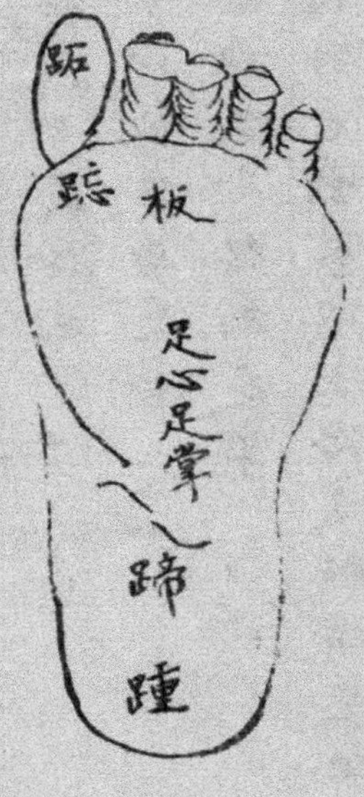
跖
跽
板
足心
足掌
蹄
踵

人鏡经曰大指下為跖

跽　人鏡经曰跖下為跽

板　人鏡经曰跽後為板

蹄　釋名曰蹄底也足底也

足心　人鏡经曰板後為足心

足掌　人鏡经曰足心後為足掌

踵　釋名曰踵鍾也鍾聚也上体之鍾所聚也金鑑曰足下而着于心之謂也俗名脚底板

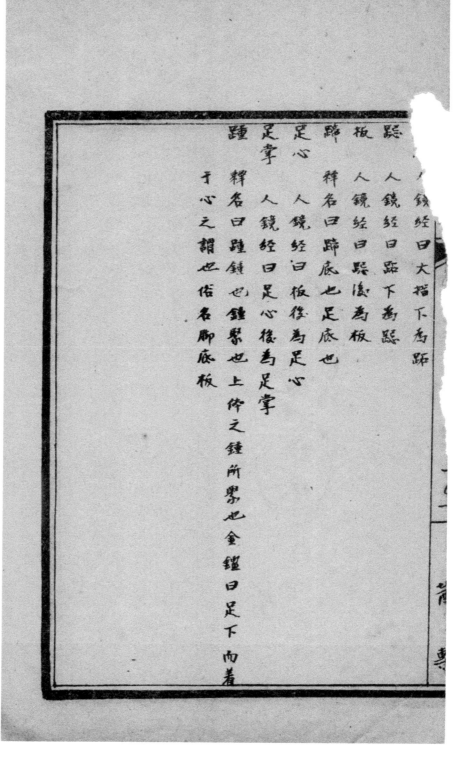

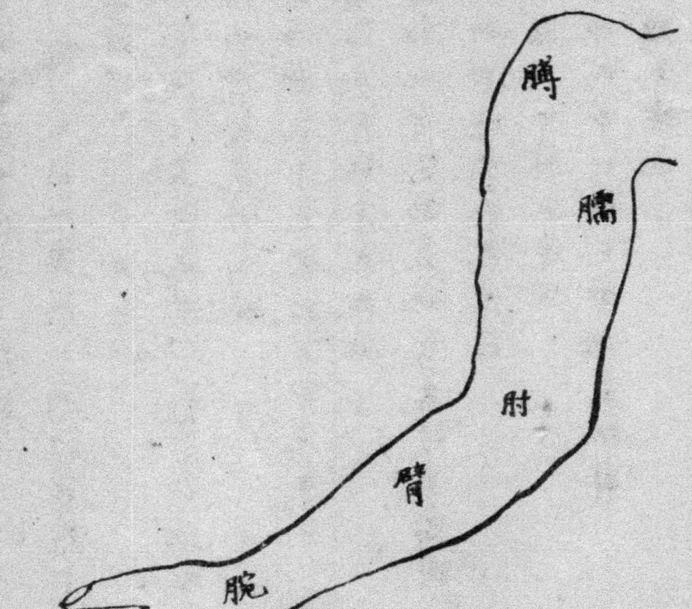
膊
臑
肘
臂
腕

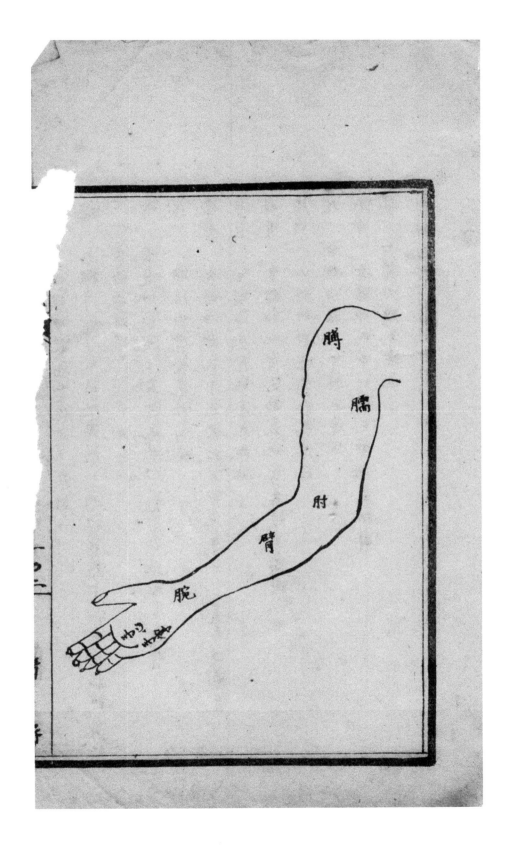

人鏡經曰從肩前後之下為膊

臑 人鏡經曰膊下肘腋為臑金鑑曰肩膊下內側对腋处高起耎白肉也

臂 畲翼曰肘之下上皆名臂一曰至曲池以下為臂

腕 人鏡經曰臂骨尽处為腕

掌骨 金鑑曰掌者手之衆指之本也手之骨名曰壅骨

手背 金鑑曰手背者手之表也

岐骨 金鑑曰凡骨之两叉者皆名岐手足同

虎口 人鏡經曰岐骨前為虎口

指 金鑑曰指者手指之骨也

爪甲 金鑑曰爪甲者指之甲也足趾同

腡 玉篇曰腡手理也

聖濟總錄曰凡三百六十五骨也天地相參惟人至灵丈夫女人則無頂威骨在閗右棚及初步等五骨止三百六十骨

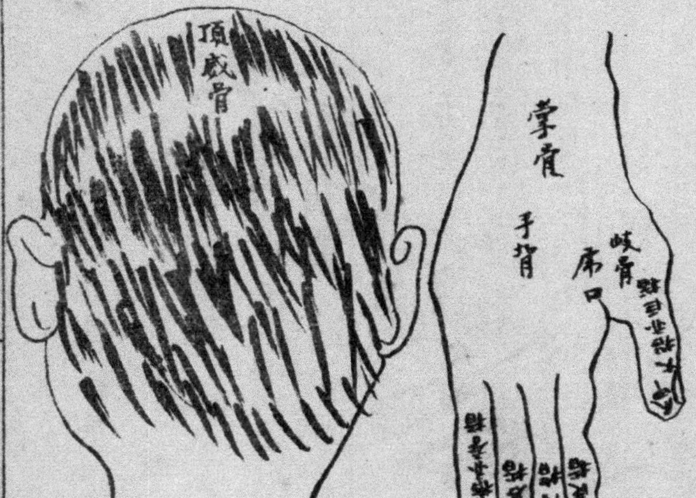

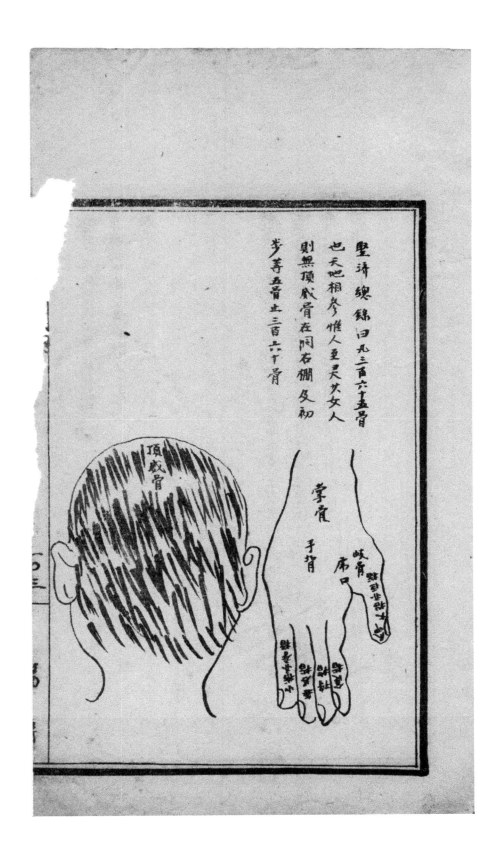

幀骨之左為胴骨幀骨之右為棚骨胴棚下中央為髑骭直下為天樞骨

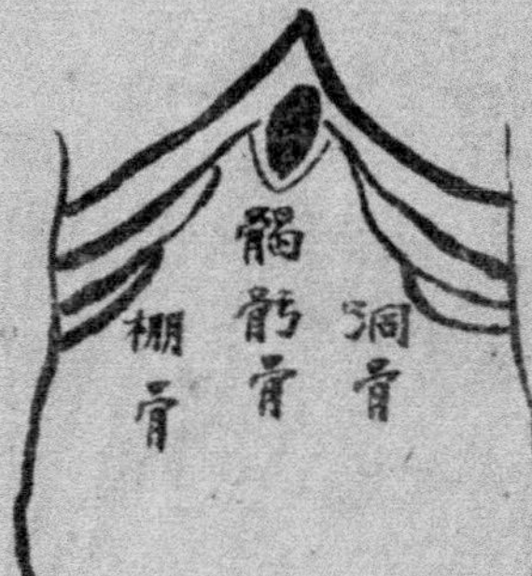

髁骨之前各有下刀骨踝骨之後各有京骨下刀骨之前各有釋欵骨釋欵骨之前有起仆骨起仆骨之前各有襯甲骨釋欵骨兩旁各有核骨起仆之下各有初步骨

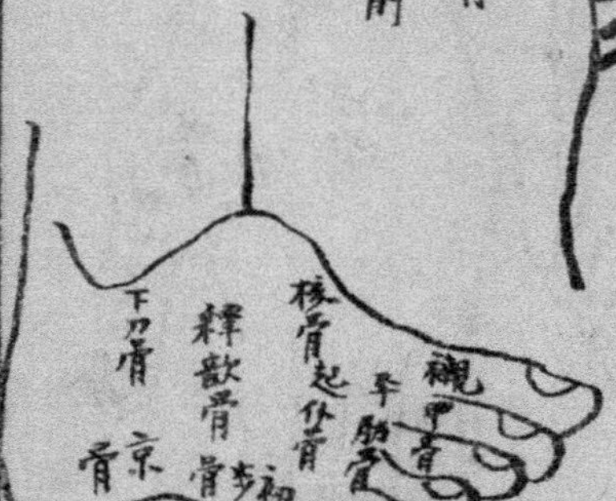

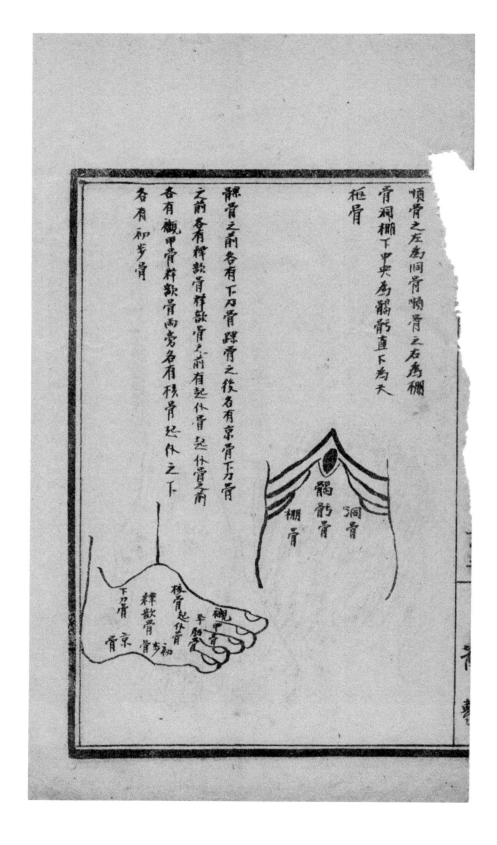

骨度

匡統曰人有大小長短不等惟周身尺寸可以取之人長則寸長人短則寸短嬰孺老幼皆然又曰今世之医惟取中指中節謂之同身寸凡諸取穴悉依之大亦未之思耳殊不知同身之義隨身之大小肥瘦長短隨处分折而取之則自無此長短之弊而庶幾乎同身之義有准矣若以中指為法如瘦人指長而長小則背腹而身大則背腹之横寸豈不太狭耶古人所以持為同身寸法以蓋必同其身倂隨在而折之固無肥瘦長短之差訛也

頭之大骨圍二尺六寸　銅人经六作八非

胸圍四尺五寸　両乳间

[illegible]圍四尺二寸　午臍周圍曰腰

所覆者顛至項一尺二寸　甲乙經尺字上有一字

類經曰髮所覆者謂髮際前髮際為顛額後髮際以下為項前自顛後至項長一尺二寸

明堂灸　曰定髮際法曰如是患人先因疾患後脫落盡髮際或性本額項無髮難憑取穴令定患人兩眉中心直上三寸為髮際後取大椎直上三寸為髮際以此為準

髮以下至頤長一尺男子終折

甲乙經男作君終作參註又作三

馬氏曰君子終折言士君子之面部三停齊等可以始終中而三折之也衆人未必然耳

結喉以下至缺盆中長四寸

營昇按因頭之俯仰也仰則其寸長俯則其寸短且至結喉突

頭量之則其寸長自結喉之下端量之則其寸短也今詳之結喉下天骨兩突骨之中間是穴

缺盆以下至髑骬長九寸过則肺大不滿則肺小

本藏篇曰無髑骬者心高髑骬舉者心下髑骬長者心下堅髑骬弱下以薄者心脆髑骬直下不舉者心端正髑骬倚一方者心偏傾也　類经曰髑骬一名尾翳亦鳩尾蔽骨也

髑骬以下至天樞長八寸过則胃大不及則胃小

銅人经曰倂骬下至臍長八寸

神應经曰人若無心蔽骨者取岐骨下至臍心共折九寸取之

針方六集曰上取岐骨下至臍心共折作九寸取之

天樞以下至横骨長六寸半过則迴腸廣長不滿則狭短

[illegible]乙经陰交臍下一寸氣海臍下一寸五分石門臍下二寸関

[illegible]下三寸中極臍下四寸　骨橫骨上中極下毛際陷中也凡五寸類經醫統神應經針方六集金鑑等臍心下至毛際橫骨穴折作五寸為是

橫骨上廉以下至內輔之上廉長一尺八寸

圖翼曰骨際曰廉膝旁之骨突出也曰輔骨內曰內輔外曰外輔

內輔之上廉以下至下廉長三寸半

內輔上廉下至內踝長一尺三寸

踝以下至地長三寸

膝膕以下至跗屬長一尺六寸

類經曰膝後曲處曰膕凡兩踝前後脛掌所交之處皆為跗之屬也　張志聰曰屬者兼足面而言也

跗屬以下至地長三寸

角以下至柱骨長一尺

銅人经曰腦角下至柱骨長一尺

類经曰角頭側大骨耳上高角也柱骨肩骨之頸項之顙也

行腋中不見者長四寸

註証曰自柱骨行于腋下之隱处長四寸

腋以下至季脇長一尺二寸

季脇以下至髀樞長六寸

髀樞以下至膝中長一尺九寸

膝以下至外踝長一尺六寸

外踝以下至京長三寸

[illegible]至地長一寸

行当完骨以廣九寸
耳前当耳門以廣一尺三寸
兩顴之间相去七寸
註 註曰目下高骨為顴
兩乳之间廣九寸半
営昇按甲乙经曰自氣户俠俞府兩旁各二寸下往　根凡
十二穴　八寸滑氏發揮曰自膻中横至神封二寸神封至乳
中二寸左右合而得八寸也萵纂医统針方六集金鑑等俱当
折八寸為当矣
兩髀之間廣六寸半
足長一尺二寸廣四寸半
肩至肘長一尺七寸

張介賓言肩々端也自肩頭至曲池為一尺七寸營昇云可従

張氏之說

肘至腕長一尺二寸半

腕至中指本節長四寸本節至末長四寸半

類經曰末指端也

項髮以下至背骨長二寸半

圖翼曰自後髮際以至大椎項骨三節是也

膂骨以下至尾骶二十一節長三尺上節長一寸四分八之一奇

分在下故上七節至于膂骨九寸八分分之七

圖翼曰背部折法自大椎至尾骶通折三尺上七節各長一寸

四分一厘共九寸八分七厘中七節各長一寸　分七厘共一

[illegible]一寸二分七厘第十四節與臍平下七節各一寸二分六厘

[illegible]八分二厘總共二尺　寸九分六厘不足四厘此有零
未尽故也
六書精蕴曰吕力　切脊骨凡二十一部如珠氣行一起一
伏也象上下相貫形凡藏府皆　寸　心係于五椎自十七椎
至二十為腰盤骨所奔心之前有蔽骨天然之妙也或從肉作
膂脊之重在骨不在肉也

續譯針灸萃要針術編

籌升菴譯

第一章　針術及針

針術之定義　針術者以細小之針刺入人体之皮膚及筋肉内部依各種之刺戟法或对于神經加以適宜之器械的刺戟用之治療一定之疾患者也

針術之現象　針入刺身体内加以刺戟時恰如通以電氣足以誘發時異之感覺是名針術之感應此種感應有起于針刺入部者有起其附近者亦有時起之远隔部者其次施針術時針刺部之筋肉屢起攣縮拔針之後此種感覺頓忽亡失針刺入部往往發生粟粒大赤色小隆起半日或一日後即全消失

針為行針術之要器以線状之金属製化之其一端則磨

研究鍼尖

一針之製　材料雖有金銀鉄等分別然就以質柔軟富彈力少生鏽者為相宜故以金銀製者為良

二針之大小　針之長由一寸二分至三寸針之粗由〃馬尾毛至木棉縫針通常別為十種最細者為一号針最粗者為十号針

三針之形狀　現今使用之針有二種一稱毫針化名員利針全針之各部名各相異手指把握部謂之針軸刺入皮膚及筋肉内之線狀部名針鋒其　針軸保持針鋒之一端稱針脚而尖鋭之一端則稱針尖

甲毫針之形狀

一針軸為圓筒狀長六分其周圍有刻以縦線或横線以

便把操者

二針鋒為正直之圓柱形線狀

三針尖即針鋒之他端磨礪成之銳鋒也由其形狀分為鎚形尖圭形鈍圓形松葉形等用之最多者為松葉形

乙員利針之形狀

一針軸為圓球狀之金屬小頭其一部分則爲針脚連續而保持之

二針鋒
三針尖
皆與毫針同

四針之保存　針須常用鞣皮擦拭清潔保存于適宜之容器內針尖為施術上最要部分故其銳鈍宜特別注意者

五針管　當為毫針刺入組織內時以針管為其鞘一則可保護針尖再則刺入皮膚亦較容易構造則為筒管狀形有圓柱六角八角形之分通常以銀洋銀黃銅等製之其長則以　入其　中之針鋒畧短一二分為適度此外又別有所謂螺旋管者以管尖活開螺旋得自在伸縮一寸二分至二寸之針用之

第二章　刺針法

刺針法實際可分為準備法及實施法之二種

一準備法　刺針之際右手謂之刺手左手名曰押手

甲押手、左手拇示兩指之指腹相合並固定刺針部兩指腹間保持針鋒且以適度之壓力使此部之皮膚及筋肉

弛緩或緊張亦可防禦被術者身体之突然動揺故施術中不可少懈其力

乙刺手　右手之拇示兩指腹保持針體刺針之際施行各種手技之手也

二実施法　此有撚針法打針法管針法等三種然打針法現時用者甚少故畧之

甲撚針法　刺手持毫針或員利針押手固定刺針部由其拇示兩指間徐々刺入曰撚針法

乙管針法　此法只毫針用之実施之際押手固定刺針以毫針入針管中保持于押手拇示兩指間露出針管外之針軸上端以刺手之示指或中指頭擊壓之度其針尖業已刺入皮膚内以刺手除去針管然後行撚針法刺入深

刺針之手技　行針術時僅針刺入不能達針術之目的必須使針鋒刺至一定深処且或強或弱振動之刺戟組織方見効果故手技為最緊要最宜熟練者茲別為刺針方向及刺針手術如左所列

一刺針方向　刺針之方向在皮膚內平行刺者謂為地平刺正直刺者名為垂直刺々針方向取垂直地平之中間位而斜行刺者則称為橫斜刺

二刺針手術　此更分為左之十種

甲隨針術　術者及患者俱安靜術者調節自己之呼息吸息使與患者均同当呼息時使針刺入吸息時暫止進入如是反覆行之達目的之深部則按去之按針之際亦須

隨件呼吸此法用于擴張血管弛緩筋肉之目的

乙圓旋術　使刺入之針鋒向左方迴旋至一定之深部更向右方迴轉拔去之行此法時押手亦当應其迴旋步運動操壓之欲使刺戟度強時宜用此法

丙雀啄術　針刺至適当之深部停止之刺手撮持針鋒或針柄細密拔刺上下兩方由其拔刺之強弱或顯由奮用或顯刺止　用

丁屋漏術　分針之長為三分刺入其三分之一長則暫時停止再深刺其一卜停止暫時更深刺其餘一分休息少時間拔去之而当拔去之際亦須拔出停止相間此法用諸鎮靜之目的

戊[illegible]術　一度針刺直达皮下更復急卒刺入此後或拔

[illegible]下或迴旋之行強度刺戟

己內調術　押手撮持刺入針之針軸刺手持針管叩擊針軸使之振顫收縮血管或筋肉用之

庚氣拍術　刺針之周圍以刺手之指頭或針管押壓而振動之同上之目的用之

辛龍頭術　刺針　一定之深部後針軸由刺手之拇指向示指輕振彈之亦用之同上之目的

壬細指術　此為皮刺法之一納針于針管置之患部刺手之指頭輕細速快叩擊針管外之針軸俟軸沒入更撮出而再行之用諸刺止

癸營散術　知覺过敏之人不能直加針刺宜僅以針管置患部刺手之示指輕速叩擊管頭使其过敏減退又刺針

之际有強度之痛感此使用此術亦可解除遺留之痛覺也

針術手技之應用　針之長短細大刺戟之緩急強弱施手術時固當選擇適宜即就個人之体質年齡男女肥瘦疾病之軽重刺戟之部位以及其他治療之目的亦各保各性各有差異斟酌擇　宜亦須周密考慮而其大旨則以刺戟之度少超病的元奮力為針刺治療之規範

補瀉迎隨古針灸家手術應用之術語也其由来久矣其所謂補有如局部貧血欲此使部之血液輸入增加宜以間歇性刺戟加之該部運動神経使血管擴張即緩徐之刺戟也其所謂瀉則如欲令局部血管收縮血行增進時所加之持續性即強直性刺戟即急[illegible]戟也迎有局部刺針灸治之意義隨可理解為反射的或

鍼灸治也

針術之作用　針術之作用為神経刺戟之一其性質則屬之器械的盖調節全体諸種机能維持吾人生活此惟神経為其主宰神経実質受刺戟則與奮目有傳導其刺戟于他部之性今設刺戟一局部則知覺神経與奮此刺戟依求心性傳達于中枢致中枢與奮此與奮更依远心性傳達至末稍局部之筋肉血管因之收縮設此刺戟持續長久時卒致神経疲労與奮性減衰遂現麻痺筋肉血管亦因弛續此外在運動神経之経路直接加以刺戟亦現同一之現象而刺戟交感神経則其支配之藏器之固有机能亦顕呈旺盛是即針術之生理的机能以是針術之目的大别為制止法與奮法誘導法之三種

一制止法　制止法以对于筋肉経神分泌器等之與奮血管

之擴張血液之流鼓旺等現象加以鎮靜收縮緩解之手技也此其理則基于生理學上神经受超越某定度之刺戟或陸續不絕之刺戟時神经即疲勞其興奮力及傳達机能減衰甚則現一時之麻痺

二 興奮法　興奮法者对于身体諸種机能之減衰及麻痺者使之旺盛興奮之手技也

三 誘導法　誘導法者刺針远隔患部之部位以其末梢神经之刺戟傳搬刺戟于血管擴張神经因以誘導血液于刺針部之手技也

刺針之禁忌　禁忌者实施針術之時不僅不收効果且有誘發障碍之虞之謂也此有身体上之部位及施術時之情況之別

□之部位禁忌　延作部百会眼球耳腔喉頭氣管肺藏心藏脾腎睾丸大血管大神经之主幹及其他腹部之諸藏器不可直接猥濫針刺

二施術時之情况禁忌　憂愁時衰弱甚者飢渴窘迫於心身疲勞过劇暴食暴飲時禁忌針刺

消毒法　針術實施時之針為全然刺入身体組織內者諸針鋒附着有毒細菌或不潔物針不啻一病毒傳染之媒介矣以是之故針管以及術者之手指等必須以規定之消毒方法嚴密施行針術消毒使用之藥器有五%石炭酸水普通酒精二%列曹尔液一%福尔麻林液等應用之際以針及針管浸漬此等液內十分鐘以上即可而術者手指患者刺部之消毒則以普通酒精之先拭碘酒之後塗為最確實

第三章　針術之臨床事項

針術臨床上遺漏之事項依性質分為三種

一刺針之準備　実施針術時術者及被術者須選取適当之位置

甲被術者之資勢以筋肉弛張之度得自由為目的

子　刺点在四肢之外部背部腰部臀部施術時宜使患側向上方横臥上肢向前方伸展而膝部屈折則由各部自然之屈伸度而筋肉之弛張度得自由加减術者可于其前側或後側取一適宜位置

丑　刺点在上肢之内側時亦取横臥位置患肢向頭部高挙伸展支持于術者之膝上

寅　刺点在前頸胸腹下肢之内側部者宜取仰臥位

而皮膚移動極易之前頸部剌針時項部必須置枕頭部亦宜下垂則此部之皮膚緊張固定矣

卯　剌点在頭部項部肩胛部者宜取跪坐位兩手置膝上術者則坐其後方

乙術者之資勢舉止宜端正衣服當整潔談言簡捷和以取其愛精神沈密獻以取其信左側之膝宜屈右側之膝當立而支持右肘于其膝上右手持針左手徐徐撫按局部探求剌点

二剌針及拔去之處置

甲剌針之際決不可粗暴否則被術者疼痛不堪驚怖而至中止施術甚或有損組織害血局部殘遺疼痛者

乙拔針之际押手宜向刺針之方向徐徐揉壓刺針部刺手持針軸細心注意拔去之

三刺針前後所發障碍之處置

甲施術之前宜先檢查針視針尖之銳鈍針鋒有無鏽傷或由屈曲所生之痕跡有則刺針之际有折損之虞决不可用

乙刺針之际局部之皮膚硬結針之進入困難若強行之則疼痛不堪此际宜立即停止刺入且輕々撫按其部使其習慣刺戟休息停隔二三分鐘再行針刺

丙針刺入時筋肉有急劇收縮而致拔針困難者此時之應急處置宜使更向深部刺入而後試拔之無效則更以他[illegible]前針之上下或兩側部刺入放置之試拔前針再拔

[illegible]針[illegible]術[illegible]久容易

丁 拔針之後局部有出血有生腫瘤有周皮下溢血而生紫斑者故刺針拔去之後宜以押手按壓局部則可防此弊害否則亦可消散之

戊 使用之針或因針鋒原有破損或因針存結節中或由被術者身体之突然動搖刺入之針鋒有斷折此際押手决不可移動折斷頭露皮膚面上者直即拔出之若在深部無法觸知者聽其留置後亦無害縱使二三日內局部或少有刺戟痛然終亦逐漸消散無異常人至此折段之結果則有因人体動作轉消而出体外者有由酸化而消融者有新生結締織而包圍之者其結局甚不定

針灸講義卷二終